Ella Kordes

Die Gartenschwestern

Autorin

Ella Kordes ist Berlinerin der zweiten Generation. Nach mehreren Auslandsaufenthalten hat sie ihren Lebensmittelpunkt wieder in der Hauptstadt. Solange sie denken kann, macht sie etwas mit Büchern: schreiben, betexten, aus dem Englischen übersetzen und rezensieren. In ihrer Freizeit ist sie entweder in ihrem Garten oder im Boot auf der Havel anzutreffen, vorzugsweise mit Lebenspartner, Freundinnen und Familie.

Besuchen Sie uns auch auf www.facebook.com/blanvalet
und www.twitter.com/BlanvaletVerlag

ELLA KORDES

Die Garten Schwestern

ROMAN

blanvalet

Sollte diese Publikation Links auf Webseiten Dritter enthalten,
so übernehmen wir für deren Inhalte keine Haftung,
da wir uns diese nicht zu eigen machen, sondern lediglich auf
deren Stand zum Zeitpunkt der Erstveröffentlichung verweisen.

Verlagsgruppe Random House FSC® N001967

1. Auflage
Copyright © 2020 by Blanvalet Verlag,
in der Verlagsgruppe Random House GmbH,
Neumarkter Str. 28, 81673 München
Redaktion: Margit von Cossart
Umschlaggestaltung © www.buerosued.de
Umschlagmotiv: Juliette Wade/Photolibrary/Getty Images;
www.buerosued.de
LH · Herstellung: sam
Satz: Uhl + Massopust, Aalen
Druck und Bindung: GGP Media GmbH, Pößneck
Printed in Germany
ISBN 978-3-7341-0708-5

www.blanvalet.de

1. Kapitel

Insgeheim verbarg sich hinter der Begeisterung für durchgestylte Gärten bei Constanze, Gitta und Marit die stille und ein bisschen arrogante Überzeugung, dass sie die Natur zähmen könnten. Oder dass sie sogar die Gärtnerinnen ihres eigenen Lebens waren.

Bis das Schicksal eines Tages in lautes Gelächter ausbrach und fröhlich eine Handvoll Unkrautsamen auf die Beete ihrer Pläne und Erwartungen warf. Denn natürlich war der Glaube, dass man tatsächlich die Herrscherin über das eigene Leben sein konnte, nichts als eine Illusion. Ungefähr so unrealistisch wie eine Mohnstaude, die im tiefsten Winter erblüht und deren seidige Blütenblätter sich blutrot vom Weiß des Schnees abheben. Bezaubernd schön, ja atemberaubend, aber eben komplett unrealistisch.

Die Parallele zur Zähmung der Natur kam Constanze nicht in den Sinn, als sie an einem eisigen Sonntagvormittag in der Königlichen Gartenakademie in Berlin Dahlem das langstielige Glas hob. So kalt war die Flüssigkeit, dass sich an der beschlagenen Außenseite kleine Tropfen bildeten, die wie Tau von einem Blüten-blatt an einem frühen Sommermorgen abperlten.

»Danke für die Einladung, Gitta, Chefgärtnerin unseres Vertrauens. Und noch mal alles, alles Liebe und Gute zum Geburtstag«, sagte sie. »Möge dein Gar-ten ewig blühen, möge dein weißer Lerchensporn nie-mals Staunässe bekommen und dein weißer Ritter-sporn niemals die Köpfe hängen lassen!«

Marit, die Zweite im Freundinnenbund, folgte Con-stanzes Beispiel und erhob ebenfalls ihr Glas. »Ja, Gitta, das wünsche ich dir auch. Von ganzem Herzen!« Sie nippte genießerisch an ihrem Crémant. »Mmh! Ich will nicht behaupten, dass Suff immer und gegen alles hilft. Das würde ja klingen, als ob ich an der Flasche hinge. Tu ich nicht. Wirklich nicht! Aber ein Schlückchen hier-von hilft immerhin gegen viel. Nicht nur gegen niedri-gen Blutdruck.«

Ihr braunes Haar, in dem sich zunehmend mehr Grau zeigte, seit sie vor zwei Jahren die fünfzig über-schritten hatte, schien sich besonders stark zu kräuseln, als sie einen kleinen Schluck trank. Die ungebärdigen Locken erinnerten an die Zweige einer Korkenzieher-weide, die sich munter kringelten und ringelten. Marit weigerte sich zu färben. Sie fand, dass das nicht im Ein-klang mit der Natur stand. Und obwohl sie klein und kompakt war, passten weder Schuhe mit hohen Absät-zen noch strikte Diäten in ihr Lebenskonzept. Dafür lachte sie gern und viel.

Constanze dagegen färbte ihr langes Haar seit Jah-ren, und das einzig Natürliche daran war, dass sie es mit Henna tat. An ihren Färbetagen sah sie aus, als ob sie einen großen Kuhfladen auf dem Kopf hätte, mit Frischhaltefolie eingewickelt. Sie musste das nicht rechtfertigen, weder vor sich selbst noch vor einem Mann, weil sie nämlich keinen hatte. Aber wenn sie es hätte rechtfertigen müssen, hätte sie sicher gesagt, dass sie schließlich eine Schauspielerin war. Sie trat jeden Tag vor Grundschülern auf, da gehörte eine Maske ebenso dazu wie die genaue Kenntnis eines Drehbuchs, bei dem Wissensvermittlung und die Lacher an der richtigen Stelle sitzen mussten.

Die Haarfarbe war nicht der einzige Unterschied zwischen den beiden. Constanze war sehr groß, ernster und irgendwie schwingend. Sie und Marit waren sich so ähnlich wie ein graugrüner niedrig gewachsener Bergsalbei und eine ranke, schlanke Taglilie, deren dunkelrote Blüten an langen Stängeln wippten. Was ihrer Freundschaft keinen Abbruch tat. Im Gegenteil.

Sie mussten laut gegen die Geräuschkulisse anreden. Eines der Gewächshäuser in der Königlichen Gartenakademie war zum Restaurant umgebaut, und die Glasscheiben reflektierten die vielen Gespräche. Das Wasser, das an den Innenseiten hinunterlief, hätte aus kondensierten Wörtern bestehen können. Wie immer war das Lokal zum Sonntagsbrunch bis auf den letzten Platz ausgebucht. Dabei war es ein teurer Spaß, hier zu essen. Die geschmackvolle Erfüllung der Gartensehnsucht konnte eben niemals billig sein.

Und Erfüllung war es: Hyazinthen verströmten ihren Duft, weiße Tulpengestecke schmückten den verglasten Gang, der die fünf Gewächshäuser miteinander verband, gelbe Winterlinge in Tonschalen wirkten wie eingefangene Sonnenstrahlen. Frisches Birkengrün und das gelegentliche Niesen resignierter Allergiker erinnerten daran, dass der Frühling nicht mehr allzu fern war.

Am vergangenen Mittwoch war Gitta einundfünfzig Jahre alt geworden. Marit und Constanze hatten ihr am Telefon gratuliert, und Gitta hatte ihnen fröhlich erzählt, dass sie mit Ralf ins Machiavelli in der Nähe vom Roseneck gehen würde – ein edles italienisches Restaurant bei ihnen um die Ecke.

Ach, der liebe Ralf, hatten die Freundinnen ein klitzekleines bisschen neidisch gedacht. Gitta hatte es wirklich gut mit ihm getroffen! Seit dreiundzwanzig Jahren legte er ihr die Welt zu Füßen, war nicht gerade arm, großzügig und gut aussehend – eine wunderbare Mischung. Neuerdings ging er sogar regelmäßig joggen und hatte seinen Wohlstandsbauch verloren. Gemeinerweise hatte er das Fett direkt an Gittas Hüften weitergegeben. Dass Gitta stundenweise in einem Einrichtungshaus am Kurfürstendamm arbeitete, war für sie eher ein Hobby als eine Notwendigkeit.

Aber an diesem Sonntag waren die Freundinnen dran.

»Gegen was hilft Crémant denn bei dir so, Marit?«, fragte Constanze.

Sie stützte ihre Ellenbogen auf und betrachtete angelegentlich das Treiben. Die Leute strömten zum Büfett, das Klappern von Besteck und Geschirr, Lachen und angeregte Gespräche waren zu hören.

Geburtstagskind Gitta griff nach der Sektflasche im Kühler und füllte ihr leeres Glas schweigend nach.

Marit nahm einen kleinen Schluck. »Na ja, das Weihnachtsgeschäft lief nicht so gut wie in den letzten Jahren. Das macht mir schon Sorgen. Früher hat der Gewinn wenigstens fürs erste Vierteljahr gereicht. Aber in diesem Jahr sieht es jetzt schon mau aus, dabei haben wir erst Februar. Es ist das Internet. Das mag ja für viele ein großer Segen sein, für uns Buchhändlerinnen ist es ein Fluch.«

Marit hatte eine kleine Buchhandlung im Berliner Stadtteil Westend. NATÜRLICH LESEN hieß sie, und der Name war Programm. Sie und ihr Mann Stefan hatten sich auf Natur- und Gartenbücher aller Art spezialisiert. Von Apfelromanen bis hin zu opulenten Wildkräuter-Kochbüchern, von Anleitungen für pflegeleichte Gärten bis hin zu Wildtieren in der Großstadt, von Bestimmungsbüchern für alte Gemüsesorten über Sternenkarten in der Nacht und Urban Gardening in Berlins Hinterhöfen: Wenn irgendwo etwas lebte, leuchtete, atmete oder wuchs, war ein Buch darüber bei Marit zu finden.

»Du weißt doch, dass sie dir wieder die Bude einrennen, sowie die Temperaturen klettern«, versuchte Constanze sie zu trösten. »Jetzt ist nicht die richtige Zeit für Naturbücher. Die Leute sind noch von Weihnachten eingedeckt. Außerdem sind alle im Winterschlaf. Die Tiere, die Pflanzen, vielleicht sogar die Leser.«

»Ja, ja. Ich weiß. Das sagen meine Jungs auch immer«, meinte Marit. Sie hatte vier Söhne, die ihr die Welt bedeuteten. Inzwischen war sie zweifache Großmutter – und Witwe. Vor fünf Jahren war Stefan gestorben. Das Vierteljahr, das zwischen der Diagnose Bauchspeicheldrüsenkrebs und seinem Tod gelegen hatte, hatte gerade so gereicht, alles Wichtige zu regeln. Nur Marits Herz und die Herzen ihrer Jungs waren noch nicht ganz geregelt. Sie seufzte leise, dann sagte sie resolut: »Aber jetzt will ich mir um den Laden echt keine Sorgen machen. Heute wird gefeiert! Kommt ihr mit zum Büfett?«

Ohne die Antwort der Freundinnen abzuwarten, stand sie auf und strich sich den dunkelgrünen Kordrock glatt, zu dem sie ein lindgrünes Twinset und eine jadegrüne Kette trug. Wenn man sich hier zum Brunch traf, machte man sich hübsch. Das gehörte einfach dazu.

Dann allerdings blieb sie stehen und schaute auf ihre Gastgeberin hinunter.

Gitta schwieg. Regungslos saß sie da und schaute nach draußen. Die Sträucher in den Beeten waren heruntergeschnitten, alles, was noch vor wenigen Monaten grün und bunt gewesen war, war tot, die Zweige der Bäume waren kahl und hoben sich dunkel gegen den grauen Himmel ab. Nichts lebte. Alles war vergangen, weg, vorbei, zu Ende …

»Let's go«, sagte nun auch Constanze vergnügt und erhob sich ebenfalls. »Komm, Gitta, du edle Spenderin. Der Wildlachs wird warm.« Sie griff nach der Hand der Freundin, um sie hochzuziehen, aber Gitta blieb, wo sie war, stumm und reglos.

Alarmiert schauten die beiden Freundinnen auf ihren aschblonden Haarschopf. Plötzlich fiel ihnen auf, dass Gitta seit der Begrüßung noch kein Wort gesagt hatte. Und das, obwohl sie sonst alles so gern munter kommentierte.

Wie merkwürdig.

Langsam setzten sie sich wieder und musterten sie.

Gitta blickte weiter schweigend hinaus in die gefrorene Winterlandschaft, als hätte sie nichts von dem verstanden, was die anderen gesagt hatten.

Marit registrierte, dass der rote Lack ihres Daumennagels abgeplatzt war. Was äußerst ungewöhnlich war. Gitta hatte genug Geld und Zeit für Schönheitspflege, kaufte stets die besten Produkte in der Kosmetikabteilung im KaDeWe, für das sie die goldene Kundenkarte besaß, ging regelmäßig zur Maniküre, Pediküre, zum Friseur, zur Lymphdrainage und zur Fußreflexmassage. Sie war ihre Mrs. Perfect.

Marit berührte vorsichtig Gittas Hand, und sie zuckte zusammen. »Gitta, was ist denn los?«, fragte sie behutsam.

Gitta schaute sie an, als erwachte sie aus einem tiefen Traum. Sie trug nicht mal Mascara, fiel nun auch Constanze auf, keine Spur von dem rosafarbenen Lipgloss, das ihr Markenzeichen war. Sie war ungeschminkt, hatte das halblange Haar nicht wie sonst gefällig in Form geföhnt. Und der Fleck auf ihrem schwarzen Kaschmirpulli, direkt unter der Perlenkette – war das etwa die Spur von hastig weggewischter Zahnpasta?

Constanze warf Marit einen besorgten Blick zu. »Gitta! Gitta, was hast du denn? Rede mit uns!«, sagte sie.

»Geht es dir nicht gut?« Marit beugte sich vor und sah Gitta an. »Sag uns doch, was los ist.«

Plötzlich glitzerten Tränen in Gittas Augen. Eine rollte die blasse Wange hinunter. Besorgt hielt Constanze der Freundin eine Serviette hin, aber Gitta ignorierte sie. Dann sprang sie unvermittelt auf, so heftig, dass ihr Stuhl nach hinten kippte und scheppernd umfiel, einer Kellnerin mit einem voll beladenen Tablett mit Getränken vor die Füße. Hastig sprang diese zurück.

»Dieser Mistkerl!«, rief Gitta und riss die Arme hoch, als wollte sie die Glasdecke des Gewächshauses von unten her in tausend Scherben zerschmettern. Augenblicklich verstummten die Gespräche. Alle Gäste wandten sich ihrem Tisch zu, es herrschte Totenstille. Die Kellnerinnen blieben wie eingefroren stehen. »Dieser verdammte Mistkerl! Ich könnte ihn umbringen!«

»Wen denn?«, fragte Constanze erschrocken, und auch die Leute an den Nachbartischen sahen so aus, als ob sie das unbedingt wissen wollten.

»Ralf natürlich!«, rief sie. »Dieser miese Verräter!«

Mit irrem Blick schaute sie um sich, bereit, nach dem nächstbesten Hyazinthentopf zu greifen und ihn dem unsichtbaren Ralf an den Kopf zu schleudern.

Constanze und Marit drückten die Aufgebrachte hastig zurück auf ihren Stuhl.

»Psst, Gitta. Beruhige dich«, sagte Marit leise. Sie füllte Gittas Glas und stellte es vor sie hin. »Hier, trink noch einen Schluck. Und dann erzähl erst mal, was passiert ist. Wir helfen dir, bestimmt!«

Denn irgendetwas war da ganz und gar nicht in Ordnung.

Bis jetzt hatte Gittas Ehe auf Constanze und Marit geradezu überharmonisch gewirkt. Es war ihnen manchmal direkt unheimlich. Man war ja nicht mal immer mit sich selbst glücklich – wie sollte das denn zu zweit gelingen? Marit hatte mit ihrem verstorbenen Mann gern und oft gestritten (und sich anschließend leidenschaftlich versöhnt). Und Constanze hielt sich sowieso für einen überzeugten Single.

Für Gittas glückliche Ehe hatten sie nur eine Erklärung gehabt: Aus beruflichen Gründen reiste Ralf viel. Wenn er und Gitta sich nur zwei, drei Tage in der Woche sahen, dann blieb einfach zu wenig Zeit, sich zu streiten.

Ralf arbeitete für eine Abrissfirma, die auch Neubauten erstellte. Er war Manager der Schnittstelle, gewissermaßen eine unternehmerische Personalunion. Abriss des Altbaus – mit Ralf Velten besprechen. Planung des Neubaus – mit Ralf Velten besprechen. Ehrgeizig war er und sehr erfolgreich, Gitta kümmerte sich um alle sozialen Belange in ihrem gemeinsamen, wohlsituierten Leben. Keine Frage, Gitta und Ralf gehörten zusammen wie Gießkanne und Wasser, Rasenmäher und Stromkabel, Kompost und Kartoffelschalen.

Gitta tupfte sich die Tränen ab, die nun reichlich flossen. »Er hat mir am Mittwochabend erklärt, dass er mich verlässt. Nach meinem Geburtstagsessen. Mir ist sofort schlecht geworden! Er will raus, will sich scheiden lassen, möglichst bald. Dieses Miststück.«

Constanze und Marit sahen sich betroffen an. »Warum will er dich denn verlassen?«, fragte Marit leise. »Und so plötzlich …«

»Er hat eine andere!«

»Nein, das kann nicht sein«, sagte Constanze entschieden. »Niemand ist so perfekt wie du. Er kann keine andere haben. Dazu seid ihr doch viel zu glücklich zusammen.«

»Natürlich kann das sein. Es *ist* so.« Gitta schluchzte auf. »Er hat es mir gesagt. Das läuft schon eine ganze Weile. Offenbar will er keine perfekte Frau. Vielleicht will er lieber eine Schlampe. Mit ganz vielen Fehlern. Eine junge Schlampe, eine mit glatter Haut, mit definierten Oberarmen! Und wahrscheinlich mit Oberschenkeln, an denen sich nichts dellt wie an meinen«, sagte sie resigniert. »Apfelsinenhaut … Apfelsine klingt ja noch appetitlich, aber Cellulitis …«

»Wir Gärtnerinnen bekommen keine Cellulitis«, sagte Marit entschlossen. »Höchstens Zellulose.«

Gitta winkte ab und schnäuzte sich. »Auf jeden Fall ist er ein guter Schauspieler. Auch wenn ich mich über die vielen Geschäftsreisen in letzter Zeit gewundert habe. Und ein bisschen verändert war er schon. Er hat so untypische Dinge getan wie ein neues Rasierwasser kaufen und so. Und dieses blöde Joggen um den Grunewaldsee. Ach, ich hab's einfach verdrängt. Ich wollte es nicht sehen. Ich bin so blöd …«

»Ich dachte, ihr liebt euch«, sagte Constanze.

Gitta sah sie ungehalten an. »Nun sei doch bitte nicht naiv, Constanze. Was heißt denn schon Liebe! Mal kommt man miteinander gut aus, mal könnte man sich gegenseitig an die Wand klatschen. Eine so lange Ehe hat doch nichts mehr mit Liebe zu tun. Es ist eher ein Abkommen. Ich hab mich um alles gekümmert. Er hat alles bezahlt. Ihr wisst genau, wie das ist! Was nicht heißt, dass es nicht höllisch wehtut. Er entsorgt mich einfach und tauscht mich gegen ein neueres Modell aus.« Die Tränen versiegten. Jetzt war Gitta wütend.

Constanze schüttelte den Kopf. Sie hatte keine Ahnung, wie das war. Und sie wollte auch wirklich nicht an die Wand geklatscht werden. Wenn diese Ehe ein Abkommen war, klang es so, als ob eine Seite gerade einen ungeregelten Ehe-Exit vornahm.

»Wer ist es denn?«, fragte Marit und streichelte Gittas zitternde Hand.

»Ich weiß es nicht«, antwortete Gitta. Sie klang plötzlich unendlich müde. »Er hat durchblicken lassen, dass es niemand aus unserem Bekanntenkreis ist.«

»Ein schwacher Trost«, murmelte Marit. »Und wie geht es nun weiter?«

»Wenn ich das wüsste.« Gitta kippte den Crémant in einem Zug hinunter. »Die Nacht von Mittwoch auf Donnerstag war ein Horror. Wir haben so gestritten. Am Donnerstagmorgen ist er dann nach Hamburg gefahren, zu seiner Baustelle. Die Firma baut dort ein Verlagshaus. Er war schon weg, als ich aufgewacht bin. Natürlich hat er im Gästezimmer geschlafen. Seitdem habe ich nichts von ihm gehört.«

»Nicht nur ein Mistkerl, sondern auch ein herzloser Mistkerl«, zischte Marit.

Gitta lächelte schwach. »Wahrscheinlich hofft er, dass ich mich im Grunewaldsee ertränke. Dann wäre er das Problem los. Also mich.«

»Ach komm, das ist zynisch. Damit verletzt du dich selbst«, sagte Constanze und stand auf. »Ich hol uns mal was vom Büfett. Gitta, du musst was essen, sonst kippst du vom Stuhl. Zu viel Sekt auf leeren Magen ist nicht gut. Und wenn die Kellnerin kommt – ich nehme einen Ingwertee mit frischer Minze.«

Marit nickte und legte den Arm um Gitta, während sich Constanze zwischen den Stühlen hindurch zum Büfett schlängelte.

Von geräuchertem Wildlachs über Ziegenrohmilchkäse mit kandierten Veilchenblättern, von knusprigen Brötchen aus Bioschrot bis hin zu Knäckebrot mit Rosmarin, von hauchdünn geschnittenem italienischem Aufschnitt bis hin zu Zanderfilet auf Winterwurzelgemüse und zarten Scheiben vom Iberoschwein in silbernen Warmhalteschalen – sich hier durchzufuttern war einfach ein appetitlicher Superlativ.

Constanze nahm von allem etwas und wollte schon zurückgehen, da fiel ihr Blick auf Honiggläser. Sie beugte sich vor und las, was auf den Etiketten stand: Berliner Sommerblüte, Teschendorfer Tannenhonig und Lindower Lindenblüte. Den Adressen nach kamen alle Imker aus Berlin und der Mark Brandenburg.

Plötzlich hatte sie eine Idee. Wie wäre es, wenn sie für den Schulgarten einen Bienenstock anschaffen würde?

Sie hatte keine Ahnung, was man dabei beachten musste. Aber das wäre doch ein fantastisches Projekt für ihre Umwelt-AG.

Sie richtete sich wieder auf und bekam prompt ein schlechtes Gewissen. Wie konnte sie sich nur über so etwas Gedanken machen, wo es Gitta doch so schlecht ging!

Eilig ging sie zurück zu ihrem Tisch, wo der Ingwertee bereits auf sie wartete. Gitta saß mit gesenktem Kopf da, aber Marit sah sie mit ihren blauen Augen groß an.

»Wusstest du, dass die Villa am Messelpark schon Ralfs Eltern gehört hat? Dass er sie von ihnen übernommen hat, als die beiden nach Teneriffa gezogen sind?«

Constanze schüttelte den Kopf. Sie hatten nie darüber gesprochen, sie selbst hatte immer angenommen, dass Gitta und Ralf die Villa zusammen gekauft hatten, zu einer Zeit, als die Immobilienpreise in Berlin noch nicht durch die Decke gegangen waren. Das Haus gehörte nicht ihnen beiden?

»Wie geht es denn jetzt weiter?«, fragte Marit leise.

Gitta schluchzte laut auf. »Er hat gesagt, dass er mich verlässt. Und nicht, dass ich ausziehen soll. Denn das kommt ü-ber-haupt nicht infrage! Ich bleibe. Was soll denn sonst aus den Pflanzen werden? Es sind meine Babys. Er hat sich nie für den Garten interessiert, der kann ein Schneeglöckchen nicht von einem Gänseblümchen unterscheiden. Für Ralf sind meine Funkien Unkraut!«

»Da hast du recht. Er war immer ignorant«, meinte

Marit. »Dabei war dein Garten schon in der *Home &*
Eden!«

Was stimmte. Das edle Gartenmagazin hatte vor
einiger Zeit Gittas Garten und besonders ihre beein-
druckende Funkiensammlung porträtiert. Mit ihrem
prächtigen Blattwerk schmückten die Funkien den
schattigen, etwas abgelegenen Teil der Anlage in allen
Grüntönen. Sie hatten nur sich gegenseitig, um sich
geschmackvoll zu ergänzen. Wie in einer glücklichen
Ehe, in der die verführerischen grellen Farben der Welt
draußen um der inneren Harmonie willen besser igno-
riert wurden.

Ein klarer Fall von Fehlfarben, wie sich gerade
herausstellte.

Gitta winkte matt ab. »Ihm ist nur der Rasen wichtig.
Mit dem hat er eine richtige Macke. Grün und kurz ge-
schoren soll er sein wie auf dem Golfplatz. Ihr wisst ja,
wie Ralf sich da anstellt.«

Marit nickte und tätschelte ihr beruhigend den Arm,
Constanze strich ihr behutsam über den Rücken. Aber
sie warfen sich einen höchst beunruhigten Blick zu.

Denn plötzlich wurde ihnen das ganze Ausmaß
der Katastrophe klar. Es ging um die Existenz ihrer
Freundin, um einen gemeinsamen Bekanntenkreis, der
sich teilen würde, um Werte, die für Gitta in Stein ge-
hauen waren. In einen Stein, den Ralf nun wie mit einer
Abrissbirne in Staub und Asche verwandelt hatte.

Und außerdem ging es um den Erhalt eines Ortes,
den sie alle liebten.

Die Liebe zu Gärten hatte Constanze, Marit und Gitta vor vier Jahren zusammengebracht. Während einer Gartenreise nach Südengland hatten sie sich kennengelernt und sich über zweifarbige Iris, pinkfarbene Pfingstrosen und gewaltige Horste von lila blühendem Storchschnabel hinweg als Gartenschwestern erkannt. Sie liebten alles, was grünte und blühte.

In dem großen Villengarten am Messelpark setzten die drei Freundinnen ihre Leidenschaft praktisch um. Nach Gittas Anleitung formten sie Büsche, schnitten Äste ab, die der gewünschten Form entgegenwuchsen, rissen alles heraus, das ungefragt zwischen ausgewählten Stauden zu wuchern versuchte, pflanzten energisch um, damit stets etwas in den von Gittas gewünschten Farben blühte – Weiß und Grün. Dabei setzten sie scharfe Waffen aus Edelstahl ein, aber es flossen weder Blut noch Tränen. Auch beschnitten und gezähmt machten die Pflanzen geduldig das, was sie sollten: Sie wuchsen und gediehen.

Ein bisschen gehörte Gittas Garten ihnen allen. Marit und Constanze kannten die meisten Stauden persönlich, inzwischen mit deutschem *und* lateinischem Namen. Alle zwei Wochen zwischen April und Oktober trafen sie sich dort. Im Frühling wanderten sie die Beete entlang und kommentierten, was sich aus dem Boden schob, teilten Stauden, brachten Kompost aus. Im Herbst steckten sie Zwiebeln für weiße Tulpen, weiße Narzissen, weiße Märzenbecher und verpackten die weißen Rosen winterfest. Und im Sommer, der allerschönsten Zeit, machten sie tausend Sachen, die in einem großen Garten eben gemacht werden mussten.

Zum Abschluss eines gemeinsamen Nachmittags saßen sie dann gemütlich im lauschigen Schatten eines Baumes, lobten sich gegenseitig für ihren Einsatz, tranken kalten Rosé und blickten zufrieden auf ihre schwarzen Fingernägel.

Und was ihnen körperlich zu schwer war – hey, sie waren auch nicht mehr die Jüngsten, und ständig Ralfs Rasen zu mähen war langweilig –, übernahm ein junger, kräftiger Gärtner.

Constanze und Marit, die bereits vor der Gartenreise befreundet gewesen waren, hatten schon immer für raffinierte Staudenbeete, großzügige Parkanlagen, hübsche Baumgruppen und Linné'sche Sichtachsen geschwärmt. In Marits Buchhandlung hatten sie opulente Gartenbücher wie illustrierte Märchenbücher bewundert, auch oder gerade weil sie wussten, dass sie niemals Teil dieser Welt sein würden. Constanzes Altbauwohnung hatte keinen Balkon, sie konnte höchstens drei Töpfe auf das äußere Fensterbrett stellen, und auf Marits Balkon passte ein bisschen, aber nicht sehr viel mehr.

Wie Dorothy mit den roten Schuhen waren Constanze und Marit ins Zauberland Oz gesprungen – und mitten in Gittas weiß-grünem Traumgarten gelandet.

Das konnte unmöglich vorbei sein! Gitta hatte recht: Wenn Ralf die Trennung wollte, musste er ausziehen.

Ein Leben ohne Mann war möglich, ein Leben ohne Garten dagegen sinnlos.

Dass Gitta im Haus wohnen blieb, damit sie alle drei weiter ihren Traum vom Garten leben konnten, musste der betrügerische Ralf einfach einsehen. Dieser Ignorant sollte sich gefälligst trollen und woanders hinziehen, am besten gleich auf den Mond oder zumindest in eine andere Stadt in einen Nobelbau aus Stahl, Marmor und Beton, möglichst weit weg von ihrem Garten in Dahlem.

Bloß dass das überhaupt nicht glaubhaft klang.

2. Kapitel

Oderberg im Februar 1945

»Elisabeth, die Russen sind nicht mehr weit entfernt. Die Frontlinie ist jetzt schon fast an der Neuen Oder«, flüsterte Frau Schmölln hinter mir angstvoll. »Es wird nicht mehr lange dauern, bis sie hier sind. Dann gnade uns Gott.«

Ich hatte sie nicht hereinkommen hören, weil ich eingedöst war. Die ganze Nacht hatte ich an Muttis Bett gesessen und ihre Hand gehalten. Gegen die Kälte hatte ich mich in eine Decke gehüllt, aber das half nicht viel. Ich war bis auf die Knochen durchgefroren. Frau Schmöllns Worte machten das dumpfe Grollen in der Ferne noch entsetzlicher. Sie kämpften, und sie kamen immer näher.

Zuerst wusste ich nicht, ob Mutti Frau Schmölln gehört hatte. In den letzten Tagen hatte ich schon mehrmals gedacht, ich hätte sie verloren. Es hatte mit einer Erkältung angefangen, der Winter war so schrecklich kalt. Die Kohlen, die die Schiffe auf der Oder brachten, gingen schon lange nicht mehr an uns, die Bewohner der Stadt. Und auch nicht das Holz vom Sägewerk. Nein, es wurde in der Fabrik im Wald gebraucht, wo

Sprengstoff hergestellt wurde. Munition für den Krieg, für die Fronten im Osten und im Westen, war wichtiger, als die Menschen es waren. Alles war wichtiger. Von überallher hatte man Zwangsarbeiter und Kriegsgefangene für die Produktion herangekarrt, selbst Frauen aus dem fernen Rheinland, die in Lagern im Wald wohnten. Tag und Nacht wurde gearbeitet, aber es war nie genug.

Die Oderberger mussten auch ran. Ich arbeitete in der Fabrik wie viele andere aus dem BDM, obwohl ich eigentlich nach der Schule eine Ausbildung zur Kindergärtnerin gemacht hatte, weil ich Kinder so mochte. Auch Mutti hatte in der Fabrik gearbeitet, bis sie zu krank geworden war.

Unser kleines Haus hinten auf dem Grundstück der alten Schmölln hatte drei Räume. Hier war ich aufgewachsen. Es stand am Ufer der Alten Oder. Der Flussnebel kroch durch alle Ritzen, die Fenster schlossen nicht mehr richtig, weil sie verzogen waren. Wenn man so wie wir nicht ausreichend heizte, war es kalt und feucht. Tischler und Zimmerleute, die die Fenster hätten reparieren können, waren schon lange eingezogen. Es gab nur noch wenige Männer in Oderberg. Vati, der immer geschickt gewesen war und mit einem gutmütigen Lachen alles repariert hatte, war drei Jahre zuvor gefallen.

In der letzten Zeit hatte Mutti immer häufiger rasselnd gehustet und sich die Hand gegen die Brust gepresst, weil es sie so schmerzte. Wenn sie Atem holte, klang es mühsam. Unser selbst gemachter Hustensaft aus Spitzwegerich und auch der Kandissaft aus schwarzem Rettich hatten nichts genutzt. Wir wussten es wohl beide, aber wir sprachen es nicht aus: Mutti hatte eine schwere Lungenentzündung.

Dr. Wernecke, den ich angefleht hatte, sie zu untersuchen, obwohl er mit den vielen Verwundeten in Oderberg schon überfordert war, hatte nur traurig den Kopf geschüttelt. Es gab keine Medikamente und erst recht nicht das Wundermittel Penicillin. Jedenfalls nicht für eine Frau. Da habe ich gewusst, dass es nicht mehr lange dauern würde.

Jetzt schlug Mutti allerdings die Augen auf. »Du musst weg, Lissa«, sagte sie leise. »Hörst du? Du musst vor den Russen fliehen, Kind. Hier bist du nicht mehr sicher. Geh! Geh so schnell du kannst. Versprich es mir.«

Frau Schmölln musterte kritisch meinen langen blonden Zopf und meine zierliche Figur und nickte. Aber wenn es stimmte, was man erzählte, war das Aussehen sowieso nicht wichtig. Eine Frau, die aus Schlesien geflüchtet und beim alten Voss untergeschlüpft war, hatte von Gräueltaten der Russentruppen erzählt. Wenn sie deutsche Frauen fanden, die noch nicht vor ihnen geflohen waren, oder wenn sie auf einen Treck stießen – egal ob die Frauen jung oder alt waren, sie vergingen sich an ihnen. So schrecklich verletzbar waren die vielen Flüchtlinge auf den gefrorenen Straßen.

»Aber Mutti, wohin soll ich denn?«, fragte ich.

Der Gedanke, unsere kleine Stadt zu verlassen, kam mir beängstigend vor. Mein ganzes Leben war ich nicht weiter als bis Bad Freienwalde gekommen.

Oderberg war voller Flüchtlinge, die zu Fuß, mit Lei-terwagen oder auf Pferdewagen aus dem Osten kamen, bepackt mit ihrem wenigen Hab und Gut. Oft hatten sie obenauf die Federbetten, wo doch gerade die sich bei Regen und Schnee sofort vollsogen. Sie zogen und schoben ihre Wagen mit der aufgetürmten Last, wie eine menschliche Welle trieb die Rote Armee sie vor sich her. Wir hatten wenigstens unser Häuschen und einen kleinen Garten.

Früher hatten wir uns in Oderberg umeinander ge-kümmert. Inzwischen war die Lage so verzweifelt, dass jede Frau allein zusah, wo sie mit ihrer Familie blieb. Niemand hatte mehr viel Essbares, auch unsere Vorräte waren fast aufgebraucht.

An der Alten Oder hatte es im Spätsommer zudem Hochwasser gegeben. Es war in unseren Keller gelau-fen und hatte die meisten Vorräte zerstört. Unsere ma-gere Kartoffelernte war verfault, die Äpfel, die sich sonst bis ins Frühjahr hielten, waren auf dem schmut-zigen Kellerwasser geschwommen, die Einmachgläser waren vom Regal gefallen und aufgeplatzt, auch das Eingekochte verdorben.

»Geh zu Tante Martha. Sie wird dir helfen. Versuch, in Eberswalde einen Zug nach Berlin zu bekommen«, flüsterte sie. Dann hustete sie so schrecklich, dass sie regungslos liegen bleiben musste.

Frau Schmölln sog erschrocken die Luft ein. »Aber Anna, Frauen und Kinder fliehen aus Berlin, warum sollte Lissa dorthin?«

»Weil dort … die einzige Schwester ist, die ich habe.

Sie wird auf mein Kind aufpassen«, antwortete meine Mutter kaum hörbar. Nach Berlin? Ich wollte laut protestieren, angesichts der Blässe meiner Mutter und ihrer zuckenden, schweißnassen Händen schwieg ich jedoch. »Versprich es mir«, wisperte sie, und ich tat es.

Meine Eltern hatten keine Geschwister. Tante Martha war meine Nenntante. Sie stammte auch aus Oderberg, aber hatte in den Zwanzigerjahren einen Berliner geheiratet. Onkel Kurt arbeitete in einer Bank, Kinder hatten sie nicht, mich dagegen behandelten sie immer wie eine Tochter, wenn wir uns sahen. In den ersten Kriegsjahren waren sie noch jeden Sommer nach Oderberg gekommen. Wir waren mit Vatis altem Angelkahn auf den Oderberger See hinausgerudert und dort schwimmen gegangen, hatten am Ufer der Alten Oder im Schatten eines Walnussbaumes gesessen, erzählt und gelacht, als würde uns der Krieg an den fernen Fronten nichts angehen. Warum sollte er auch? Wir hatten ja gehört, dass wir kurz vor dem Sieg standen, bald würde er vorbei sein, und wir wären die Sieger.

Dann war die Front näher gerückt, und Tante Martha und Onkel Kurt hatten die Besuche eingestellt, doch wenn ein Brief von Tante Martha aus Berlin gekommen war, war das immer ein kleines Fest gewesen. Was sie berichtet hatte, war sehr aufregend gewesen. Offenbar gab es in Berlin auch während des Krieges noch viele Vergnügungsmöglichkeiten. Sie und Onkel Kurt hatten sogar Konzerte besucht. Im Austausch hatte Tante Martha von Mutti immer wissen wollen, was zu Hause in Oderberg los war.

Aber dann hatte sie in ihren Briefen immer häufiger von feindlichen Fliegern berichtet, die nachts gekommen waren, von Bomben, die Häuser und ganze Straßenzüge zerstört hatten. In Berlin wünschte man sich jetzt abends nicht »Gute Nacht«, sondern »BoLoNa« – bombenlose Nacht.

Das Heulen der Alarmsirenen, Christbäume am Himmel, die zur Erde sanken, um die Ziele zu beleuchten, Nächte in Kellern und Schutzbunkern konnten wir uns einfach nicht vorstellen. Wir schauten stets unruhig in den Himmel in Richtung Chorin und in Richtung Hohenwutzen. Manchmal sahen wir hoch oben Flugzeuge, aber sie warfen zum Glück keine Bomben auf Oderberg.

Im vergangenen November hatte Onkel Kurt, obwohl er schon über fünfundfünfzig Jahre alt war, zum Volkssturm gemusst. In einem sehr traurigen Brief hatte Tante Martha vor Weihnachten geschrieben, dass er erschossen worden war.

Wir sind immer noch Seelenschwestern, Anna, hatte sie geschrieben, und an dieser Stelle war die Schrift von ihren Tränen ganz verwischt gewesen. *Selbst im Tod unserer Männer ähneln wir uns. Sie wurden uns vom Krieg genommen.*

In dieser Nacht starb meine liebe Mutti. Jetzt war ich wirklich mutterseelenallein auf der Welt. Ich hatte solche Angst und überlegte, ob ich nicht einfach ins Wasser gehen sollte. Die Oder war zugefroren, aber Schiffe hatten das Eis durchbrochen. Es konnte der Welt so egal sein, ob es eine Elisabeth Benthin gab, und mir war die Welt egal.

Mir fehlte dann doch der Mut, also beschloss ich, mich auf den Weg zu Tante Martha zu machen, kaum dass man Muttis Leichnam abgeholt hatte. Die Erde war so hart gefroren, ich wusste nicht, wie lange es dauern würde, ein Grab zu schaufeln. Ein Tag, eine Woche, einen Monat – dann könnte es für mich zu spät sein, nach Berlin zu gehen. Und ich hatte es versprochen. Der leblose Körper, der aus unserem Haus herausgetragen wurde, war nicht mehr Mutti, versuchte ich mich zu trösten. Aber meine Tränen wollten nicht aufhören zu fließen.

In jedem Brief hatte Tante Martha uns eingeladen, wir waren jedoch nie zu ihr nach Berlin gefahren. Jetzt nahm ich einen der Briefe, die Mutti mit einem grünen Band umwickelt in dem Schrank mit den Wintersachen aufgehoben hatte. Ich drehte ihn um. *Martha Ebeling, Berlin West-1000, Kaiserdamm 53* stand da als Absender, und ich steckte ihn in Muttis alte Reisetasche. Dazu packte ich so viel Kleidung, wie hineinpasste, unsere letzten zweihundert Reichsmark, die uns nach dem »Volksopfer« im Januar, als wir für den Volkssturm sammeln mussten, geblieben waren, Vatis goldene Uhr, meinen Ausweis, den Ariernachweis und das Dokument, dass ich Kindergärtnerin war. Ein altes Foto von Mutti, die mit mir auf dem Schoß unter unserem Apfelbaum im Garten sitzt, und ein Foto von Vati in Uniform legte ich ganz obendrauf.

Ich fand auch Vatis alten Wehrmachtsrucksack.

Mit ihm hatte man uns alles zugestellt, was er besessen hatte. Viel war es nicht gewesen. Ich stopfte eine warme Decke und ein Kissen hinein, ein halbes Brot und zwei Gläser Brombeermarmelade. Mehr hatten wir nicht im Haus. Es wurde rationiert, die Zivilisten bekamen immer weniger, damit es für die Soldaten reichte. Wir hatten die Marmelade aufgespart, hatten uns vorgestellt, damit irgendwas zu feiern, das nun nicht mehr kommen würde.

Mein langes hellblondes Haar verbarg ich unter einer dicken Mütze. Dann wand ich mir einen dunklen Schal um den Hals, der mir fast bis zu den Augen reichte. Schließlich schlüpfte ich in meinen dicken Wintermantel, in Wollstrümpfe und in meine alten Stiefel. Ganz abgelaufen waren die Absätze schon, der Schuster von Oderberg war eingezogen worden, aber sie würden meine Füße warm halten.

Ich schnallte mir Vatis Rucksack auf den Rücken, griff nach der Tasche und verließ den Garten, in dem wir früher Hühner und Kaninchen gehalten und Gemüse geerntet hatten und Pflaumen, Kirschen und Himbeeren und wenn ein Frühling mild gewesen war, sogar Pfirsiche. Das Haus, in dem ich dreiundzwanzig Jahre gewohnt hatte. Mein Zuhause.

Mit gesenktem Kopf ging ich den schmalen Weg von der Oder zur Straße vor. Verabschieden wollte ich mich von niemandem, weil ich nicht wusste, ob ich dann noch weggehen konnte. Ich erwartete sowieso nicht, dass mich jemand in diesem Chaos bemerkte. Aber Frau Schmölln stand in der offenen Tür, obwohl es ein sehr kalter Tag war. Ich blieb stehen, und sie kam und steckte mir ein kleines Paket zu.

»Es ist gut, dass du gehst, Lissa. Hier, nimm, und pass auf dich auf.«

»Und Sie, Frau Schmölln? Bleiben Sie hier?«, fragte ich.

Meine Worte malten neblige Kringel in die kalte Winterluft.

»Ich bin vierundsiebzig. Ich habe immer hier gelebt, und hier werde ich sterben. Für mich ist das Ende sowieso nah. Du dagegen bist jung, du musst leben, hörst du?«

Ich wischte mir die Tränen mit den dicken Wollhandschuhen aus dem Gesicht, dann verstaute ich ihr Paket in Vatis Rucksack. Wir umarmten uns nicht, das war nicht üblich bei uns. Aber als ich mich noch ein letztes Mal umdrehte, stand sie am Fenster ihres Fachwerkhauses und schaute mir hinterher.

Ich war nicht allein auf der Straße. Wieder war ein Treck Frauen und Kinder in Richtung Westen unterwegs, so schnell wie möglich weg von der östlichen Truppenlinie, die immer näher rückte. Ich schloss mich einer großen Gruppe an, die zu Fuß in Richtung Eberswalde unterwegs war. Wir gingen langsam am Pimpinellenberg vorbei, und ich fragte mich, ob ich dort jemals wieder wilden Bärlauch pflücken würde.

Kurz vor Liepe hatte ich Glück und fand Platz auf einem Wagen, der gerade auf den Weg einbog und von zwei schweren Pferden gezogen wurde. Ich kannte den Kutscher, es war ein junger Kerl aus Liepe, aber er erkannte mich nicht. Vielleicht tat er auch nur so, als ob er mich nicht kennen würde, weil es ihm nicht passte, dass ich meine Heimat verließ.

Wir zuckelten durch den grauen Tag. Zur Linken erhob sich das Schiffshebewerk Niederfinow wie ein stählernes Skelett in den trüben Winterhimmel. Diejenigen, die keinen Platz auf dem Wagen hatten, mussten laufen. Ich sprach mit niemandem, niemand sprach mit mir. Mein Herz war schwer, und ich hatte Angst, allein nach Berlin zu fahren, in eine Stadt, in der ich noch nie gewesen war.

Als wir Eberswalde erreichten, war es schon dunkel. Ich hatte Hunger und Durst. Mir war kalt. Ich fühlte mich zerschlagen und hoffnungslos. Ich trauerte um Mutti, die zwar alles überstanden, doch mich allein gelassen hatte. Die Dunkelheit war unser Feind. Man wusste nicht, was sie verbarg. Aber sie bot uns auch Schutz, denn sie verbarg uns.

Der Kutscher forderte uns auf abzusteigen und fuhr dann ohne uns weiter. Wir gingen mit unseren Habseligkeiten langsam zum Bahnhof – eine schweigende Menschenmenge. Viele trugen zerlumpte Kleidung in Schichten übereinander, Mützen und darüber noch Kopftücher, und sie zogen Handwagen hinter sich her. Kinder weinten. Ich weiß nicht, ob diese Menschen überhaupt wussten, wo sie hinwollten. Sie schienen schon lange unterwegs zu sein.

Wir erfuhren, dass an diesem Abend kein Zug mehr fahren würde. In der Ferne grollte es lauter, die Nachtkämpfe hatten begonnen. Ich kauerte mich in eine Ecke des Bahnhofs und versuchte, nicht daran zu denken, wie es am kommenden Morgen weitergehen würde. Aus meinem Rucksack nahm ich das Paket von Frau Schmölln und öffnete es – zwei Gläser mit Wurst, Blutwurst und Jagdwurst, hatte sie mir geschenkt. Sorgfältig verstaute ich sie wieder, wenn ich auch hoffte, dass ich bei Tante Martha eine Lebensmittelkarte bekam.

Ich brach ein Stück Brot ab, tunkte es in die Brombeermarmelade und aß gierig. Jeder Biss war wie eine Erinnerung an mein Zuhause, meine Vergangenheit, meine Eltern. Ich aß, um sie nicht zu vergessen. Das Essen schenkte mir innere Wärme, dass die Brombeermarmelade auf meinen Wintermantel tropfte, störte mich nicht. Achtlos verwischte ich die klebrigen Stellen, leckte sogar meine Finger ab und tat so, als ob ich die hungrigen Blicke der Frauen und Kinder um mich herum nicht bemerkte.

In der Nacht stahl irgendwer das Glas mit der restlichen Brombeermarmelade aus meinem Rucksack. Als ich es am nächsten Tag bemerkte, weinte ich.

Der erste Zug aus Stettin nach Berlin war bereits hoffnungslos überfüllt, als er in den Bahnhof einfuhr. Es herrschte Enge und Gedränge, ich war in dichten Trauben von schubsenden Menschen gefangen, die mitsamt ihren schweren Taschen und Koffern vergeblich versuchten, die Waggons zu stürmen.

Auch in den zweiten Zug kam ich nicht, ich musste mit vielen anderen weiter in der Kälte warten. Einmal beobachtete ich, wie eine Frau zwei weinende kleine Mädchen durch ein offenes Fenster vom Bahnsteig aus in den Waggon hob. Ich hoffte, dass sie selbst noch einsteigen konnte, bevor er abfuhr und ihr die Kinder entriss.

Als ich es endlich in den dritten Zug am Tag schaffte, waren die Abteile voller Schwerverletzter, die von der Front zurück nach Berlin geschickt wurden. Blutige Bandagen, entstellte Gesichter, fehlende Gliedmaßen ... Erschrocken schaute ich weg.

Nur ein Abteil war fast leer. Darin saßen vier unverletzte Männer in blitzsauberen SS-Uniformen, rauchend und mit ernstem Gesicht. Ich spürte ihre Blicke, als ich mir die Mütze abnahm und mein blonder Zopf herausfiel. Sie machten ein Zeichen, ich solle in ihr Abteil kommen, wirkten interessiert. Aber ich blieb lieber im überfüllten Gang stehen, selbst wenn es so unerträglich eng war, dass ich fast nicht atmen konnte.

Ich hatte beschlossen, bis zur Endstation zu fahren, zum Stettiner Bahnhof. Tante Martha wohnte im westlichen Teil der Stadt, irgendwer würde mir schon sagen, wo der Kaiserdamm war.

Immer wieder hielt der Zug auf offener Strecke, wir waren den ganzen Tag unterwegs. Allmählich änderte sich die Umgebung, man sah kaum noch Felder, Häuser tauchten entlang der Bahnstrecke auf. Erst niedrigere, dann höhere, schließlich Gebäude, die viel höher als die in Oderberg waren. Etliche hatten keine Dächer und in den schwarzen Fensterrahmen kein Glas. Zwischen ihnen türmten sich Geröll, Schutt und Steine.

Das waren keine Häuser mehr. Es waren Ruinen. Tot, als ob ein Riese sie einfach zerdrückt hätte. Ein Kriegsriese, der mit Flammen und Gewalt das Land überzog. Wir waren in Berlin angekommen.

Mir wurde kalt, denn plötzlich verstand ich, was Tante Martha über Bomben und Luftschutzkeller geschrieben hatte. Lieber hätte ich es nicht verstanden.

Es war bereits dunkel, als wir in einen mächtigen Rangierbahnhof einfuhren und hielten. Ich hatte noch nie so viele Gleise gesehen. BERLIN-PANKOW stand auf einem Schild am Bahnsteig. Ich fragte mich gerade, wo ich in dieser Nacht schlafen würde, denn zu Tante Martha würde ich es wohl nicht schaffen, als plötzlich Sirenen aufheulten. Der ungewohnte Ton und die Lautstärke jagten mir einen Schauer über den Rücken. Um mich herum schrien Menschen angstvoll auf.

Auch von einem Zug auf dem Parallelgleis schallten Schreie zu uns herüber. Nur Frauen und Kinder sah ich hinter den Zugfenstern. Ich konnte sie hören, weil wir wegen der schlechten Luft und der Überfüllung des Waggons die Fenster etwas geöffnet hatten.

Wir waren in dem Zug gefangen. Luftschutzkeller und Bunker, wie Tante Martha sie beschrieben hatte, waren unerreichbar. Niemand konnte hinaus, niemand herein, und alle wussten es. Wir sanken auf den Boden des Ganges und hielten die Arme schützend über den Kopf. Dann hörten wir Flugzeuge über uns, hörten peitschende Schüsse und schließlich, ganz nah, eine Detonation, so gewaltig, dass unser Zug schwankte. Die Außenwand in meinem Rücken wurde warm, was unter normalen Umständen angenehm gewesen wäre. Aber ich wusste nicht, woher diese Wärme stammte, und das war unheimlich.

Schließlich wurde das Flugzeuggeräusch leiser, und die heulenden Sirenen verstummten. Wir rührten uns nicht, schwiegen, was mir wie eine lange Zeit vorkam. Dann ruckte es, und wir fuhren weiter.

Ich rappelte mich auf und sah aus dem Fenster zurück zum Bahnhof. Der Zug mit den Frauen und Kindern, den ich bei unserer Einfahrt auf dem Nachbargleis gesehen hatte, stand noch da. Aber er hatte keine Fenster mehr. Und er brannte lichterloh. Da wusste ich, woher die Wärme gekommen war.

Ich empfand es als Glück, dass es sie und nicht uns getroffen hatte, und schämte mich zugleich für diesen Gedanken.

Der Stettiner Bahnhof, den wir eine halbe Stunde später erreichten, war das größte Gebäude, das ich jemals gesehen hatte. Es herrschte ein Gewimmel von Ankommenden, Soldaten, Verletzten, die bandagiert auf Tragen lagen, und Abfahrenden mit viel Gepäck, meist Frauen und Kinder. Anders als in Eberswalde schienen alle zu wissen, wo sie hinwollten. Nur ich nicht. Ich war nun seit fast zwei Tagen unterwegs und fühlte mich unendlich erschöpft.

Auf einem Bahnsteig fragte ich eine Frau in Uniform, wo es einen Anschluss in westlicher Richtung gab. Sie schickte mich zu einem anderen Bahnsteig und ermahnte mich streng, mir ein Billett zu kaufen. Doch kaum hatte ich ihn erreicht, heulten schon wieder die Sirenen los.

Ich folgte den Menschen, die sich in den Tunneln in Sicherheit brachten, während die Züge im Bahnhof stehen blieben. Erst eine Stunde war ich in Berlin und hatte schon zweimal einen Bombenalarm erlebt. Ich wollte nur eins: zurück nach Oderberg. Aber das ging nicht.

Dicht zusammengedrängt mit Wildfremden saß ich in der Dunkelheit, in Todesangst nach oben lauschend, ob eine Bombe über uns einschlug. Wie alle anderen presste ich meine Habseligkeiten an mich. Manchmal döste ich ein, der Kopf fiel mir auf den Rucksack, der auf meinen Knien lag.

Irgendwann wurde es über uns stiller, und draußen graute wohl schon der Morgen. Ich verließ den unterirdischen Gang und suchte nach meinem Bahnsteig.

Ein weites Stück fuhr ich mit der S-Bahn, vom Straßenbahnhof Charlottenburg schleppte ich mich zu Fuß weiter. Wie war die Stadt zerstört! Manche Häuser waren ausgebrannt, ganze Straßenzüge lagen in Schutt, der das Laufen erschwerte. Ich sah Ruinen, steinerne Höhlen, tiefe Krater. Einmal fragte ich mich, warum so viele schwarz verbrannte Baumstämme zwischen dem Geröll lagen. Bis ich zu Tode erschrocken Beine und Arme an den vermeintlichen Baumstämmen erkannte: Es waren verbrannte Menschen.

Ich versuchte nicht daran zu denken, dass auch Tante Marthas Haus zerbombt sein könnte.

Gegen Mittag erreichte ich den Kaiserdamm, eine

breite Straße mit mehreren Spuren und einer Straßenbahn, die nicht fuhr. In Richtung Osten meinte ich eine große Säule zu sehen. Ich hatte gelernt, dass jeden Moment wieder die Sirenen losgehen konnten, und ich hatte keine Ahnung, wo ich den nächsten Bunker finden würde. Meine Arme schmerzten, die Beine brannten, Tasche und Rucksack wurde immer schwerer, aber die Angst beflügelte mich. Und dann endlich, endlich hatte ich mein Ziel erreicht.

Das Nummernschild an dem hohen Altbau war gut zu sehen, denn, o Wunder, hier standen die Häuser noch. Weinend vor Erleichterung stieg ich die Treppen hoch, unter meinen Füßen staubiger roter Sisal, und klingelte bei Ebeling. Ich hörte innen Schritte, die Tür wurde nur so weit geöffnet, wie eine Kette es erlaubte. Dann wurde sie mit einem Schrei aufgerissen.

»Anna!«

»Nein, Tante Martha. Ich bin's, Lissa.«

Ungläubigkeit, Sorge, Erschrecken, Freude spiegelten sich auf Tante Marthas Gesicht wider, als sie mich endlich erkannte. Sie sah anders aus, als ich sie in Erinnerung hatte, viel dünner und herber. Das Haar war streng zurückgebunden, sie trug eine weite Strickjacke über einem schlichten Kleid und dicke Strümpfe, die Falten an ihren Beinen schlugen.

Es war kalt in der Wohnung. Das fröhliche Lachen meiner Nenntante war verschwunden. Aber als sie mich umarmte, war es fast wie früher. Zum ersten Mal seit fünfzig Stunden atmete ich tief durch. Ich fühlte mich entsetzlich erschöpft.

Wir saßen in der Küche, die Fenster waren wegen der Verdunkelungsvorschriften mit dunklem Papier beklebt. Als Tante Martha ein Fenster öffnete, sah ich in einen hohen, engen Innenhof. Alles hier war fremd für mich, selbst in den härtesten, kältesten Zeiten in Oderberg hatte ich einfach in den Garten gehen können. Überhaupt war ich noch nie in einem so hohen Gebäude gewesen, im vierten Stock!

Aber ich war dankbar, in Berlin sein zu können. Wir weinten beide, als ich von Muttis Tod erzählte und von Muttis Wunsch, dass ich zu ihrer Freundin fahren sollte. Tante Martha dagegen fand es wegen der Luftangriffe viel zu gefährlich, in Berlin zu sein, sagte, ich wäre besser auf dem Lande aufgehoben und in Oderberg geblieben und ob ich nicht woanders Verwandte hätte. Die hätte ich nicht, versicherte ich ihr, worauf sie seufzte und meinte, natürlich könne ich bei ihr bleiben. Weil ich ohne amtliche Erlaubnis in die Stadt gekommen sei, würde ich allerdings keine Lebensmittelkarte bekommen. Wenn alle Stricke reißen würden, müssten wir zu Albert gehen.

Darauf konnte ich mir keinen Reim machen.

Mir fiel Frau Schmöllns Abschiedsgeschenk ein, und ich gab Tante Martha die beiden Gläser. Wir aßen Brot mit Wurst, aßen, bis wir richtig satt waren, dann gähnte ich, zum Umfallen müde.

Tante Martha machte mir ein Lager auf dem Sofa, direkt dahinter stand Onkel Kurts Klavier. Wasser und Strom gebe es nur stundenweise, erklärte sie, was ich schon von Oderberg her kannte. Aber sie hatte einige

Eimer mit Wasser in die Badewanne gestellt. Ich wusch mich, zog mein Nachthemd an und legte mich aufs Sofa, war schon fast eingeschlafen, als Tante Martha noch mal hereinkam.

»Zieh dir die Straßenkleidung übers Nachthemd«, sagte sie. »Es ist wärmer, außerdem hast du dafür nachher keine Zeit.« Wozu?, wollte ich schon fragen, während ich mir den Pullover und die Hose übers Nachthemd zog, die sie mir reichte. Da heulten wieder die Sirenen auf, und ich hatte meine Antwort. »Mach schnell, Lissa«, wies Tante Martha mich an. »Los, los!«

Ich beeilte mich, schlüpfte in die Stiefel, nahm meinen Rucksack und lief ihr hinterher. Wir rannten die Treppen hinunter in den Keller. Eine Frau warf, kaum dass wir drin waren, hinter uns eine Eisentür ins Schloss und verriegelte sie.

»Das hat heute aber gedauert, Frau Ebeling«, sagte sie ungehalten. Ihr fettiges graues Haar war streng gescheitelt, sie hatte dicke graue Augenbrauen und war dafür, dass es Essen auf Lebensmittelkarten gab, erstaunlich beleibt. »Sie wissen doch, dass wir alle erst sicher sind, wenn die Tür schließt. Und wen haben wir hier?« Sie musterte mich.

»Meine Nichte. Ihre Mutter ist vor einigen Tagen gestorben. Sie bleibt bei mir«, antwortete Tante Martha kurz.

Ihr Gesicht konnte ich nicht gut erkennen, sie stand neben mir, nur zwei Kerzen brannten. Aber das Gesicht der Frau gegenüber sah ich. Tiefes Misstrauen las ich darin, während draußen die Sirenen heulten.

Und dann fielen die ersten Bomben. Auch in unserem Keller war ihr durchdringendes Pfeifen zu hören, die Detonationen, als sie ihr Ziel fanden. Eine Bombe schien ganz nah eingeschlagen zu haben, die Erschütterung war bis in den Keller zu spüren. Wir schrien auf.

Um mich herum weinten Kinder, Mütter versuchten, sie zu trösten, obwohl sie doch selbst verzweifelt waren. Die Kerzen erhellten den Raum kaum, die Angst in den Gesichtern warf scharfe Schatten. Es roch muffig, viele Eimer standen herum, die bis zum Rand mit braunem Wasser gefüllt waren. Bei jedem Einschlag zitterte die Wasseroberfläche wie ein winziges Meer. Wozu das Wasser da war, wusste ich nicht. Zum Löschen von Bränden oder zum Trinken, zum Waschen – vermutlich je nach Bedarf.

Ich kauerte mich auf eine Bank und betete, dass das Haus verschont blieb, dass wir nicht in diesem schrecklichen Keller sterben mussten, wenn alles über uns in Flammen aufging, zerbarst oder explodierte.

Ich war überzeugt, dass es die schlimmste Nacht meines Lebens war, dass es nur besser werden könnte, wenn wir das überstehen würden. Tatsächlich war es nur die erste von vielen weiteren Bombennächten in Berlin.

3. Kapitel

Berlin im März, Gegenwart

Nach dem klirrend kalten Februar war die warme Märzsonne einfach wunderbar. Die letzten Tage waren so mild gewesen, dass die gefrorene Erde einen Spatenstich tief aufgetaut war. Auf den ersten Blick wirkten die Beete zwar noch kahl, aber die erfahrenen Gärtnerinnen erkannten sofort: Die Winterwüste lebte.

»*Er* will im Haus bleiben«, sagte Gitta dumpf und beugte sich hinunter, um eine Schicht feuchter Lindenblätter von einem Tuff Schneeglöckchen zu klauben. Sie waren durch die Blätter hindurchgewachsen und hatten ihre kleinen weißen Blüten geöffnet. So rührend sah das aus, und sie waren so ahnungslos, dass ihre Gärtnerin sie im kommenden Jahr nicht mehr blühen sehen würde. »*Er* denkt gar nicht daran auszuziehen.« Sie richtete sich auf. »Was soll ich denn nur machen?« Sie war dazu übergegangen, denjenigen, dessen Namen sie nicht nennen wollte, nur noch *er* zu nennen.

Marit sah sich um, als ob sie den Garten das erste Mal sähe. »Auf keinen Fall gehst du. Das wäre so bitter«, meinte sie und schnitt den verwelkten Kopf einer Tellerhortensie so wütend ab, als ob es Ralfs Kopf wäre. Oder ein anderes seiner Körperteile. »Wo ist Ralf eigentlich?«

»Ski laufen. Hoffentlich bricht *er* sich das Genick. Dann wäre ich eine lustige Witwe«, erwiderte Gitta.

Seit dem schrecklichen Brunch hatten sie mehrmals miteinander telefoniert, aber es war das erste Mal, dass sie sich wieder zu dritt trafen. Es hätte so ein schöner Frühlingsgartentag sein können. Es gab genug im Garten zu tun, Gitta machte trotzdem keine Anstalten zu arbeiten. Nicht mal ihre Gartenschürze hatte sie sich über ihre Jacke gebunden. Gartenarbeit hatte in ihren Augen etwas mit Lust zu tun, und die Lust war ihr vergangen.

»Was meint der Anwalt?«, fragte Constanze.

»Er redet von Trennungsunterhalt, von nachehelichem Unterhalt, von meiner Verpflichtung, für meinen eigenen Unterhalt zu sorgen, von teilweisem Abtreten des Rentenanspruchs, von Wohnrecht ... Aber so richtig Biss für meine Sache hat er nicht, finde ich. Er macht mir mehr Angst, als dass er mich beruhigen würde.«

»Wohnrecht hier?«, wollte Marit wissen.

»Nein. Der Rechtsanwalt sagt, dass ich keinen Anspruch auf das Haus habe. Keine Chance. Wenn wir Kinder hätten, wäre das vielleicht noch anders, dann müsste *er* mir und den Kindern den bisherigen Lebensstandard gewähren. Aber so ... *Er* hat noch eine Eigentumswohnung am Halensee, die gerade frei ist. *Er* will, dass ich dort erst mal einziehe. In zweiundvierzig Quadratmeter. Miete muss ich ihm auch dafür zahlen.«

Ungefähr ein Zehntel von dieser Wohnfläche, überlegte Constanze. »Was heißt denn erst mal?«

»Bis die Scheidung durch ist.«

»Und dann? Überlässt er dir die Wohnung?«

»Das ist Verhandlungssache, meint der Rechtsanwalt. Aber ich will auf jeden Fall einen Garten«, sagte Gitta böse.

Einen Garten in Berlin? Bei den Preisen?, dachte Constanze besorgt. »Was heißt das denn? Dass wir uns das letzte Mal hier treffen?«, fragte sie.

Marit warf die Schere so achtlos auf den Rasen, dass sie mit der Spitze stecken blieb, und umarmte Gitta. »Du kannst doch zu mir ziehen. Ich habe immerhin fünf Zimmer!«

Gitta lehnte den Kopf an ihre Schulter. »Du bist so lieb. Aber ich glaube, ich muss erst mal in die kleine Wohnung. Sonst streicht *er* mir die auch noch.«

»Überleg's dir, Gitta. Wenn wir zusammenwohnen, hätten wir eine Freundinnen-WG. Den Balkon bepflanzen wir im Frühling gemeinsam und kümmern uns um meine kleine Hauswurzsammlung«, versuchte Marit sie weiter zu trösten. Sie hing an ihren Hauswurzen, mochte den lateinischen Namen *Sempervivum*, immer lebend. Wenn sie sacht mit dem Zeigefinger über die dicken Blätter fuhr, musste sie manchmal an Stefan denken. So ähnlich, wie es der Pflanze erging, war es ihm ja auch ergangen: Er hatte seine kleinen Austriebe in die Welt gesetzt, seine vier Söhne, und dann war das lebenspendende Mittelteil einfach gestorben. »Das wäre eine wunderschöne Lösung.«

Marit meinte, was sie sagte. Seit dem Auszug ihrer Jungs kam die Wohnung ihr oft zu groß vor. Es war zwar sehr trubelig, wenn die vier mit den Partnerinnen und den beiden Enkelinnen zu Besuch kamen. Aber wenn alle wieder gingen, war es … so still.

Doch Gitta schien die Aussicht auf einen gemeinsamen Balkon nicht zu trösten, nicht mal der Gedanke an Marits kleine Hauswurzsammlung konnte sie aufmuntern. Sie brach in Tränen aus.

»Meinen Garten zu verlassen bringt mich um. Das ist für mich das Schlimmste, viel, viel schlimmer, als aus dem Haus zu ziehen, und Lichtjahre schlimmer als die Trennung. Wir haben uns nicht mehr geliebt, haben nur noch nebeneinanderher gelebt. Geliebt habe ich nur meinen Garten, nur hier habe ich mich wirklich lebendig gefühlt«, schluchzte sie, während die Freundinnen hilflos danebenstanden.

Was sollten sie sagen? Es gab nichts zu sagen. Es stimmte ja.

»Soll ich dir etwas vom Markt mitbringen, Marianne?«, rief Constanze.

Ihre Nachbarin stand auf ihrem kleinen Balkon zum Kaiserdamm hin, und Berlin lag unter einer Wolke von Frühlingsgefühlen.

Gebrechlich wirkte Marianne, fand Constanze. Im Januar hatte sie eine Bronchitis gehabt, aus der eine Lungenentzündung geworden war. Zwei Wochen hatte sie im Krankenhaus gelegen und es nur dank starker Antibiotika überstanden. Constanze hatte sich um die

Wohnung gekümmert, die Post aus dem Briefkasten geholt und fühlte sich auch jetzt noch für die betagte Nachbarin verantwortlich.

Etwas Gutes hatte Mariannes Erkrankung allerdings gehabt: Plötzlich sprachen sie miteinander, fast als ob sie befreundet wären.

»Nein, ist nicht nötig, ich habe alles. Aber komm doch nachher auf einen Kaffee vorbei«, rief Marianne zurück.

Constanze winkte zustimmend und schwang sich auf ihr Fahrrad. Wollhandschuhe konnte man schon noch anhaben, auch wenn man bis zum Karl-August-Platz in Charlottenburg, wo samstags ihr Lieblingsmarkt war, nicht länger als zehn Minuten brauchte.

Vielleicht würde sie sich sogar ein paar Hornveilchen mitbringen. Erste Bienennahrung! Ab vierzehn Grad verließen die Bienen den Stock auf der Suche nach Nahrung, hatte neulich Leon in der Garten-AG erzählt. Dann schwirrten sie auf der Suche nach Frühlingsblühern umher. Am besten waren Weiden und Kornelkirschen. Aber die kamen auf ihrem Fensterbrett nun wirklich nicht infrage. Hornveilchen mussten ausreichen, und vierzehn Grad war es an diesem Vormittag in der Sonne bestimmt.

Das Bienenprojekt ihrer Umwelt-AG war ein voller Erfolg. Sie planten sogar einen Bienentanz, den Rundtanz für Nahrungsquellen bis hundert Meter, den Schwänzeltanz für die, die weiter weg lagen. Je mehr Constanze mit den Kindern über die wichtigsten Nutztiere überhaupt sprach, desto faszinierender fanden sie alle dieses Thema.

Zwei Stunden später klingelte sie bei Marianne, zwei lila Hornveilchen in der Hand. Sie wusste, dass die Nachbarin eine ebenso große Schwäche für Blumen hatte wie sie selbst. Vielleicht hatte das etwas mit dem Alter zu tun. Wenn man selbst starb und begraben war, wuchs etwas prächtiges Neues aus der Erde wie ein Stückchen blühende Seele. Auch wenn es bei ihnen beiden zum Glück noch nicht so weit war.

»Ja, Leidenschaft wird vom Neuen genährt und Liebe vom Vertrauten«, erklärte Marianne wissend, als Constanze ihr beim Kaffeetrinken von Gittas Tragödie erzählte. Die beiden hatten sich mal bei Constanze kennengelernt. Marianne schien nur mäßig erstaunt. »Männer verwechseln das eine häufig mit dem anderen.«

»Frauen auch«, sagte Constanze. Sie musste gerade daran denken, was ihr neulich eine Kollegin im Lehrerzimmer erzählt hatte.

»Ja, natürlich. Früher war ja nur die finanzielle Abhängigkeit vom Ehemann die moralische Bremse.« Mariannes Augen funkelten, als ob sie selbst ebenfalls das eine oder andere Mal scharf moralisch gebremst hätte.

»Jedenfalls ist Gitta am Boden zerstört. Nicht nur wegen des Endes ihrer Ehe und ihrer unsicheren Zukunft, sondern auch wegen des Gartens. Gerade wegen ihres Gartens.«

»Wegen ihres Gartens? Hat deine Freundin einen Garten?«, fragte Marianne und setzte sich aufrechter hin.

»Sie hat doch diesen Wahnsinnsgarten in Dahlem,

der kann es mit jedem englischen Park aufnehmen. Ihn zu verlieren wird ihr das Herz brechen. Für sie ist es etwas Existenzielles, in der Erde zu werkeln und ihre Gartenideen umzusetzen. Das ist ihr wichtiger als ihre Ehe«, fasste Constanze Gittas große, ehrliche Liebe zusammen.

»Und nun sucht sie einen neuen Garten?«, fragte Marianne.

»So weit ist sie noch lange nicht. Sie hofft, dass Ralf ihr genug Geld gibt, damit sie sich irgendwann ein kleines Häuschen kaufen kann mit Garten ...«

»Schnickschnack«, sagte Marianne. »Macht der niemals, wenn er es nicht muss. Warum sollte er auch. Wenn sie allerdings unbedingt einen Garten will, dann hätte ich da eine Idee ... Es ist nämlich so: Ich habe einen für sie. Einen Garten, meine ich.« Mit einem leisen Klirren stellte sie ihre Kaffeetasse auf die Untertasse.

Constanzes Blick flog zu den beiden Hornveilchen, die Marianne auf das Fensterbrett *innen* gestellt hatte, wo doch die Bienen *draußen* auf Nahrungssuche waren.

»Was denn für einen Garten?«, fragte sie und spürte ein Vibrieren in der Herzgegend, so leicht wie das Sirren eines kleinen Bienenflügels.

Ein Garten bedeutete viel. Erde, Blüten, Wachstum, aber vor allem, dass die Grundlage ihrer Freundschaft erhalten blieb.

»Ich ... spiele doch jeden Mittwoch Bridge im Nachbarschaftsheim«, erklärte Marianne langsam. »Und da kommt auch die Erika hin. Die ist zwei Jahre jünger als ich.« Sie bemerkte Constanzes fragenden Blick und fuhr fort: »Also einundachtzig. Und Erika hat einen Sohn, Robert, der ist verheiratet. Drei Kinder haben er und seine Frau. Sie scheinen glücklich zu sein. Na, wir wissen ja, wie das täuschen kann. Da ist deine Freundin das beste Beispiel. Er sagt jedenfalls, dass er glücklich ist.«

Constanze hatte keine Ahnung, was das Liebesleben des unbekannten Robert mit einem Garten zu tun hatte.

»Jedenfalls zieht Robert mit seiner Familie aus Berlin raus. Sie bauen bei Nauen. Aber noch haben sie einen Schrebergarten im Eichkamp. In der Kolonie Krötenglück. Für die sie überhaupt keine Zeit haben.«

Constanze nickte. »Klar, weil sie in Nauen bauen. Schön für sie.«

»Sie haben einen *Schrebergarten*«, sagte Marianne nachdrücklich und sah sie erwartungsvoll an.

»Ich hab's gehört. Und?«, fragte Constanze abgelenkt.

Hatte sie sich getäuscht, oder war eben eine Biene in vollem Flug gegen das Fenster geknallt?

»Ich würde das sofort machen. Aber ich kann es natürlich nicht mehr«, bemerkte Marianne scharf.

Constanze griff die zarte Hand der Nachbarin liebevoll, betrachtete einen Augenblick die blauen Adern, die kurz geschnittenen Nägel und tätschelte sie leicht.

»Marianne, es tut mir leid, ich weiß nicht, was du meinst. Was würdest du sofort machen?«

»Den Schrebergarten übernehmen! Bis sich Erikas Junge überlegt hat, ob er ihn endgültig aufgeben will. Was ich stark annehme. Weil sie doch in Nauen bauen.«

Constanze ließ die Hand los, als hätte sie an ein glühendes Bügeleisen gefasst oder in einen Bienenschwarm. Dann lachte sie laut auf.

»Einen Schrebergarten? Wir? Ich dachte, du meintest einen richtigen Garten! Wir sollen uns um so eine kleine Parzelle in einer Gartenkolonie kümmern?« Das »Spinnst du?« verkniff sie sich gerade noch.

Ein Bild von einer hölzernen Datscha im hintersten Russland stand ihr vor Augen, ein Plumpsklo, in das man nach jedem Toilettengang Kalk auf die Hinterlassenschaften werfen musste, miefige Petroleumlampen und rostige Fässer, in denen mückenlarvenverseuchtes Regenwasser gesammelt wurde, eine verzogene Schuppentür, von der die Farbe blätterte. Strenge Vorschriften über Mittagsruhe, Sickergruben und zentimetergenaue Heckenhöhen. Waren Schrebergärten dafür nicht allgemein bekannt? Da gab's launige Volkslieder beim Grillen, Gartenzwerge mit Angeln, Fahnenstangen mit wehenden Flaggen, die nicht unbedingt die aktuelle Schwarz-Rot-Gold-Variante zeigten, und ausschließlich Leute, die alles genau so machten, weil sie es immer schon gemacht hatten, Klorollen mit Häkeldeckchen und Wackeldackel im Fenster, Kieswege, die jeden Tag geharkt wurden … Ein Schauer des Entsetzens überlief sie.

Sie konnte sich lebhaft vorstellen, wie die Freundinnen reagieren würden, wenn sie ihnen von Mariannes Idee erzählte! Sie würde es trotzdem tun, schon um sie ein bisschen zu schockieren. Etwas Lachen würde Gitta guttun.

»Ihr sollt gar nichts«, beschwichtigte Marianne und griff zur Kanne. »Eine Laube steht übrigens auch in dem Garten. Er ist nur ziemlich vernachlässigt, da wächst kaum was außer Unkraut und ein paar Büschen. Robert hat sich nie sehr viel draus gemacht, und seine Frau hatte immer zu viel zu tun. Erika wird sicher mal gießen gehen, wenn es überhaupt was zum Gießen gibt. Vielleicht helfe ich ihr. Ist ja nicht so weit von hier, der Eichkamp. Direkt hinterm S-Bahnhof Heerstraße. Das schaff ich schon noch mit dem Bus. War nur ein dummer Gedanke von einer alten Frau. Vergiss es. Noch Kaffee?«

Constanze nickte, Marianne schenkte ihnen ein, und das Gespräch nahm eine andere Wendung.

Aber ein Hauch von Missstimmung lag in der Luft. Bei Constanze, weil sie nicht verstand, wie man ihr so etwas Spießiges anbieten konnte, bei Marianne, weil sie nicht verstand, wie man davon nicht begeistert sein konnte.

Mariannes Vorschlag war Constanze kein Telefongespräch wert, keine WhatsApp-Nachricht und keine E-Mail. Zuerst war sie entsetzt gewesen, dann hatte sie darüber gelacht und schließlich das Ganze vergessen, wie man jeden Tag Dinge vergisst oder viel zu spät reagiert. Man hört und vergisst, dass ganz in der Nähe eingebrochen wurde, und schließt aus Faulheit sein Stangenschloss nicht, man hört und vergisst, dass ein Bekannter sich das Bein gebrochen hat, und denkt an die Gute-Besserung-SMS erst, wenn er schon wieder aus dem Krankenhaus entlassen ist. Zeit und Erinnerung sind Zwillinge, die weit voneinander entfernt leben.

Aber zwei Wochen später, als Constanze vor geöffneten Schränken in Gittas Küche stand und überlegte, was die Freundin unbedingt mitnehmen musste, fiel es ihr wieder ein.

»Das Silber«, sagte Marit gerade. »Das Silber nimmst du auf jeden Fall mit. Falls du es mal verkaufen willst. Und die WMF-Töpfe. Warum ziehst du eigentlich so schnell aus? Keine zwei Monate nach Ralfs Eröffnung?«

»Weil ich es keinen Tag länger mit *ihm* aushalte«, erwiderte Gitta verbissen. »*Er* ist drei Wochen weg, wenn *er* zurückkommt, will ich raus sein. Ich habe eine Liste aller Dinge im Haus zusammengestellt, die uns beiden gehören, also ich meine nicht den alten Plunder von seinen Eltern. Den kann *er* gern behalten. Ich habe die Liste vom Rechtsanwalt prüfen lassen. Sie gilt. Her mit dem WMF-Zeug und dem Tafelsilber.« Sie riss Marit ein paar Töpfe aus der Hand und ließ sie in eine Umzugskiste fallen.

Es gab mehrere Trauerstufen bei Liebeskummer, das wusste Constanze aus eigener, wenn auch schon etwas zurückliegender Erfahrung: erste Vorahnungen, Erstarrung, Aktivismus, Eingeständnis, Wut, Akzeptanz oder Verzweiflung. Es kam ihr so vor, als würde Gitta alle gleichzeitig durchmachen. Kein Wunder, wenn man so jäh entwurzelt wurde. Als ob man eine ihrer geliebten Funkien herzlos aus dem Erdboden risse …

Da fiel es ihr wieder ein. Sie lachte laut auf.

»Was ist denn so komisch?«, fragte Marit und inspizierte den nächsten Küchenschrank. Fragend hielt sie Gitta eine Maria-Weiß-Tasse hin. Als Gitta nickte, begann sie, jedes Teil des zwölfteiligen Service in Zeitungspapier einzuwickeln und sorgfältig in einen weiteren Umzugskarton zu legen.

Constanze betrachtete die Trockentücher aus Leinen und sortierte die neuwertigen aus. Die packte sie in die Kiste mit dem Besteck, die mit den Flecken, die nicht mehr rausgingen, ließ sie Ralf.

»Ich hab meiner Nachbarin von dir erzählt. Wie gemein das alles ist und dass Ralf dir den Garten nimmt. Dass wir drei nicht mehr gärtnern können! Das durfte ich doch, oder?« Als Gitta nickte, fuhr sie fort: »Und sie meinte, sie hätte einen Garten für uns.«

Marit hörte mit dem Einwickeln auf und sah sie an, Gitta blieb stocksteif stehen, in der einen Hand die Salzmühle, in der anderen die Pfeffermühle, beide natürlich mit dem edlen Peugeot-Mahlwerk.

Constanze winkte ab. »Aber dann hab ich mitbekommen, dass sie von einem Schrebergarten sprach. Mit einer Laube! Könnt ihr euch das vorstellen? Wir in einer Laubenkolonie? Ich hab's echt nicht gefasst. So ja nun nicht. Wir sind schließlich alles andere als spießig. Natürlich hab ich sofort Nein gesagt. Ich glaub, sie war ein bisschen beleidigt.«

Sie wandte sich ab und musterte ein paar aufeinandergestapelte Siebe. Zwei, die brandneu aussahen, nahm sie an sich, den Rest stellte sie wieder in das Regal. Als sie sie in die Kiste zu dem Service legen wollte, fiel ihr auf, dass die Freundinnen sich nicht gerührt hatten.

»Was habt ihr denn?«, fragte sie.

»Wir haben einen Garten angeboten bekommen, und du hast Nein gesagt?«, fragte Marit tonlos. »Wo soll der denn sein? Weit entfernt?«

Constanze schüttelte den Kopf. »Nein, sogar ganz nah. Irgendwo bei dir um die Ecke, Marit, im Eichkamp. Ein paar Minuten mit dem Fahrrad von NATÜRLICH LESEN. Schon ganz schön, von der Entfernung her. Aber von einem Garten war nicht die Rede, das sagte ich doch«, fuhr Constanze fort. »Sondern von einer Parzelle in einer Kolonie. Ich bitte dich. Enger im Kopf geht's nicht. Das wäre doch der totale Abstieg zu diesem Garten hier.«

Sie zeigte nach draußen, wo inzwischen die Kornelkirsche flauschig blühte. Die Blütezeit der ebenfalls gelb blühenden Zaubernuss einige Meter weiter war dagegen schon fast vorbei.

Im Hintergrund, vor einer von dem Gärtner in präzise Wellen geschnittenen Buchsbaumhecke, leuchtete geschmackvoll eine große Gruppe früh blühender weißer Papageientulpen. Gitta hatte ihnen gestanden, dass sie ein Vermögen dafür ausgegeben hatte, aber sie hatte sie unbedingt haben wollen.

Die anderen folgten der Blickrichtung ihres ausgestreckten Zeigefingers.

Dann brach Gitta in Tränen aus.

Constanze und Marit stürzten auf sie zu und umarmten sie.

»Gitta! Bitte, nicht mehr weinen«, bat Marit. »Ralf ist deine Tränen nicht wert. Du hast schon so viel seinetwegen geweint, du musst doch schon ganz leer sein.«

Gitta griff nach der Küchenrolle, riss ein Blatt ab, wischte sich die Augen und schnäuzte sich. »Ausnahmsweise weine ich nicht *seinet*wegen. Sondern wegen einer möglicherweise versäumten Chance«, sagte sie mit belegter Stimme. Dann drehte sie sich zu Constanze und stemmte die Arme in die Hüften. »Hör mal, willst du uns ernsthaft sagen, Marianne hat dir einen Garten mit Laube angeboten? Den wir haben könnten, in dem wir zusammen gärtnern könnten? Und du hast schon vor zwei Wochen Nein gesagt und es für dich behalten? Das glaube ich nicht! Wir wollen diesen Garten sehen«, fuhr sie sie an. Schon wieder liefen ihr Tränen über die Wangen.

Constanze wurde blass.

»Und wenn du nicht mitmachst, dann machen wir es eben ohne dich. Wir müssen einfach einen neuen Garten haben. Wir brauchen Erde! Und Pflanzen! Selbst wenn es nur eine Parzelle in einer Kolonie ist, selbst wenn es nur vorübergehend ist. Das musst du doch verstehen«, ergänzte Marit. Nun glitzerten in ihren Augen ebenfalls Tränen, wenn auch nicht vor Trauer, sondern vor Wut. »Wann, meinst du denn, könnten wir uns den Laubengarten anschauen?«

»Ich gehe nachher gleich bei Marianne vorbei«, sagte Constanze, erschüttert darüber, dass sie die Reaktion der Freundinnen so falsch eingeschätzt hatte.

Als sie später am Tag bei Marianne klingelte und ihr erzählte, dass sie und die Freundinnen doch Interesse an dem kleinen Garten im Eichkamp hätten, wirkte die Nachbarin überhaupt nicht erstaunt. Im Gegenteil. Sie lächelte wissend, als hätte sie genau das erwartet, und versprach, Erika sofort um einen Besichtigungstermin zu bitten.

Kurz darauf rief Constanze erst Marit, dann Gitta an. »Morgen fahren wir in die Kolonie und schauen mal, ob das überhaupt etwas für uns ist.«

Nach dem Telefonat goss sie kopfschüttelnd ihre Hornveilchen, die sich inzwischen prächtig entwickelt hatten. Wie konnte es nur sein, dass sie überhaupt erwog, eine Datsche zu übernehmen?

4. Kapitel

Berlin im März 1945

Nun war ich schon einige Wochen in Tante Marthas Wohnung am Kaiserdamm. Es war entsetzlich. Nacht für Nacht jaulten die Sirenen, in der letzten Zeit waren sie auch tagsüber immer häufiger zu hören. Manchmal kamen die Bomber, ohne dass Warnung gegeben wurde.

Mich hatte eine Grundmüdigkeit ergriffen, die fast stärker als die Angst war. Sie zerfraß mich, verlangsamte meine Bewegungen, zermürbte mich.

Trotz der katastrophalen Lage kam es mir jedoch so vor, dass die Berliner sich nicht entmutigen lassen wollten. Immer noch erschien das *12-Uhr-Blatt*, wenn es auch nur einen Umfang von ein, zwei Seiten hatte. Gelegentlich konnte Tante Martha die Zeitung ergattern, dann wurde sie von uns und allen anderen hastig gelesen. Es war immer nur die Rede davon, dass wir bald siegen würden.

Meistens allerdings wurden Nachrichten mündlich weitergereicht. Dabei wusste man nie, was wahr war und was nicht. Hitlers Wunderwaffe … Gab es die wirklich? Wo blieb sie denn? Zogen deutsche Truppen in Richtung Berlin, um die Stadt zu retten? Oder stimmte es, dass die Gegner im Westen schon den Rhein überquert und gar, dass die Russen Berlin umzingelt hatten? Dann hätte ich auch in Oderberg bleiben können, dachte ich.

Als ich Anfang Februar gekommen war, waren bereits viele Häuser und Straßenzüge zerstört gewesen – überall zerfetzte Dächer, blinde Maueraugen, leere Fensteröffnungen, verkohlte Dachbalken und staubige Trümmerberge. Trotzdem hatten die Menschen versucht, auf den Straßen so etwas Ähnliches wie Ordnung herzustellen. Sie hatten die mörtelstaubigen Bürgersteige gefegt, Steine, die auf dem Gehweg lagen, zur Seite geworfen, schwere Schutthaufen weggeräumt.

Doch das war jetzt nicht mehr der Fall.

Wenn im Volksempfänger die Meldung schnarrte: »Britischer Fliegerverband über Braunschweig«, wussten wir, dass es nicht mehr lange dauerte, bis sie bei uns waren. Ich ließ meine Sachen in Vatis Rucksack, packte sie gar nicht aus.

Der Kaiserdamm war zu einem Häuserfriedhof geworden, aber wie durch ein Wunder war Tante Marthas Haus noch nicht getroffen worden – auch wenn die Fenster inzwischen zersprungen waren. Wir hatten sie notdürftig mit Sperrholz vernagelt. Dennoch hockten wir praktisch immer im Keller, wagten uns nur ab und zu in die Wohnung, um etwas zu essen von den immer kleiner werdenden Vorräten zu holen. Oder, was noch mutiger war, hinaus auf die Straße, wenn es hieß, an der und der Ecke gibt es Lebensmittel zu kaufen. Das letzte Mal war Tante Martha mit leerer Tasche zurückgekommen. Trotz der Lebensmittelkarte hatte sie nichts bekommen, weil es einfach nichts gegeben hatte.

Die Information, wann es wo etwas zu kaufen gab, kam fast immer von Frau Schultze, der Blockwartin, die mich am ersten Tag so misstrauisch angeschaut hatte und es noch tat, wann immer wir zusammen im Keller saßen. Sie belauerte mich, vermutlich, um mich zu melden, sobald sie einen Verdacht hatte. Aber es konnte ja kein Vergehen sein, dass man überleben wollte, oder?

Es heißt, man gewöhnt sich an alles. Ich dagegen glaubte nicht, dass ich mich jemals an den Lärm der Flieger, das Sirren der Bomben, den Krach der Einschläge und den Geruch der Angst gewöhnen konnte.

Eines Tages – wir hatten drei sehr unruhige Tage und zwei schreckliche Nächte in Folge im Luftschutzkeller verbracht – rappelte Tante Martha sich auf.

»Ich muss nach oben und was zu essen holen«, raunte sie mir zu.

»Soll ich nicht gehen, Tante Martha?«, fragte ich.

»Nein.«

Sie verließ den Keller, obwohl schon wieder über uns das Heulen zu hören war.

Dieses Mal wartete ich unruhiger als sonst auf Tante Marthas Rückkehr, als wäre ich von einer dunklen Vorahnung befallen. Das Flirren und Sirren der fallenden Bomben, dann die beklemmende Stille und schließlich ein mächtiger Einschlag – ich war sicher, dass ich Tante Martha nie wiedersehen würde. Ich wollte die Stahltür schon öffnen und nach oben rennen, auch wenn ich mit

Grauen daran dachte, dass es vielleicht kein Haus und erst recht keine Treppe mehr geben könnte. Aber Frau Schultze verbot es mir.

Was mir wie eine Ewigkeit vorkam, endete plötzlich. Die Tür wurde von außen aufgezogen, und Tante Martha kam humpelnd herein. Ein starker Brandgeruch ging von ihr aus. Sie hatte angesengtes Haar und rußige Hände.

»Der Dachstuhl steht in Flammen«, sagte sie erschöpft. »Drei Brandbomben habe ich aus dem Fenster unserer Wohnung werfen können. Aber sie sind überall. Unsere Sachen sind verloren.« Sie schlug ihre geschundenen Hände vors Gesicht, und als sie wieder hochsah, war es nicht nur tränennass, sondern auch voller Ruß.

Wir waren vierzehn Frauen und Kinder im Keller, und bei Tante Marthas Worten schrien alle auf. Aus Angst, weil es über unseren Köpfen lichterloh brannte und das Haus über dem Keller zusammenstürzen konnte, was das Ende wäre. Aber auch, weil alle Vorräte, überhaupt alles, was wir besaßen und nicht mit in den Keller genommen hatten, verloren war. Kleidung, Bettwäsche, Bilder, Unersetzbares ... Ich war froh, dass ich meine wenigen Wertsachen und Fotos in Vatis Rucksack bei mir hatte.

»Wir haben nichts mehr zu essen, Lissa. Du musst zu Albert, sowie die Flieger weg sind. Er muss uns was geben. Er wird hoffentlich noch etwas haben«, wisperte Tante Martha Stunden später so leise, dass Frau Schultze es nicht hörte.

Wir hatten Glück gehabt: Die Kellertür ließ sich noch öffnen, die Bomber hatten inzwischen abgedreht.

Von Albert hatte ich schon mehrfach gehört. Er war Onkel Kurts Neffe, der Sohn seiner Schwester, und war Gärtner mit einer eigenen Gärtnerei. Aber Tante Martha hatte kaum Kontakt zu ihm. Offenbar hatte er zu Beginn des Krieges eine Holländerin geheiratet, die sich dreist an Onkel Kurt rangemacht hatte. Das hatte Tante Martha ihm so übel genommen, dass sie nichts mehr mit den beiden zu tun haben wollte. Dann war Albert eingezogen worden und vor einem knappen Jahr kriegsversehrt zurückgekommen. Einmal hatte er sie seitdem besucht.

Wenn Tante Martha über ihr Zerwürfnis sprach, klang es so, als ob sie es bedauerte. Aber der Krieg war keine Zeit, um sich zu versöhnen. Das würde bis später warten müssen. Wenn dieses Später überhaupt jemals kommen würde.

»Warum muss ich allein gehen?«, fragte ich bang. »Warum nicht wir beide zusammen?«

Da zog Tante Martha vorsichtig ihr Kleid hoch, und ich sah, dass ihre Wollstrumpfhose am Oberschenkel zerrissen war. Nein, nicht zerrissen, sondern verbrannt, die einzelnen Fäden zu einer verkohlten Masse zusammengezogen. Darunter war eine große Brandwunde, rohes, blutiges Fleisch. Ich atmete erschrocken auf, aber sie hielt mir die Hand vor den Mund.

»Ich kann nicht gut laufen«, flüsterte sie mir ins Ohr. »Das muss die Schultze nicht wissen. Die schmeißt mich glatt aus dem Keller. Sie will bestimmt nicht für Verletzte die Verantwortung tragen.«

Ich zuckte zusammen, weil draußen schon wieder Bomben fielen. »Wie komme ich zu Albert?«, fragte ich, und Tante Martha begann zu erklären.

Bis in den Eichkamp, wo er wohnte, schien es in Kilometern nicht allzu weit zu sein. Eine neue Strecke zu gehen, wo ich keinen einzigen Unterschlupf kannte, machte mir dennoch Angst.

Doch ich hatte keine Wahl. Ich wusste, dass wir nichts mehr zu essen hatten. Tante Martha hatte so viel für mich getan. Jetzt war es an der Zeit, ihr etwas zurückzugeben. Frau Schultze wollte die Tür nicht öffnen und drohte, uns zu melden, aber Tante Martha sagte böse: »Tu, was du nicht lassen kannst, Blockwartin. Aber zuerst geht meine Elisabeth«, und da gab sie klein bei.

Aus der muffigen Kühle, dem müden Licht und dem Angstschweiß der Menschen im Keller in die Märzsonne zu entkommen, war trotz der Geröllwüste, die mich umgab, wunderbar.

Ich schaute nach oben. Tante Martha hatte recht gehabt: Unser Haus war komplett ausgebrannt. Rauch stieg aus dem dachlosen Gebäude, auf dem Gehweg lagen angekohlte Balken – aber wenigstens stand das Haus noch, die Häuser zur Linken und zur Rechten waren nur noch ausgebrannte Ruinen. So schnell wie möglich wollte ich mit irgendetwas Essbarem zurück sein, das Tante Martha und mich im Keller einigermaßen bei Kräften halten würde.

Auf dem Hinweg hatte ich zunächst Glück, alles

blieb ruhig. Ein paar Frauen sah ich, die wie ich das Gesicht in die Märzsonne hielten, einige von ihnen staubbedeckt. Dann hörte ich in der Ferne das Motorengeräusch nahender Flieger und begann zu rennen. Trotz der schweren Winterstiefel hastete ich die Waldschulallee entlang, vorbei an einem Wäldchen, das den Namen kaum verdiente. Bäume waren abgesägt worden, Baumstümpfe ausgegraben. Aus den Augenwinkeln sah ich etwas Weißes – Schneeglöckchen.

Es tat weh, weil ich an die großen Tuffs denken musste, die wir in unserem Garten in Oderberg hatten. Bestimmt blühten sie jetzt auch. Ich nahm mir vor, auf dem Rückweg welche zu pflücken und sie Tante Martha mitzubringen.

Kurz darauf erreichte ich die Harbigstraße, die ich erkannte, weil Tante Martha mir erzählt hatte, dass auf der anderen Straße ein Stadion war. Ich bog in die Straße ein, rannte weiter, an einem hohen Zaun entlang, bis ich zu einem einzeln stehenden Gebäude kam. Ich rüttelte an dem Tor, das mit einer Kette verriegelt war, hörte über mir Flieger und in der Ferne Sirenen. Am Fenster sah ich eine Gestalt, die zu mir schaute.

»Machen Sie auf, bitte!«, rief ich voller Angst gegen den Lärm an, den die Flieger machten.

Ich wusste, dass ich richtig war. Denn über mir hing ein Schild, das man lesen konnte, obwohl die Buchstaben schon lange nicht mehr nachgezeichnet worden waren, wahrscheinlich das letzte Mal vor dem Krieg: GÄRTNEREI ALBERT GROSSART stand darauf.

Ich hatte Onkel Kurts Neffen gefunden.

Die Flieger waren bereits weitergeflogen, ohne ihre tödliche Last abzuwerfen, als endlich ein Mann auf das Tor zuhinkte. Er war groß und so dunkelhaarig, wie ich hellblond war. Auch seine Augen unter dichten Augenbrauen waren dunkel, und er musterte mich sehr kritisch. Er war um einiges älter als ich, mindestens zehn Jahre, wenn nicht mehr. In seinem viel zu langen Haar waren schon reichlich graue Strähnen zu sehen. Hager war er, sein Gesicht schmal, mit scharfen Falten von den Nasenflügeln bis zu den Mundwinkeln. Seine blaue Arbeitsjacke hing an ihm herunter, die grobe Hose war an den Knien ausgebeult. Er trug Holzpantinen, und ich musste an seine Frau denken. Die Pantinen hatte er bestimmt aus Holland.

Er musterte mich schweigend.

»Ich bin Elisabeth Benthin. Ich wohne bei Ihrer Tante Martha Ebeling. Sie schickt mich. Unsere Wohnung am Kaiserdamm ist ausgebrannt, wir sitzen fast jeden Tag und jede Nacht im Luftschutzbunker, und wir haben alles verloren. Tante Martha bittet um etwas zu essen.«

»Warum glaubt Martha, dass ich etwas zu essen habe?« Seine Stimme klang, als ob er lange mit niemandem mehr gesprochen hatte.

Ich zeigte auf das Gärtnereischild über mir. »Wahrscheinlich deshalb.«

»Und warum kommt sie nicht selbst? Traut sich wohl nicht, die Martha?«

»Sie wurde schwer verletzt, als sie eine Brandbombe aus dem Fenster geworfen hat. Sie kann nicht laufen, wartet auf mich im Keller.«

Er nickte flüchtig, dann sagte er: »Moment.«

Als ob ich weggehen würde, wenn jemand etwas zu essen holte!

Er verschwand in dem Haus, und ich spähte über den Zaun. Es sah intakt aus, und obwohl es sehr bescheiden wirkte, war es eine Wohltat, endlich mal etwas anderes als Schutt und Steinhaufen zu sehen. Tante Martha hatte erzählt, dass die Gärtnerei am Rande des Grunewalds lag, und wirklich standen weiter hinten hohe Kiefern.

Als ich den Hals weiter verrenkte, sah ich, dass direkt hinter dem Haus eine große freie Fläche war, auf der Bäume standen. Blätter hatten sie noch keine, aber an ihren knorrigen Stämmen erkannte ich, dass es Obstbäume waren. Wieder dachte ich an unseren Garten in Oderberg. Im Frühling blühten die Obstbäume immer so wunderschön weiß und rosa. Erst der Apfelbaum, dann der Birnbaum.

Der Gärtner kam zurück und reichte einen kleinen Jutebeutel über den Zaun. Am Handgelenk hatte er eine Uhr. Sie baumelte, so als ob das Handgelenk früher dicker gewesen wäre. Ich sah, dass ihm an der rechten Hand zwei Finger fehlten, der Zeigefinger und der Mittelfinger.

»Da. Mehr habe ich nicht für euch.«

Er wandte sich ab, die Sache schien für ihn erledigt.

»Danke«, rief ich noch, aber da war er bereits hinkend im Haus verschwunden.

Ich verstaute den Jutebeutel in Vatis Rucksack.

Beim Rückweg orientierte ich mich am Funkturm,

der sich über Bäume und kleine Siedlerhäuser erhob, die die Gegend prägten. Viel ländlicher als am Kaiserdamm war es hier.

Ich ging, so schnell ich konnte, machte nur eine Pause, um die Schneeglöckchen zu pflücken. Selbst gefüllt war der Rucksack nicht sehr schwer. Ich hatte schon den Adolf-Hitler-Platz überquert und sah in der Ferne bereits Tante Marthas Haus, als erneut Flieger kamen.

Schnell presste ich mich in den Eingang eines zerstörten, ausgebrannten Hauses und sank zu Boden. Mein Gesicht verbarg ich im Rucksack und betete, dass keine Bombe direkt über mir einschlug. Oder wenn, dass ich wenigstens schnell sterben würde.

Ich weiß nicht, wie lange ich da kauerte, den Rucksack an mich gepresst. Es fühlte sich wie Stunden an, bevor die Flieger abdrehten. Hinterher hörte ich, dass die Amerikaner an diesem Tag über dreitausend Tonnen Bomben abgeworfen hatten. Es war einer der schwersten Luftangriffe auf Berlin gewesen.

Ich schnallte mir den Rucksack wieder auf, ging weiter durch das Trümmerfeld, den Blick gesenkt, weil ich nicht fallen wollte. Um nicht über Geröll klettern zu müssen, wich ich auf die Straße aus. Links und rechts brannten Häuser, aber ich sah nicht hin.

Schließlich kam ich zu der Stelle der Straße, wo ich seit meiner Ankunft wohnte. Zuerst dachte ich, ich hätte mich getäuscht, und musste noch eine Querstraße weitergehen. Dann sah ich genauer hin und wusste, dass ich richtig gesehen hatte.

Das Haus war verschwunden.

Stattdessen lag auch dort ein riesiger Haufen Geröll. Ich hoffte so sehr, dass Tante Martha in Sicherheit war. Doch mit jedem Schritt, den ich näher kam, schwand meine Hoffnung mehr. Sie und die anderen, die Frauen und Kinder aus dem Haus, mit denen ich so viele Nächte verbracht hatte, waren unter diesem Trümmerberg verschüttet.

Ich ging so nah an den Grabhügel heran, wie es ging – angebranntes Holz, zersplittertes Glas und Metallsaiten von einem Klavier sah ich, vielleicht von Onkel Kurts Klavier. Mit hängenden Armen stand ich da, nahm ein paar Steine auf und ließ sie wieder fallen. Der Berg war viel zu groß für mich, unmöglich konnte ich ihn allein bewegen. Und die Straße war nach den schweren Luftangriffen menschenleer. Alle waren geflohen, hatten sich versteckt, niemand war da, der mir hätte helfen können.

Irgendwo unter diesem Berg war Tante Martha, meine letzte Verbindung nach Oderberg, die einzige Person, die ich auf der Welt hatte. Gehabt hatte. In der Hand hielt ich noch immer den Schneeglöckchenstrauß, den ich gepflückt hatte. Jetzt legte ich ihn auf einen großen Ziegelstein und richtete mich wieder auf.

Ich stand einfach da und lauschte auf irgendetwas, aber nichts war zu hören, außer einem gelegentlichen Krachen in der Ferne, wenn ein Gebäude einstürzte.

Ich musste weg, aber ich wusste nicht, wohin. Als ich mich abwandte, entdeckte ich vor mir auf dem Boden ein sehr kleines Fenster mit einem massiven Holzrahmen, das wundersamerweise nicht zerbrochen war. Vielleicht hatte der Rahmen es vorm Zersplittern bewahrt, vielleicht war es auch heil geblieben, weil das Glas so dick war, mit eingeschlossenen Luftbläschen.

So ein Fenster hatte ich in Tante Marthas Speisekammer gesehen. Ich weiß nicht, ob es wirklich genau das war oder ob jede Speisekammer in diesem Haus so ein Fenster gehabt hatte.

Es hatte den Fliegerangriff überstanden, und ich konnte es hier einfach nicht zurücklassen. Ich hob es auf und steckte es in den Rucksack, der nun um einiges schwerer war. Dann drehte ich mich um und ging dorthin zurück, von wo ich gekommen war. Einfach, weil es keinen anderen Ort für mich auf der Welt gab.

Als das Brummen der Flieger wieder näher kam und kurz darauf die Bomben zu fallen begannen, suchte ich keinen Unterschlupf. Ich lief einfach weiter, weil es mir egal war, ob sie mich trafen oder nicht.

Albert war nicht erfreut, mich wiederzusehen. Aber er wirkte auch nicht wirklich überrascht. Als er zum Zaun kam, weinte ich so sehr, dass ich ihm nicht erklären konnte, warum ich wieder hier war. Doch er schien Mitleid zu haben, denn er öffnete die rostige Kette, nahm mir den Rucksack ab und brachte mich in sein Haus.

Es sah ganz anders aus als unser Haus in Oderberg. Die Küche war nicht separat, sondern Teil der Wohnstube, von der noch zwei Türen abgingen. Es war klein und sehr schlicht.

Alberts Frau sah ich nirgends, ich fragte auch nicht nach ihr. Er deutete auf einen Stuhl, der an einem Tisch mit einer Kerze stand, und stellte ein Glas mit Apfelsaft vor mich hin, trüb und süß. Ich trank es gierig.

»Was ist mit Martha?«, fragte er.

Ich erzählte ihm von meiner Rückkehr zum Kaiserdamm, von dem verschütteten Luftschutzkeller. Während ich sprach, schaute er nicht mich an, sondern in die Kerze, die auf dem Tisch sacht flackerte.

Danach zeigte er mir wortlos eine Abstellkammer, in der eine schmale, harte Liege stand – ein Feldbett, eine Wolldecke, ein erstaunlich weiches Kissen. Ich setzte mich vorsichtig hin. Nur die Stiefel zog ich aus, alles andere behielt ich an, falls es in der Nacht Bombenalarm gab. Dann sank ich zurück.

Mein letzter Gedanke war, dass das kleine Fenster das Einzige war, was mir von Tante Martha geblieben war. Völlig erschöpft von den langen Wegen, der Angst und der Trauer fiel ich in einen Schlaf, der einer Ohnmacht glich.

Einmal wurde ich nachts wach. Ich schlich nach draußen zum Plumpsklo, das Albert mir gezeigt hatte. Während ich mich auf den kalten Rand hockte, hörte ich, wie in der Ferne Bomben fielen: Sprengbomben, Stabbrandbomben, Phosphorbomben – das Feuerwerk des Teufels. Doch hier, am Rand des Grunewalds, klang es ferner, als es in den Luftschutzbunkern geklungen hatte.

Am nächsten Morgen versuchte ich, meine Gedanken zu ordnen. Einerseits wusste ich nicht, was jetzt werden sollte. Auf der anderen Seite hatte ich in den letzten Wochen in Berlin gelernt, dass es sowieso immer nur darum ging, den nächsten Tag zu überleben.

Und dieser Gärtner, Albert Grossart … Ich war nie zuvor mit einem Mann allein gewesen. Als ich siebzehn war, gleich in den ersten Kriegstagen, als ich meine Ausbildung als Kindergärtnerin begonnen hatte, war ich ein paarmal mit Martin, dem ältesten Sohn einer unserer Nachbarfamilien, ausgegangen. Einmal waren wir auf dem Fischerfest am Oderstrand. Wir tanzten und lachten, er trank ein Bier und ich eine Limonade. Als er mich nach Hause brachte, hat er mich vor der Tür geküsst.

Aber kurz darauf wurde er eingezogen. Er kam zur Flak, und irgendwann hieß es in Oderberg, dass er gefallen sei, erschossen von Fliegern, die über ihn hinweggezogen waren und die er nicht hatte abwehren können. Einige hatten bei dieser traurigen Nachricht Blicke in meine Richtung geworfen, wohl um zu sehen, ob ich weinte. Das tat ich nicht. Erst später, als ich allein war.

Der Krieg hatte den verheirateten Frauen die Ehemänner genommen, den Kindern die Väter. Und uns jungen Frauen hatte er die Hoffnung auf einen ersten Anfang mit einem Mann, mit der Liebe geraubt. Er hatte uns unschuldig zurückgelassen in einem Alter, in dem in Friedenszeiten die meisten Frauen verheiratet waren.

Ich setzte mich an den Tisch, an dem Albert bereits saß. Er aß Suppe und tunkte Brot in den Teller.

»Nimm dir auch etwas, Elisabeth«, sagte er und wies auf einen Topf, der auf einem gusseisernen, gut beheizten Herd stand. Deshalb war es wohl so warm im Raum.

Er hatte Möhren, Bohnen und Kartoffeln gekocht. Es schmeckte gut, es war schon eine Weile her, dass ich etwas Heißes gegessen hatte.

Als Albert fertig war, stand er auf, räumte seinen Teller weg. Dann verschwand er in dem anderen Zimmer. Ich hörte, wie Türen und Schubladen auf- und wieder zugingen. Als er zurückkam, hielt er einen Stapel Kleidung in den Armen.

»Hier. Nimm das«, sagte er und legte den Stapel auf das abgenutzte Sofa, das unter einem Fenster stand, das zur Obstwiese hinauszeigte.

Es war Damenkleidung – zwei alte Hosen, ein Rock, drei Blusen, zwei Kleider, ein gestrickter Pullover. Behutsam strich ich darüber, und Albert setzte sich auf das Sofa. Er trug Socken, die Holzpantinen standen wohl vor der Tür. Der eine Unterschenkel war viel dünner als der andere. Er hob ihn mit der linken Hand, die schwer vernarbt war, an.

»Schau mal, Mädchen«, sagte er und strich vorsichtig mit seiner dreifingrigen Hand darüber. »Eigentlich möchte ich niemanden um mich haben. Ich mag Menschen nicht sehr, hab sie in den letzten Jahren von ihrer schlechtesten Seite kennengelernt. Aber mit diesen Händen und mit diesem Bein kann ich fast nicht mehr

als Gärtner arbeiten. Kannst du Lauch auspflanzen?«
Er schaute mich mit seinen dunklen Augen ernst an.

Ich nickte.

»Kompost sieben? Möhren verziehen? Radieschen säen? Zwiebeln stecken? Kartoffeln anhäufeln? Äpfel schälen? Bohnen pflücken und einmachen? Brot backen?«

Ich nickte wieder. »In Oderberg hatten wir einen Garten«, flüsterte ich.

»Ich bin als Krüppel aus dem Krieg zurückgekommen«, erwiderte er. »Wahrscheinlich sollte ich froh sein, dass ich überhaupt zurückgekommen bin. Aber diese Verletzungen machen mir die Arbeit als Gärtner sehr schwer. Wir haben März. Allein werde ich es dieses Jahr nicht schaffen, und bei Gott, wir werden etwas zu essen brauchen. Ich benötige Hilfe. Willst du diese Hilfe sein? Dann kannst du bleiben. Sonst nicht. Es wird nicht leicht. Aber du wärst hier immerhin so sicher, wie man es in diesem verdammten Krieg in Berlin gerade sein kann.« Er zuckte zusammen, denn in der Ferne erklangen wieder Sirenen.

»Haben Sie einen Luftschutzkeller?«, fragte ich.

»Nein. Etwas Besseres. Bete, dass wir es nie brauchen. Und sag Du zu mir. Das passt sonst nicht.«

»Ich habe keine Lebensmittelkarte«, sagte ich leise.

Er lachte auf, es klang jedoch nicht froh. »Ich bekomme auch nicht viele Marken, weil ich die Gärtnerei habe. Die Bürokratie in Deutschland war immer schon stark, stärker als die Waffen, will mir scheinen. Ich denke, wir haben hier genug zu essen.«

»Mich haben sie zu Hause immer Lissa genannt«, erklärte ich und fügte hinzu: »Wo ist deine Frau?« Ich wollte es wirklich wissen.

»Siehst du sie hier irgendwo?«

»Nein.«

»Eben.«

Mit dieser Antwort musste ich mich zufriedengeben. Dass sie nicht da war, hatte ich gesehen. Aber ich spürte auch, dass sie nicht ganz weg war.

Ich nahm den Stapel Kleidung und ging in meine Kammer, schlüpfte in Hose und Pullover. Als ich wieder herauskam, war Albert nicht mehr da. Ich trat vor die Haustür. Direkt davor standen ein Paar abgetragene Holzschuhe, die dort am Tag zuvor nicht gestanden hatten. Ich schlüpfte hinein, beim Laufen scheuerte das Holz ungewohnt hart, obwohl ich Wollsocken trug. Die Pantinen fielen mir fast von den Füßen, so groß waren sie, ebenso die Kleidung. Eine größere Frau als ich hatte sie getragen.

Ich machte mich auf die Suche nach dem Gärtner. Über die Wiese ging ich, auf der so früh im Jahr noch nichts wuchs, außer ein paar Gänseblümchen, ein paar Krokusse und allererster Löwenzahn. Auch die Obstbäume schaute ich mir an. Die Blütenknospen waren schon dick.

Am Ende der Wiese standen Bienenstöcke und ein Gewächshaus, Glasflächen hatten wir sie in Oderberg immer genannt. Dicht an der Glaswand des Gewächshauses blühten Schneeglöckchen.

Im Gewächshaus fand ich Albert. Er lächelte, als er

mich sah, wahrscheinlich, weil ich in der Kleidung seiner Frau so verloren wirkte wie ein kleines Mädchen, das sich als erwachsene Frau verkleidet.

Mit seiner zerschossenen Hand hielt er mir mühsam eine Schale mit hauchfeinen Stängeln entgegen, wie zartestes Gras sahen sie aus.

Wortlos nahm ich sie ihm ab und erkannte, was es war: Lauch. Ich würde ihn auspflanzen, wenn die Pflanzen etwas größer und der Nachtfrost milder war.

In der Nacht fielen wieder Bomben. Und dieses Mal schlugen sie auch in der Siedlung Eichkamp ein, nur ein paar Straßen von der Gärtnerei entfernt, sogar hinter uns, im Grunewald.

Bei Albert gab es ebenfalls keine regelmäßige Wasserversorgung, wir hatten nur stundenweise Wasser. Aber an einer Straßenkreuzung stand eine Pumpe. Um sie zu betreiben, musste man in einen Schacht klettern und dort einen Hebel umlegen. Wenn der Hebel einfror, musste man mit alten Zeitungen ein Feuer im Schacht machen und hoffen, dass die Wärme die Vereisung des Hebels schmolz.

An dieser Pumpe trafen sich die Leute aus dem Eichkamp. Als Albert am Morgen Wasser holte, hieß es dort, dass eine Luftmine der Amerikaner sieben Häuser links und rechts von der Alten Allee, einer Straße nicht weit von uns, getroffen hatte. Die Dächer waren abgedeckt worden, es hatte gebrannt, alle Bewohner waren getötet worden.

Albert stellte in der Gärtnerei die mit Wasser gefüllten Behälter ab. Dann humpelte er davon, ohne mir zu sagen, wohin er ging.

Eine halbe Stunde später kam er zurück. Er wirkte sehr erleichtert.

5. Kapitel

Berlin im März, Gegenwart

Am nächsten Tag holte Gitta mit ihrem schicken MINI Clubman erst Marit und dann Constanze und Marianne ab. Erika erwartete sie am frühen Vormittag in der Laubenkolonie.

Es war ein bisschen problematisch hinzufinden. Gitta brauste die Jaffestraße entlang, und Marianne konnte ihr nicht genau sagen, welchen Abzweig sie nehmen musste. Es war, als ob jemand, der ihnen den Garten nicht gönnte, die Straßen blitzschnell anders anordnete, wenn sie sich schon ganz nah glaubten. Aber schließlich kam ein großer Parkplatz in Sicht, und sie nickte.

»Hier sind wir richtig«, sagte Marianne zufrieden. Sportanlagen und kleinere Wohnhäuser prägten die Gegend, in der Ferne zeichneten sich dunkelgrüne Kiefern vor dem Himmel ab. Marianne zeigte auf die Bäume. »Da fängt schon der Grunewald an.«

Sie stiegen aus und sahen sich um. Schwach war in der Ferne das Geräusch von aufschlagenden Tennisbällen zu hören. Auf der anderen Straßenseite des Parkplatzes waren die ersten Gärten zu sehen. Bitte, lass es nicht so einen sein, dachte Constanze, da können wir ja den ganzen Tag Autos zählen.

Aber Marianne ging ein paar Meter weiter zu einem Tor, an dem ein großes Schild hing. KOLONIE KRÖTENGLÜCK E. V. verkündete es, und darunter stand *Vorsicht, Wildschweine, Tor bitte schließen*. Marianne öffnete das Tor, und sie gingen hindurch.

»Ha!«, rief Gitta. »Wie bei uns. *Er* hat einen Elektrozaun installieren lassen, damit diese Mistviecher nicht in den Garten kommen und seinen Rasen umwühlen. Die Rotten kommen jeden Abend aus dem Grunewald, galoppieren einfach frech über die Clayallee in den Messelpark hinein. Und von da am liebsten zu uns. Wenn wir nur einmal vergessen, den Strom anzuschalten, sind sie sofort wieder in unserem Garten.« Sie seufzte, als ihr einfiel, dass das »unser« gerade im Begriff war, zu »*seinem*« zu werden.

Marit und Constanze mussten nicht fragen, wer *er* war.

»Schaut«, sagte Marianne. »Der Teufelsberg!« Sie zeigte in Richtung Wald, und wirklich – man sah ihn.

Die Freundinnen waren alle drei Berlinerinnen und kannten den Teufelsberg sowie den Drachenberg daneben seit ihrer Kindheit. Es war schließlich ein Wahrzeichen der Stadt. Einhundertzwanzig Meter war er hoch, fast nirgends war man dem Himmel in Berlin näher als hier, jedenfalls nicht messbar. Jede von ihnen hatte Erinnerungen an den Berg, die viel weiter als der Beginn ihrer Freundschaft zurücklagen. Im Winter waren sie dort rodeln gegangen, hatten mit ihren Cliquen Silvester gefeiert, mit Ferngläsern die Mondfinsternis beobachtet und das leuchtende Feuerwerk der Pyronale beobachtet, des alljährlichen internationalen Feuerwerkspektakels.

Manche nannten den Teufelsberg Trümmerberg. Denn er bestand aus Millionen Kubikmetern Schutt der zerbombten Häuser von Berlin. Nach dem Zweiten Weltkrieg war das Geröll hier zusammengefahren worden, bis der mächtige Hügel 1972 seine jetzige Größe erreicht hatte. Dann hatte man Sand und Erde aufgeschüttet und anschließend mit Tausenden Bäumen bepflanzt.

Das an sich war schon bemerkenswert. Aber das Unverwechselbare des Teufelsbergs war die ehemalige Abhörstation auf seinem Gipfel. Von hier aus hatten die Amerikaner in der Sektorenstadt im Kalten Krieg den Luftraum rund um Berlin, in der DDR, überwacht.

Jetzt hing die weiße Verkleidung an der Funkanlage herunter – wie bei einem großen Tier, das sich im Frühling häutete. Durch das nackte Stahlgestänge schien die Märzsonne. Nur die charakteristischen weißen Kugeln waren unverändert. Sie dienten nicht mehr dem Abhören feindlicher Nationen. Die Anlage war nach mehreren erfolglosen Anläufen von Investoren, eine Privatuni und eine Hotelanlage entstehen zu lassen, zu einer schrillen Location für Dreharbeiten, Partys und Modeschauen geworden.

»Der gute alte Trümmerberg«, sagte Marit seufzend. »Da haben wir früher so gern Silvester mit den Jungs gefeiert.«

»Das können wir ja mal wieder zusammen tun«, schlug Constanze vor.

Gitta schluckte. Bis jetzt hatte sie immer mit *ihm* gefeiert, ab jetzt würde *er* seinen teuren Champagner wohl mit jemand anderem trinken, der Mistkerl.

Gemächlich schlenderten sie den Hauptweg (Tulpengasse) entlang. Links und rechts davon lagen die Parzellen, auch mehrere Nebenwege gingen ab (Rosenstraße, Veilchenweg, Petunienallee). Die gesamte Anlage schien quadratisch angelegt.

In den letzten Tagen hatte es viel geregnet. Auf dem Weg war eine riesige Pfütze, die sie vorsichtig umgingen. Die Äste eines großen Magnolienbaums spiegelten sich in ihr ebenso wie die Wolken, die über den Grunewald hinwegzogen.

Immer wieder blieben Gitta, Constanze und Marit stehen und spähten neugierig in die Gärten.

Die Größe der Grundstücke schien ziemlich einheitlich, aber die Lauben darauf unterschieden sich sehr. Manche wirkten wie schmucke Einfamilienhäuser, die nur zu heiß gewaschen worden und deshalb eingelaufen waren. Einige glichen Holzschuppen mit großen Fenstern, die an ein märchenhaftes, etwas verfallenes Atelier erinnerten, in dem vielleicht geheime Gartenaquarelle von Igeln, Spechten und Feuerwanzen gemalt wurden. Wieder andere sahen wie ein Mitbringsel aus dem letzten Österreichurlaub aus: überdimensionierte Ausgaben eines Wetterhäuschens, vor dem man jeden Moment einen Mann in Lederhose mit Regenschirm oder eine hübsche Schwarzwälderin in Tracht erwartete. Auf manchen Grundstücken war der Rasen selbst jetzt schon so dicht und grün, dass es auch *ihn* beglückt hätte. Viele Stauden sahen aus, als ob sie bereits im Herbst raspelkurz abgeschnitten worden waren, um auch im Winter Ordnung auf den Beeten zu garantieren. Bei anderen wiederum lag das Blattwerk noch welk und platt auf der Erde, unattraktiv, aber vermutlich gut für Insekten und anderes Kleingetier.

Der Winter hatte Spuren hinterlassen, die vom Frühling noch lange nicht beseitigt worden waren. Gelegentlich sah man Elfenkrokusse, die blassrosa und unendlich zart wie die Flügel kleiner Gartenfeen im Gras schimmerten, ein paar Gänseblümchen und viele Schneeglöckchen. Ein Grundstück war überwuchert mit sattgelben Winterlingen, die bis auf den Weg hinaus wuchsen, als ob sie vor irgendetwas auf der Flucht wären, das im Garten vor sich ging.

Jede Parzelle hatte ihren ganz eigenen Charakter – vermutlich den ihres Pächters.

»Wie schön«, sagte Marianne und umging die Winterlinge vorsichtig.

Gitta schüttelte den Kopf. »Ihr wisst ja, dass ich kein Gelb im Garten dulde«, sagte sie etwas hochmütig. »Und auch nicht Rot und Blau. Weiß und Grün und sonst gar nichts, das macht eine elegante Anlage aus. Mit rosafarbenen Akzenten, aber damit bin ich sehr sparsam. Vita Sackville-West hat gesagt, man müsse streng sein, sonst bekomme man nie den Garten, den man wirklich will.«

Sie hatten schon oft über Gittas rigide Pflanzenwahl diskutiert. Constanze und Marit hatten vorgeschlagen, nicht nur weißen Phlox, weißen Rittersporn und weiße Rosen zu setzen, sondern etwas mehr Farbe reinzubringen. Aber davon hatte Gitta nichts wissen wollen. Und da es nun mal ihr Garten war, hatten sie sich gefügt.

Während Constanze alles recht war, solange es nicht wie ein Schulgarten aussah, fragte Marit sich allerdings, ob ein Garten nicht viel mehr sein konnte, als distinguiert auszusehen. Das strenge Konzept der englischen Gartendesignerin Vita Sackville-West war vielleicht das Richtige für einen Schlossgarten, Schrebergärten dagegen waren etwas ganz anderes. Bunt den Hütten, Grün-Weiß den Palästen, dachte sie.

Falls sie hier wirklich zu dritt einen Garten haben würden, hatten sie alle Mitspracherecht, und Marit würde sich ganz entschieden für Winterlinge einsetzen. Sie fand sie entzückend mit ihren Blüten über dem dunkelgrünen Blätterkragen. Sicher, sie waren gelb. Aber es war doch so ein schönes, heiteres, positives, sonniges, leuchtendes, beschwingtes Gelb!

Überhaupt, was war eigentlich gegen Gelb im Garten zu sagen? Sonnenblumen, Sonnenbräute, Sonnenauge waren alle gelb und trotzdem wunderschön.

Marit verstand es einfach nicht. Blauen Rittersporn und pinkfarbenen Phlox und rote Rosen und orangerote Kapuzinerkresse und bunte Dahlien mochte sie auch sehr gern. Und lila Schmetterlingsflieder, den ganz besonders.

Und Dachwurzen.

Aber die hatte sie ja zu Hause auf dem Balkon.

Sie kamen an sehr hohen Ligusterhecken vorbei, die

die Lauben dahinter völlig verbargen. Galt das mit den vorgeschriebenen Heckenhöhen in Wirklichkeit gar nicht? War es nur eine urbane Sage, die sich um Schrebergärten rankte?, fragte sich Constanze hoffnungsvoll. Weit und breit war kein Mensch zu sehen.

»Es ist einsam hier«, bemerkte Gitta und zog den Gürtel ihres Kamelhaarmantels ein bisschen enger.

»Und ganz schön frisch«, fügte Marit hinzu und schlug den Kunstfellkragen ihres Wintermantels hoch.

»In den wenigsten Lauben gibt es Heizungen. Das darf nicht sein, damit man nicht auf den Gedanken kommt, dort dauerhaft zu wohnen. Außerdem ist es noch ein bisschen früh zum Gärtnern, deshalb ist wohl heute niemand da«, antwortete Marianne.

»Im Sommer ist das sicher ganz anders.« Marit war trotz allem um Enthusiasmus bemüht.

Constanze sagte gar nichts. Sie fand, sie war schon in genug Fettnäpfchen getreten. Aber wenn es nach ihr ging – sie sah sich nicht in dieser Kolonie, sah sich nicht in einer dieser kleinen Hütten, Schuppen, Datschen, Lauben der Gartenzwergfreunde ...

»Oh«, sagte sie auf einmal. »Schaut mal. Dort wird geheizt. Das sieht ja aus wie die Villa Kunterbunt. Niedlich! Bloß nicht so bunt.«

Sie zeigte auf ein Grundstück mit einer niedrigen Hecke. Aus dem Schornstein des Häuschens stieg Rauch auf. Es war nicht aus Holz, sondern aus roten Ziegelsteinen, die allerdings wirkten, als hätten sie schon mal bessere Zeiten erlebt – jede Ecke war so angeschlagen, dass das Haus rundlich wirkte. Die Fensterrahmen waren weiß gestrichen. Das Grundstück schien deutlich größer als die, an denen sie in der Tulpengasse vorbeigekommen waren, und auch das Haus wirkte größer.

»Und nicht so Villa«, murmelte Gitta.

»Aber es hat definitiv Charme«, fügte Marit hinzu. »Charakter.«

Das Häuschen war höher als die Lauben in den anderen Gärten, hatte sogar einen Giebel mit einem Fenster und eine teilweise verglaste Veranda, die wie ein Wintergarten anmutete. Es ähnelte einem Schwedenhaus.

»Das ist die Parzelle von Erikas Sohn«, sagte Marianne und blieb vor der Gartenpforte stehen. Sie versuchte, sie zu öffnen, aber sie war abgeschlossen. »Erika muss da sein. Erika! Erika! E-RI-KA! Wir sind DA-HA!«

Hinter ihnen klappte eine Tür, dann ertönte eine scharfe Stimme. »Bitte seien Sie leise. Bis drei haben wir Mittagsruhe!«

Sie drehten sich erschrocken um. Ein korpulenter Mann stand auf einem Grundstück gegenüber und sah sie ungehalten an.

»Entschuldigung«, sagte Marit. »Wir wussten nicht, dass hier überhaupt jemand ist. Es wirkt so verlassen.«

Aber da war er bereits türschlagend in seiner Laube verschwunden.

»Das geht ja gut los«, murmelte Constanze.

In diesem Moment eilte eine grauhaarige ältere Dame in einer dicken grau melierten Jacke den Gartenweg entlang auf sie zu.

»Schrei doch nicht so, Marianne«, schimpfte sie, aber es klang amüsiert. Von innen schloss sie die Pforte auf.

»Ich schließe immer ab, weil hier in den Wintermonaten viel eingebrochen wird. Nicht auszudenken, dass man allein im Haus ist, und plötzlich steht so ein finsterer Geselle vor einem!«

Die Freundinnen warfen sich alarmierte Blicke zu.

»Ich habe gerade hinten die Vögel gefüttert. Die Kohlmeisen sind alle weggeflattert, als sie dich gehört haben. Herein, herein! Ich bin Erika!«

Die Freundinnen betraten die Parzelle, Marit und Gitta enthusiastisch, Constanze zögernd.

Der Weg zum Haus bestand aus Steinplatten. Abgetreten wirkten sie, fast mit dem Boden verwachsen. In den tiefen Lücken wucherte irgendein Kraut, das über die Jahre ganz genau gelernt hatte, in welche Ecke unter den Steinen es seine Wurzeln schieben musste, damit beim Unkrautjäten bestimmt ein kleiner Rest blieb, aus dem es wieder neu austreiben konnte. Vielleicht hatte es auch eine heimliche Allianz mit Ameisen geschlossen, die ihm den Weg für die Wurzeln bahnten. Wahrscheinlich war es auch längst beschlossene Sache, dass die Ameisen die Unkrautsamen weiter verbreiteten. Jedenfalls wuchs das Unkraut zwischen den Steinen immer weiter, und das war es schließlich, was zählte, wenn man ein Unkraut war.

Auf der rechten Seite des Weges war ein Beet, aber es verdiente den Namen nicht wirklich, wenn sie es mit Gittas Beeten verglichen. Ein paar niedrige, kahle Ginstersträucher und scharfblättrige Mahonien wuchsen ineinander, ließen es dunkel und stachlig wirken, dazwischen standen zwei schwarzgrüne Thujas, die nichts dafür taten, dass es heller wirkte.

Dahinter wuchs anscheinend gar nichts außer Unkraut. Erikas Sohn schien schon eine ganze Weile in Nauen zu bauen. Oder er hatte bereits vor dem letzten Sommer mit dem Garten abgeschlossen. Vielleicht auch im vorletzten.

»Ich habe geheizt. Kleine Häuser sind im Winter immer so klamm. Das ist Gift für meine Arthrose«, sagte Erika, rieb sich die Hände und ging voran auf die Veranda.

Constanze sah sich um. Die Wände waren mit braunem Holz verkleidet, sodass es hier trotz der Verglasung dunkel wirkte. Eine Eckbank stand da, deren geblümte Sitzpolster verschlissen waren, davor ein hoher ovaler Tisch mit einer vergilbten Resopalplatte. Auf dem Boden lag ein PVC-Belag in einem höchst unappetitlichen Grünbraun. Sehr viel hässlicher war nicht vorstellbar.

Sie folgten Erika ins Häuschen. Das Erste, was in ihr Blickfeld fiel, war ein kleiner Ofen mit dunkelgrünen, glänzend lackierten Kacheln. Er sah aus wie das Kind eines Ofens, wie sie noch gelegentlich in den Altbauwohnungen in Charlottenburg und Kreuzberg zu finden waren, wirkte wie ein niedliches Relikt aus vergangener Zeit.

Marit hockte sich hin, um den Ofen genauer zu betrachten. Die Lasur der Kacheln hatte viele feine Risse, trotzdem konnte man die Motive darauf genau erkennen: Blumenknospen, Bäume mit Blüten, ein Bienenstock, sogar eine Schubkarre und ein Spaten waren detailliert modelliert.

»Das ist ja wirklich ein entzückender Ofen«, sagte sie bewundernd. »Gartenmotive! Wie passend. Wer hat den wohl gebaut? So was habe ich noch nie gesehen.«

»Keine Ahnung«, erwiderte Erika. »Soweit ich weiß, war er schon immer hier.«

Neben dem Ofen stand ein Weidenkorb mit Holz und Papier. Ansonsten gab es jede Menge Spinnweben, die besonders in den Ecken dicht wie Watte wirkten. Eine grob getischlerte Holzleiter führte zu einer Falltür an der Decke.

»Was ist da oben?«, fragte Marit und schaute hoch.

»Der Dachboden. Ihr könnt ja mal nachsehen«, antwortete Erika.

Marit griff nach den hölzernen Holmen und kletterte vorsichtig hoch. Sie wollte sich keinen Splitter in die Hand jagen. Sagte man nicht, mit jahrelangem Gebrauch wurde Holz immer glatter? Dieses hier war im Laufe der Zeit eher brüchig und splittrig geworden. Sie drückte die Falltür über sich auf.

»Oh«, sagte sie und schaute sich um. »Das ist ja gemütlich!«

Gitta stand unten an der Leiter. »Was denn?«

»Hier liegen zwei große Matratzen und ein paar Decken. Die Wände sind schräg. Und das Fenster geht zum Weg raus. Hier könnte man schlafen – oder jemanden verstecken! Sehr groß darf man allerdings nicht sein. Man kann nicht aufrecht stehen.«

»Wen würdest du denn hier verstecken wollen?«,

fragte Constanze und dachte insgeheim: Wer würde hier schlafen wollen?

Aber da sagte Erika schon: »Manchmal haben Robert und seine Familie hier geschlafen. Das war ein bisschen wie Camping, fanden sie immer.«

Wahrscheinlich, weil es durchgeregnet hat wie in einem Zelt und schrecklich eng war, dachte Constanze schaudernd.

Marit kam wieder heruntergeklettert. »Willst du mal nach oben?«, fragte sie.

Constanze winkte ab. Das Konzept einer Laube war ihr immer noch nicht klar: zu klein für ein richtiges Zuhause, zu kalt und ungemütlich, um sich wohlzufühlen, zu feucht, um etwas aufzubewahren.

Erika lehnte an einer Miniküchenzeile. Auf einer Ablage standen eine Kochplatte mit zwei Kochfeldern und ein Wasserkocher, daneben gab es eine Spüle, darunter einen kleinen Kühlschrank.

Über der Spüle hätte man vielleicht Fliesen erwartet, aber hier gab es ein Mosaik. Kleine, viereckige Glassteinchen, weiß, gold, rot und schwarz eingefärbt, waren an die Wand geklebt worden. Das Weiß überwog, die anderen Farben waren wie kleine Sprengsel überall in der weißen Fläche eingelassen. Einige Mosaiksteine waren zerbrochen und gesplittert, wieder andere fehlten und gaben dahinter eine grau verputzte Wand frei. Aber mit ein paar passenden Glassteinen wäre die Fläche leicht wiederherzustellen.

Gitta, immer interessiert an Einrichtungsdetails, beugte sich vor. »Wer hat das denn gemacht? Es sieht alt aus, obwohl die Mosaiksteine eigentlich modern sind«, fragte sie.

Erika schüttelte den Kopf. »Das war auch schon so. Ich weiß wirklich nichts über die Baugeschichte dieses Häuschens.«

»Gibt es hier fließendes Wasser?«, fragte Marit.

»Na klar, die Laubenkolonie ist an das Stadtwasser angeschlossen. Bloß ans Abwasser nicht«, erwiderte Erika und füllte Wasser in den Wasserkocher. »Dafür gibt es eine Grube. Die muss ein-, zweimal im Jahr geleert werden. Darum muss sich jeder Pächter selbst kümmern. Tee oder Kaffee?«

Constanze sah zu den Kaffeebechern, die in einem offenen Regal über der Spüle standen – der perfekte Unterschlupf für überwinternde Spinnen. Aber als Erika den Kaffee in die einzelnen Becher filterte, nahm sie sich nach Marianne, Marit und Gitta auch einen. Sie schaute skeptisch hinein, doch nichts mit langen dünnen Beinen schwamm obenauf.

»So, und ihr habt also Interesse, Roberts Garten zu übernehmen?«, fragte Erika.

Ihre hellen Augen funkelten listig. Die arthritischen Finger hatten den warmen Becher fest im Griff. Plötzlich wirkte sie nicht mehr wie eine alte Dame, sondern wie die resolute Personalchefin eines großen Unternehmens beim Bewerbungsgespräch, darauf geschult, die Eignung des Gegenübers herauszukitzeln.

»Übernehmen? Haben wir da eine Chance?«, fragte Marit. »Wir dachten, es ist nur für eine Saison. Es wäre natürlich sehr schön, wenn wir bleiben können.«

Erika winkte ab. »Erst mal eine Saison, solange will Robert es sich noch überlegen, auch wenn ich glaube, dass er den Garten aufgibt. Ich weiß nicht, ob ihr eine Chance habt, aber wenn ihr euch vertretungshalber kümmert und alles so richtig schön macht, würde der Vorstand euch vielleicht oben auf die Liste setzen, an den anderen Wartenden vorbei. Die Warteliste für ein Grundstück in der Kolonie ist riesig lang, fast zweihundert Leute stehen da drauf. Kinder habt ihr wohl keine? Die werden hier auch gern gesehen. Na ja, aber nicht so gern gehört.«

Während Gitta und Constanze die Köpfe schüttelten, plusterte Marit sich auf. »Aber ja, ich habe vier Söhne und zwei Enkelinnen. Sie würden den Garten lieben!«

Dass ihre Söhne sich in anderen Gartenprojekten engagierten, behielt sie erst mal für sich. Das konnte gut oder schlecht ausgelegt werden. Gut, weil es für das Naturengagement in ihrer Familie sprach, schlecht, weil eigentlich alle außer ihr mit Stadtgrün versorgt waren.

Erika wiegte nachdenklich den Kopf. »Na, wir fangen erst mal an. Also: Die Pacht kostet rund siebenhundert Euro im Jahr, Wassergeld berechnet Robert euch extra, Strom und Grubenentleerung kommen natürlich noch dazu …«

»Können wir uns den Garten nicht erst mal anschauen, bevor wir über Geld reden?«, fragte Gitta vorsichtig. Die alte Dame schien ausgesprochen geschäftstüchtig zu sein.

»Und gibt es hier überhaupt eine Toilette?«, wollte Constanze wissen.

Das Innere dieser Laube entsprach ungefähr ihrer schlimmsten Vorstellung. Jetzt noch ein Plumpsklo, und sie wäre raus.

»Natürlich gibt es die«, antwortete Erika und öffnete eine schmale Tür neben der Küchenzeile. Die Freundinnen drängten sich in ein Minibad, in dem nun nicht mehr viel Platz war.

Sie sahen sich um. Toilette, Waschbecken – und ein winzig kleines, ganz und gar entzückendes Fenster. Es hatte einen breiten, weiß gestrichenen Rahmen und ausnehmend dickes Glas, in das Luftbläschen eingeschlossen waren. Wer von der Toilette aus in den blühenden Garten schaute, würde die Pflanzen verzerrt wie durch ein Kaleidoskop sehen.

»Witziges Fenster«, sagte Gitta und fuhr mit dem Zeigefinger über die unebene Glasoberfläche. »Sieht richtig alt aus. Woher ist das?«

»Nun fragt ihr schon wieder was über den Bau. Robert hat den Garten erst seit vier Jahren, und die Laube war genau so, als er sie bekam. Die Kolonie gibt es seit 1946, soweit ich weiß. Keine Ahnung, wer wann diese Laube gebaut hat«, erklärte Erika und schloss die Tür wieder. »Bereit zur Gartenbesichtigung?«

Sie öffnete die rückwärtige Tür, und unvermittelt standen sie auf einer Terrasse, die zum hinteren Teil des Gartens führte. »Hier war wohl irgendwann noch ein Zimmer. Aber das musste abgerissen werden. Lauben dürfen nur vierundzwanzig Quadratmeter groß sein. Die hier hatte sehr viel mehr. Ich weiß nicht, warum das damals erlaubt war.«

»Sie ist immer noch größer als vierundzwanzig Quadratmeter, glaub ich«, meinte Marit.

»Ja«, sagte Erika. »Deshalb muss Robert auch jeden Monat zwanzig Euro extra zahlen. Das wird angespart, und beim nächsten Pächterwechsel wird wieder ein Teil des Hauses abgerissen werden. Die zwanzig Euro setzt er euch ebenfalls auf die Rechnung.«

Marit und Gitta warfen sich einen vielsagenden Blick zu, Constanze schaute starr in den Garten. Wie konnte ein Schrebergarten, in dem man ein paar Stunden im Sommer verbringen wollte und in dessen Laube es im Herbst und Winter feucht und kalt und ungemütlich war, so teuer sein? Vielleicht sollten wir lieber ein paar Baumscheiben in der Stadt bepflanzen, dachte sie. Bis jetzt hatte sie noch nichts gesehen, was sie von ihren Vorurteilen hätte abbringen können.

»Und noch etwas …«, meldete sich nun auch Gitta zu Wort. »Die anderen Gärten sind ungefähr gleich groß. Gleich klein. Das Grundstück hier …«, sie machte eine weit ausholende Handbewegung, »… ist viel großzügiger.«

Erika nickte. »Es hat über fünfhundert Quadratmeter, fast doppelt so viel wie die anderen. Es ist das größte Grundstück in der Kolonie. Hach, ihr mit euren Fragen.«

Die du uns alle nicht beantworten kannst, ergänzte Marit im Stillen. Sie betrachtete die Terrasse genauer. Mit ein paar hübschen Gartenmöbeln war sie wohl gut zu nutzen. Sie persönlich mochte Teakholzliegestühle.

Neben der Terrasse, an der Rückseite des Hauses,

befand sich ein kleiner Anbau. Er war unten gemauert, oben mit dunklen Brettern verschalt.

»Das hier ist der Schuppen. Der ist praktisch. Da hat Robert immer die Mülltonne reingestellt. Und sein Gartenwerkzeug«, sagte Erika und nickte in die Richtung.

Constanze versuchte, die Tür zu öffnen. Die rostigen Scharniere knarrten, als ob der Schuppen ein Geheimnis wahrte, das er auf keinen Fall offenbaren wollte. Sie sah sich in dem Licht, das durch die offene Tür fiel, um. Verschiedene Gartengeräte waren gegen die Holzwand gelehnt, in der Ecke stand ein alter Korb, aus dem ein Minirechen und eine verbogene Schaufel herausragten. Ein uralter Spindelmäher stand ebenfalls da, neben einem Stapel Blumentöpfe aus Plastik.

Darauf lag eine nagelneue Heckenschere. Entweder sie wartete noch auf ihren Transport nach Nauen, oder Robert hatte sie absichtlich dagelassen, weil er mit ihr entsetzliche Stunden in Verbindung brachte, während derer er die Hecke auf Zentimeterhöhe bringen musste.

Aber praktisch war der Schuppen, da musste Constanze Erika recht geben. Hier fand alles Platz, was man nicht in der Laube unterbringen wollte oder konnte. Sie trat wieder ins Licht und schloss die Tür hinter sich.

Marit und Gitta standen auf der Terrasse und sahen zu ihr hinüber. Constanze zuckte mit den Achseln. Nichts Besonderes, sollte das heißen. Bis jetzt hatten sie nur Dinge gesehen, die sie ändern, nichts, was sie behalten wollten.

Außer dem Fenster im Bad. Das hatte was. Und der

entzückende Ofen. Das Mosaik über der Spüle. Und vielleicht noch der Dachgiebel.

»Der Rasen hat im letzten Jahr wegen der Trockenheit etwas gelitten«, gab Erika zu. »Robert wollte nicht gießen.«

»Welcher Rasen?«, fragte Gitta.

Denn der hintere Teil des Gartens bestand aus einer trockenen, sandigen Fläche, die eher wie ein staubiges Beachvolleyballfeld aussah.

Das einzig Schöne waren hier zwei dickstämmige Bäume, die links und rechts auf dem mageren, verdorrten Untergrund standen. Im Sommer unter ihren belaubten Kronen zu sitzen musste herrlich sein.

Jetzt waren die Bäume allerdings noch kahl. An einem Ast hingen einige Meisenknödel, eine Kohlmeise saß in der Krone. Sie schien darauf zu warten, dass sie endlich wieder verschwanden.

»Was sind das für Bäume?«, fragte Marit und lief auf einen zu.

»Apfel und Birne«, antwortete Constanze und zeigte auf den Boden. »Schau, hier liegt noch Obst vom Herbst. Hat Robert wohl nicht aufgehoben.«

Sie konnte sich diese Spitze einfach nicht verkneifen. Marit stieß ihr den Ellenbogen leicht in die Seite.

»Das gehört auf den Kompost«, meinte Erika und zeigte in eine Ecke, in der ein wilder Haufen aus grobem Reisig, Heckenschnitt und Eichenblättern lag, die gerade vom Märzwind aufgewirbelt wurden.

»Das ist der Kompost?«, fragte Gitta ungläubig.

Die Freundinnen wussten genau, was sie dachte.

Gittas Kompost war unendlich viel mehr als Kompost – er war eine biologische Lebenseinstellung, ein mit Hornspänen und Steinmehl angereichertes Eldorado, das Geheimnis ihres fantastischen Gartens. Die Pflanzen, die im Frühjahr davon reichlich profitierten, konnten sich glücklich schätzen.

Erika verstand die Frage gründlich falsch. Sie zuckte mit den Achseln. »Ihr müsst ja keinen Kompost haben. Schmeißt den Gartenabfall einfach in die Mülltonne.«

Sie kippte den Rest ihres inzwischen kalt gewordenen Kaffees aus. Die Flüssigkeit perlte auf dem sandigen, garantiert nährstofffreien, kompostlosen Boden ab, und der Kaffee verrann, ohne Feuchtigkeit zu hinterlassen.

Gitta stöhnte leise auf.

»Wenn wir die Laube nur eine Saison haben, was dürfen wir denn daran ändern?«, fragte Marit.

»Nenn es Garten, nicht Laube«, zischte Constanze. »Das klingt besser.«

»Nur weil du nicht Laubenpieperin genannt werden willst?«, zischte Marit zurück.

»Alles könnt ihr ändern«, sagte Erika. »Komplett nach eurem Geschmack ummodeln. Robert hat rausgeholt, was ihm wichtig war. Wenn man aus dem Vertrag aussteigt, muss man die Laube sowieso leer räumen, also stellt lieber nicht zu viel rein.«

»Und was ist mit den Beeten?«

»Ihr könnt machen, was ihr wollt. Ich persönlich finde ja Geranien, Petunien und Eisblümchen hübsch. Und Tagetes. Sie sind auch nicht teuer, und wenn sie im Winter erfrieren, schmeißt man sie einfach weg.« Gitta sah Erika ungehalten an. »Nur die kleingärtnerische Nutzung, die müsst ihr natürlich einhalten, falls ihr den Garten dauerhaft halten wollt. Das ist wichtig. Sonst rücken sie euch hier auf die Pelle«, sagte Erika.

»Was ist denn eine kleingärtnerische Nutzung?«, fragte Marit in dem Moment, als vom Gartenzaun her ein Ruf erscholl: »Huhu, seid ihr da?«

»Oh, das ist Liane, die Kassenwartin«, meinte Erika und eilte zum Eingang. »Kommt mit, dann stelle ich euch gleich vor.«

Sie blieb stehen und drehte sich noch mal zu den Freundinnen um. »Ihr wollt doch den Garten übergangsweise, oder? Robert schreibt alles noch mal auf. Und seine Kontonummer, damit ihr wisst, wohin überwiesen werden muss.«

Gitta und Marit nickten eifrig, Constanze zögernd. Damit war es entschieden.

Liane war eine Überraschung. Langes dunkles Haar, frische rosa Wangen, keinen Tag älter als fünfundzwanzig. Sie trug einen knallbunten Wintermantel, dazu eine braune Indiomütze mit Ohrenklappen. Ein kleines Mädchen, ungefähr drei wie Marits Enkelin Luzie, rannte quietschend im Zickzackmuster wie eine Mininähmaschine vor ihr hin und her.

»Hey!« Sie winkte über den Zaun. »Ihr kümmert euch ab jetzt ein bisschen um Roberts Parzelle, sagt Erika?«

»Das ist der Plan«, gab Marit zurück.

»Gebt mir mal eine E-Mail-Adresse, damit ich eine

Ansprechpartnerin habe.« Marit nannte ihre. »Udo meldet sich bestimmt bald bei euch. Ich bin in Parzelle 4/23«, sagte sie, nachdem sie sie notiert hatte. »Wenn ihr Fragen habt, kommt rum. Ich muss weiter, ich will mich heute um den Kompost kümmern. Er ist reif, jetzt, wo es frostfrei ist, kann ich ihn gut ausbringen. Mimi will mir helfen.« Als sie ihren Namen hörte, kam Mimi angerannt und versuchte, ihre Mutter wegzuzerren.

»Wer ist Udo?«, wollte Constanze noch wissen.

»Na, Udo Melcher, unser Vorstand! Der wird sicher mit euch reden wollen. Es gibt ja ein paar Vorschriften zu beachten.« Damit gingen Liane und Mimi.

Gitta schaute ihnen hinterher, voller Sehnsucht nach einem reifen, schwarzen, fetten Kompost.

Sie brachten Erika und Marianne nach Hause, dann beschlossen sie, zu ihrem liebsten Thaiimbiss in der Reichsstraße zu gehen.

»Sind wir eigentlich verrückt?«, fragte Constanze, als sie sich über den ersten Gang (Tom Kha-Gai-Suppe und Krupuk-Chips) hermachten. »Das Haus ist eine Katastrophe, der Garten ist praktisch nicht existent. Was das alles kostet, den wieder herzurichten! Und eine Garantie gibt es nicht. Ausgenommen das winzige Klofenster, das ist sehr süß …«

»Der kleine grüne Ofen ist auch entzückend«, warf Marit ein.

»Und das Mosaik«, fügte Gitta hinzu.

»Wir werden sehr viel Arbeit reinstecken müssen,

einiges an Geld, um es uns halbwegs schön zu machen, und wir wissen nicht, ob wir länger als bis zum Herbst bleiben können«, fuhr Constanze fort.

Marit nickte. »Ihr habt recht. Es sieht schlimm aus. Aber ganz ehrlich: Auf das Arbeiten freue ich mich. Die Bude ist zumindest leer, wir brauchen sie nur noch auf den Kopf zu stellen und auszuschütteln.«

»Wie meinst du das?«, fragte Gitta, die es sich schwer vorstellte, ein ganzes Haus auf den Kopf zu stellen.

»Wir nehmen den hässlichen Bodenbelag und die Sitzecke weg und pinseln alles weiß. Ein paar Korb-stühle von IKEA – fertig. Was kann das schon kosten? Geht ja durch drei.«

»Den Sperrmüll muss man bezahlen«, sagte Con-stanze.

»Ich frag mal meine Jungs«, bot Marit an.

Gitta spielte mit ihrem Wasserglas. Die anderen hatten sich einen Wein bestellt, aber sie musste fahren. »Ich finde es gerade gut, dass der Garten so ignorant behandelt wurde. Er ist wie ein unbeschriebenes Blatt.«

»Warum das denn?«, fragte Marit und nahm ein Stück Krupuk. Sie mochte es, wie die Chips auf der Zunge knisterten, bevor sie zu schmelzen schienen.

Constanze verstand schneller, was Gitta meinte. »Dann können wir ihn so gestalten, wie wir wollen. Wir müssen keine Rücksicht auf vorhandene Pflan-zen nehmen und auch kein schlechtes Gewissen haben, wenn wir sie rausreißen.«

Gitta nickte. »Ich habe das Konzept für den Lau-bengarten schon fix und fertig im Kopf. Wir müssen es nur noch umsetzen. Also, passt auf.« Sie griff nach einer Papierserviette und malte mit einem Chinastäbchen farblose Linien darauf, die sich schwach auf dem Weiß abzeichneten. »Die dunklen Immergrünen muss der Gärtner natürlich rausnehmen. Ebenso den Ginster und die Mahonie. Die gehen ja gar nicht. Dann haben wir zwei gleich große leere Beete im vorderen Teil des Gartens. Wir setzen natürlich auf Symmetrie, das macht den Raum größer und schafft klare Strukturen. In das eine Beet kommen mittig grüne und weiße Stauden, und wir umranden es mit Weißrandfunkien. Steine, mit denen wir es einfassen lassen können, kosten nicht viel. Im anderen Beet machen wir es genau andersrum: Die Funkien setzen wir in die Mitte, die grünen und weißen Stauden außen herum, und – zack – wieder Steine außen herum. Ihr werdet sehen, wie viel edler das alles gleich wirkt. Gewissermaßen gespiegelt, aber erst auf dem zweiten Fachblick erkennbar.«

»Welcher Gärtner?«, fragte Constanze erstaunt. »Du willst doch nicht im Ernst für den kleinen Garten einen Gärtner beschäftigen wie bei dir in Dahlem, oder?«

Lieber gleich die Grenze ziehen als später, dachte Marit. Auch wenn wir uns streiten. Auch wenn jetzt gleich etwas kaputtgeht, das sich nie wieder reparieren lässt. Sie holte tief Luft.

»Gitta, es wäre seltsam, mit einem Gärtner in einer Laubenkolonie aufzutauchen. Das lass uns mal vergessen. Man verliert an Glaubwürdigkeit. Es hat so etwas Großbürgerliches, das nicht zu den kleinen Häuschen passt. So, als scheute man davor zurück, sich die Finger dreckig zu machen, und genau darauf freuen wir uns doch am meisten, oder? Endlich wieder in der Erde zu wühlen! Für die schweren Arbeiten frage ich gern meine Jungs, die helfen uns bestimmt. Und dann noch etwas – ich möchte nicht, dass unsere Beete nur grün und weiß werden. Das passt zu einer Villa, edles Understatement, du weißt schon. Für eine Laube ist das nicht das Richtige. Echt nicht. Ich mag's ehrlich gesagt sowieso lieber bunt.«

Marit nahm einen Schluck Wein und beobachtete Gitta, um herauszufinden, wie ihre Worte auf sie gewirkt hatten.

Constanze sah aus, als wäre sie lieber woanders.

Gitta schaute so lange und intensiv in ihr Seltersglas, als ob darin ein besonders interessanter Wasserkäfer schwämme. Schließlich sah sie hoch.

»Ich verstehe«, sagte sie langsam. »Ich bin wohl nicht mehr die Chefgärtnerin, die das Sagen hat, was?«

Marit und Constanze schüttelten den Kopf.

»Ich weiß nicht, ob ich das gut oder schlecht finden soll«, bekannte Gitta mit gerunzelter Stirn. »Es fühlt sich neu an.«

Marit atmete erleichtert aus und stieß ihr Glas leicht gegen Constanzes, dann gegen Gittas. »Deine Erfahrungen wollen wir dir ja nicht nehmen. Du weißt viel mehr als wir über das Gärtnern. Aber ab sofort sind wir Gartenschwestern auf Augenhöhe«, sagte sie.

Gitta nickte.

»Was meinst du denn, was wir zuerst machen müssen?«, fragte Constanze.

»Einen richtigen Kompost anlegen«, antwortete Gitta entschieden. »Der Boden sah schrecklich mager aus. Wenn wir ab sofort unsere Garten- und Gemüse-abfälle in einem Schnellkomposter sammeln, könnte das schon im Herbst ein guter Kompost sein.«

Das konnte Marit verstehen. Und weil Gitta ihr nichts übel nahm, konnte sie sich wirklich auf die Laube freuen.

6. Kapitel

Berlin im April 1945

Anfang April brannte die Stadt. Die Bomben fielen unablässig, britische, amerikanische und russische Flieger wechselten sich ab, manchmal kamen sie sogar gleichzeitig. Ganz nah fielen sie auch bei uns, am Rande des Grunewalds. Wenn Kinder mal aus den Kellern und Luftschutzbunkern kamen und auf der Straße spielten, sammelten sie Granatsplitter und tauschten sie untereinander wie Briefmarken des Schreckens.

Dann kamen vom Osten her die russischen Truppen in die Stadt. Als ich das hörte, hielt ich vor Angst die Luft an. Wir waren im Westen Berlins, aber das war eine trügerische Sicherheit.

Albert sagte, in Stalingrad habe er den Glauben an den Sieg verloren, an die deutsche Übermacht und an die Nazis sowieso. Deutschland sei mal stark gewesen, aber nicht so stark, dass es an mehreren Fronten gleichzeitig kämpfen und siegen könne. In Stalingrad hatte ihm eine Granate die schrecklichen Verletzungen an den Händen und am Bein zugefügt. Er erzählte, dass das Wort Granate von Granatapfel komme. Wie der Granatapfel sei die Granate reich gefüllt, allerdings nicht mit leckeren Kernen, von einer Saftschicht umgeben. Sondern mit der Saat des Todes, die alles Lebendige wegriss, zerfetzte und zerstörte.

Bei seiner Bemerkung musste ich an Frau Schultze denken. Die hätte ihn gemeldet, hätte ihn auch wegen vieler anderer Dinge gemeldet, die er so sagte. Ich war froh, dass sie nicht mehr lebte.

An der Pumpe erzählte eine Frau, dass SS-Männer in der Stadt junge Männer erschossen, die nicht mit vollem Einsatz kämpften. Im Flüsterton erzählte sie aber noch etwas anderes, nämlich dass sie in den letzten Jahren immer mal wieder gesehen hatte, wie Menschen mit gelben Davidsternen an ihrer Kleidung vom S-Bahnhof Grunewald wie Vieh in Güterwagen verladen worden waren, Männer, Frauen, Kinder, alte Leute.

Die Juden trugen diese gelben Sterne. Was geschah mit ihnen? Ich fragte Albert, und er sagte, er habe gehört, dass man sie in den Osten bringe, wo sie als Zwangsarbeiter arbeiten mussten. Oder sogar umgebracht wurden.

Die schrecklichen Gerüchte hatte es schon in Oderberg gegeben. Ich wollte sie damals nicht glauben. Nun blieb mir keine andere Wahl, als die entsetzliche Wahrheit zu akzeptieren.

Durch die Straßen tobten tags und nachts Feuerstürme, deren wütende Flammen alles verschlangen und Tod und Stille zurückließen.

Führers Geburtstag am 20. April war der schlimmste Tag überhaupt. Die Bombardierung nahm kein Ende. Hinterher erfuhren wir, dass die Amerikaner und Engländer Salut geflogen waren – mit tausend Bombern gegen Berlin, als spezielles Geburtstagsgeschenk für Hitler, der sich mit seinen Generälen im Reichstagsbunker verbarrikadiert hatte.

Es gab keinen Strom und kein Gas, und auch die Wasserversorgung brach zusammen. Wir mussten jeden Tag zur offenen Pumpe an der Ecke laufen. Dort stand immer eine lange Schlange von Leuten an, Frauen, Alte, Versehrte wie Albert mit Krücken.

Albert nahm die Schubkarre, in der er leere Gefäße stapelte. Die Holzräder drohten zu zerbrechen, wenn er mit den vollen Gefäßen über das raue Pflaster zurückgeholpert kam.

Aber wir brauchten unbedingt Wasser, die Saat auf den Beeten und im Gewächshaus musste gegossen werden. Wir atmeten jedes Mal erleichtert auf, wenn es regnete. Das Wasser sammelten wir in Regentonnen und Zinkwannen. In der größten Wanne – sie hatte zwei dicke Holzgriffe – konnte ein Mensch baden. Sie war so dick und grau wie ein Elefant.

Die Bäume blühten in überschäumender Pracht. Ihr zartes Weißrosa und die Bienen, die sie an warmen Tagen umschwirrten, waren genau das Gegenteil von dem, was in Berlin passierte. In der Gärtnerei bedeutete jedes leise Summen in der Luft Schönheit, Leben und Fruchtbarkeit, in der Stadt dagegen das laute Brummen der nahenden Flieger Hässlichkeit, Zerstörung, Not und Tod.

Ich verließ das Grundstück nie allein, Albert schon. Er schien jeden in der Siedlung Eichkamp zu kennen.

Auf den Straßen hielt er immer nach brauchbarem Material Ausschau. Oft kam er mit beladener Schubkarre zurück.

Manchmal allerdings war es genau andersherum. Dann ging Albert nicht mit leeren Händen, sondern verschwand mit einigen Vorräten und kam ohne zurück. Er sagte mir nicht, wohin er gegangen war, und ich fragte nicht. Ich lernte, seine Körpersprache zu lesen.

Einen Monat wohnte ich nun schon bei ihm. Wir sprachen nicht viel, nie erzählte er etwas über seine Frau, nur selten etwas von seiner Zeit an der Front oder ich etwas über Oderberg. Es war, als läge ein hauchdünner Schorf über unseren Wunden der Erinnerungen, an dem man lieber nicht kratzte.

Morgens sagte er mir, was getan werden musste, zeigte etwas unbeholfen mit seinen kaputten Händen, auf welche Weise ich säen, Unkraut jäten, hacken sollte, und das tat ich dann den ganzen Tag.

Vieles kannte ich von zu Hause, einiges war mir neu. Nach einem langen Tag aßen wir etwas, gingen früh zu Bett. Manchmal flogen die Bomber so dicht über uns, dass wir aus den Betten wieder zurück ins Wohnzimmer flohen. Als ob das etwas genützt hätte. Einmal hatte ich sogar den Rucksack dabei.

Es gab draußen viel zu tun. Albert hatte Samen von der Ernte im letzten Jahr gesammelt, sie in alte Briefumschläge gewickelt und krakelig beschriftet. Er konnte nur mit der linken Hand schreiben, war aber Rechtshänder. »Möhren« stand in deutscher Schrift darauf, »Radieschen«, »Salat«, »Tomaten«, »Paprika«, »Spitzkohl«, »Blumenkohl«, »Kohlrabi«, »gelbe Erbsen«, »Petersilie, kraus« und »Bohnen, gelb«, auch »Studentenblume«, »Schmuckkörbchen« und »Malven«.

Ich sehnte mich so nach schönen Blüten, aber ich traute mich nicht, die Blumensaat auszusäen, weil ich nicht wusste, ob man im Krieg Blumen zum Freuen ziehen sollte oder ob man sie sowieso nur für Gräber zog.

Eines Morgens war ich im Gewächshaus, um zwei neue Reihen Radieschensamen auszusäen. Als ich den Briefumschlag mit der Saat öffnen wollte, fiel mein Blick auf den Absender:

Marijke Grossart, Hugo de Vrieslaan 84, Utrecht.

Ich sah auf den Poststempel: Januar 1943. War seine Frau schon so lange fort? Oder war sie nur bei holländischen Verwandten gewesen und wieder nach Berlin zurückgekommen?

Als ich hörte, wie Albert das Gewächshaus betrat, legte ich den Brief hastig zurück, in der Hand die dunkelbraunen runden Samen.

Ich hatte das Kochen für uns übernommen. An der Außenwand des Hauses war Holz gestapelt, das nutzte ich, um den Herd in der Küche zu beheizen.

Ich versuchte so viel wie möglich von dem, was ich noch fand, zu nutzen. Ich schälte Zwiebeln aus angefaulten Häuten, manchmal gab Albert mir Möhren und Kartoffeln, wo auch immer er sie aufbewahrte. Ich schnitt madige Stellen aus den Möhren heraus, bis kaum noch etwas übrig war. Die Kartoffeln keimten schon und waren schrumpelig, aber ich brach die hellen Triebe ab und gab beim Kochen etwas Kümmel ins Wasser, damit sie nicht so muffig schmeckten.

Aus dem Grün von Radieschen, Zwiebeln, Brennnesseltrieben, Löwenzahn und Bärlauch machte ich Salat. Wir brauchten Vitamine, um gesund zu bleiben. Albert bekam auf seine Lebensmittelkarte genau tausendeinhundert Gramm Brot, zweihundert Gramm Fleisch und achtundsiebzig Gramm Fett pro Woche. Das klang gar nicht so wenig, aber es war alles, was er bekam: keine Wurst, keinen Käse, keinen Quark, keinen Zucker, keinen Kaffee, keine Eier. Und auch Fleisch ganz selten, obwohl es auf der Lebensmittelkarte stand.

Das Fett war Margarine, kein Öl, und der Salat mit dem salzigen Essigwasser schmeckte schrecklich. Hätten wir nicht seine Gemüsereserven vom letzten Jahr gehabt, hätten wir hungern müssen. Schließlich waren wir zu zweit.

Die Zwillingsbrüder Jochen und Jürgen hatten Albert in den letzten beiden Sommern geholfen. Am Tag nach ihrem vierzehnten Geburtstag Ende April wurden sie eingezogen. Das Reichssportfeld am Olympiastadion war inzwischen eingenommen worden. Es sollte unbedingt zurückerobert werden. Weil es zu wenige Männer gab und selbst die Alten und Jungen schon zum Volksturm beordert worden waren, holten sie nun noch die Hitlerjungen aus Spandau, Ruhleben und dem Westend zusammen, fast zweitausend Jungen zwischen zehn und vierzehn Jahren, stolz in ihrer HJ-Uniform mit dem Blut-und-Ehre-Koppelschloss.

Zusammen mit tausend Soldaten sollten sie sich den Russen entgegenstellen.

»Bis zum letzten Mann und bis zur letzten Patrone« sollte Berlin verteidigt werden, hieß es.

Jochen und Jürgen liefen in den Kugelhagel und starben. Als die weinende Mutter zu Albert kam und es ihm erzählte, weinte er mit ihr.

Einmal in diesem Schreckensmonat wagten wir einen Spaziergang im Grunewald, an einem Tag, an dem in der Ferne nur selten Artilleriefeuer zu hören war und keine Bomber flogen. Wir gingen die Harbigstraße entlang, bis wir zu einem sandigen Pfad kamen, der in den Wald führte. Zur Linken nichts als hohe gerade gewachsene Kiefern, auf der Erde Gras und Moos, zur Rechten ein Zaun mit bewaffneten Wachen. Dahinter standen viele Baracken, zwischen denen Menschen umherliefen, ausgemergelte Gestalten, manche von ihnen in gestreifter Häftlingskleidung. Der Gegensatz der Gefangenschaft hinter dem Zaun und der Freiheit außerhalb des Zaunes war für mich kaum begreiflich.

»Was ist das?«, fragte ich Albert erschrocken.

»Das ist ein Lager der Organisation Todt«, flüsterte er, obwohl uns niemand hören konnte. »Früher hatten alle die Uniform von Todt an, die der offiziellen Bautruppen der Nazis. Jetzt sind es sehr viele in Sträflingskleidung. Tausende habe ich gesehen.«

Erst später erfuhren wir das ganze Ausmaß der Machenschaften der Organisation Todt. Zwangsarbeiter aus besetzten Gebieten aus dem Osten, Juden, Mischlinge ersten Grades und Menschen mit unliebsamer Gesinnung wurden hier kaserniert. Sie hausten in den Baracken, wurden von diesem Lager dorthin verfrachtet, wo sie an Bauvorhaben mitarbeiten mussten, die zum Vorrücken der Truppen benötigt wurden – Straßen, Brücken, Bunker.

Der frühere Reichsminister für Bewaffnung und Munition, Erich Todt, hatte diese Bauorganisation gegründet und sie nach militärischem Vorbild gegliedert. Zuerst mit Freiwilligen, aber da immer mehr Männer fielen oder schwer verletzt wurden und gleichzeitig immer mehr gebaut werden musste, nicht zuletzt Bunker in Berlin, bediente sich die OT an Kriegsgefangenen, Zwangsarbeitern und KZ-Häftlingen. Zweitausendfünfhundert Firmen sollten mit der OT gemeinsame Sache gemacht haben, erfuhren wir später.

Aber das war mir an diesem Tag nicht klar, als ich zwischen den Bäumen des Grunewalds hindurchspähte und die Menschen in ihrer zerlumpten Häftlingskleidung erblickte. Wenn der Wind durch die Kronen fuhr, staubte es gelb: Die Kiefern blühten.

Wir kamen an eine breite, gepflasterte Straße – die Teufelseechaussee. Als wir sie überquerten und weitergingen, erreichten wir unvermittelt eine freie Fläche. Sie war ungeheuer groß und weit, ganz Oderberg hätte darauf gepasst.

Inmitten des Waldes so etwas zu sehen, war merkwürdig. Man hatte dort begonnen, mehrere riesige Gebäude zu errichten, mit langen Arkadengängen verbunden. Es war ein verlassen wirkender Rohbau.

»Was wird das?«, fragte ich Albert.

»Hier sollte die Wehrtechnische Fakultät entstehen. Als erstes Gebäude des neuen Universitätsgeländes der Reichshauptstadt Germania«, sagte Albert und schnaubte verächtlich. »1937 haben sie hier den Grundstein gelegt, die *Morgenpost* war damals voll davon. So groß sollte alles sein, damit sich der Mensch klein und demütig dagegen vorkommt. ›Monumente des Stolzes‹ nennt Hitler solche Gebäude. Aber ich kann nicht stolz auf so etwas sein. Seit 1940 wird nicht mehr daran gebaut. Ich glaube, Germania ist genauso ein größenwahnsinniges Märchen wie alles andere.«

Hier draußen, in der Einsamkeit dieser Baustelle im Wald, konnte er es laut sagen.

»Warum bauen sie es nicht weiter?«

»Sie haben kein Benzin mehr für die Maschinen, kein Baumaterial und vor allem keine Leute mehr für ihre wahnsinnigen Pläne. Alle, die bauen können, müssen das an den Fronten im Westen und Osten tun.«

Langsam gingen wir um die gigantischen, mehrstöckigen Bauten herum. In den Bergen des Bodenaushubs ringsherum wuchsen Brombeergestrüpp und junge Birken, die jetzt austrieben. Auch der breite Zufahrtsweg war mit kleinen Bäumen und Buschwerk überwuchert. Die Natur war schnell damit, sich etwas zurückzuerobern.

»Wollen wir reingehen?«, fragte Albert, als wir wieder am ersten Gebäude angekommen waren.

Wir gingen hinein. Durch die Fensteröffnungen fiel etwas Licht, aber die Räumlichkeiten waren so groß, dass die einzelnen Sonnenstrahlen nicht viel gegen die Dunkelheit ausrichten konnten. In der Innenstadt waren die Häuser zerbombt und die Fensteröffnungen deshalb ohne Glas, hier war es niemals eingesetzt worden. Treppen gab es nicht, nur schräge Rampen, die in das jeweilige Stockwerk darüber führten.

Ungeheure Mengen Beton mussten gegossen worden sein, denn daraus bestand das Gebäude weitestgehend, aus rohem Beton mit einzelnen Steinwänden, die die Räume abtrennten.

Im ersten Stock entdeckten wir neben der Rampe mehrere Paletten mit Zement, Kalk und Steinen und vier große Holzkisten mit Deckel. Ich öffnete eine und sog erschrocken die Luft ein.

»Albert!«, rief ich. »Sieh mal!«

Die Kiste war bis zum Rand mit goldenen viereckigen Stückchen angefüllt, die in dem schwachen Licht geheimnisvoll glitzerten. Zuerst dachte ich, ich hätte einen Goldschatz gefunden.

Albert fasste hinein, griff sich ein paar Steine und hielt sie gegen das Licht. »Das ist nur Glas, Lissa«, sagte er und öffnete die zweite Kiste. In ihr waren weiße Glasplättchen, in der nächsten rote, in der vierten schwarze. Achtlos ließ er die goldenen auf die schwarzen fallen. »Das Material haben sie hier wohl deponiert, weil sie dachten, dass sie diese Monstrosität später zu Ende bauen können. Na, da wird nichts mehr draus.«

In diesem Moment hörten wir über uns Flieger.

»Wir müssen zurück«, sagte ich, und wir liefen die

Rampe hinunter. Unsere Schritte wirbelten den Staub der letzten fünf Jahre auf.

Um den Weg abzukürzen, eilten wir außen den Arkadengang entlang. Plötzlich blieb Albert stehen und zeigte an die Decke. »Da, dein Goldschatz.«

Ich schaute nach oben. Über mir war der Entwurf eines riesigen Reichsadlers mit Hakenkreuz zu sehen. Die Umrandung war mit goldenen Mosaiksteinen beklebt, aber längst nicht vollständig. Der Adler war erst angedeutet gezeichnet. Fertig gestellt war nur das schwarze Hakenkreuz im Eichenkranz unter den Krallen des Adlers.

»Klein und demütig«, wiederholte Albert seine eigenen Worte böse auf dem Nachhauseweg und schüttelte den Kopf. Wenn er längere Strecken ging, tat ihm sein Bein weh. Dann hinkte er stärker als sonst und wurde schnell übellaunig. »So ein Quatsch. Demütig sollte man sich nur vor der Natur fühlen. Nicht vor etwas, das sich Menschen ausgedacht haben.«

Zwei Tage nach Führers Geburtstag hörten wir statt der Bombenangriffe in der Ferne ein dumpfes Donnern und Klirren, dann auch vermehrt schnelle, peitschende Schüsse.

»Das ist die Artillerie, das sind Granaten.« Reflexartig zuckte Albert, als er vom Wasserholen kam. »Die Russen erobern Straßenzug um Straßenzug, erzählt man sich an der Pumpe. Sie kommen aus dem Osten, aber sind schon bis nach Charlottenburg vorgedrungen. Sie werden bald hier sein. Lissa, es heißt, sie fallen in Häuser ein, gehen in die Bunker, holen die Frauen raus, nehmen sich alles, was sie brauchen können. Sie plündern und vergewaltigen. Heute waren keine Frauen bei der Pumpe, sie haben Angst, sie verstecken sich, sogar unter den Abdeckhauben der Nähmaschinen. Was man hört, ist schrecklich. Ich möchte, dass du sehr vorsichtig bist.« Er war atemlos, als hätte er sich beeilt. »Sie sind mit Panzern in der Stadt unterwegs.« Das erklärte das dumpfe Grollen, bei dem der Boden zitterte. Besorgt hatte ich ihn schon mehrmals erlebt, jetzt wirkte er furchtsam. »Es wird nicht mehr lange dauern, bis der Krieg vorbei ist. Sie müssen nur das feige Kaninchen aus dem Bau zerren. Aber die Sieger werden es uns spüren lassen.«

Ich musste nicht fragen, wen er mit dem feigen Kaninchen meinte.

In dieser Nacht schlief ich angezogen wie früher bei Tante Martha. Nicht aus Angst vor den Bombern, sondern vor den nahenden Russen. Ich musste bereit sein, mich zu verstecken. Wo nur, fragte ich mich, als ich auf meinem Feldbett lag. In Gedanken ging ich alle möglichen Verstecke durch. Vielleicht ganz hinten auf dem Grundstück, hinter den Bienenstöcken? Da würden sie ja wohl nicht suchen, das lag bestimmt hundert Meter von der Straße entfernt.

In dieser Nacht blieb alles ruhig. Aber einige Nächte später rüttelte Albert mich wach.

»Schnell, Lissa. Sie kommen! Sie sind in der Harbigstraße. Wir müssen dich in Sicherheit bringen.«

Ich sprang aus dem Bett und schlüpfte in meine Stie-

fel. In ihnen konnte ich besser rennen als in den Holzpantinen und viel leiser. Meinen Rucksack nahm ich
auf den Rücken. Wir verließen das Haus durch die
Hintertür. Ich hörte Schüsse, aber im Gegensatz zu den
vorherigen Tagen waren sie nah.

»Der Zaun wird sie einen Moment aufhalten«, raunte
Albert, und ich folgte ihm zu dem kleinen Schuppen
im hinteren Bereich des Grundstücks. Bevor wir ihn erreichten, krachte es schon im vorderen Teil des Grundstücks gegen den Zaun, der unter den Tritten knirschend nachgab und umstürzte.

Laute Stimmen erklangen, es wurde gegen die Haustür gebummert und geschlagen, vielleicht mit Gewehr-
kolben. Bis hierher konnte ich hören, wie die Tür zerbarst.

Im Schuppen lag eine schwere Metallplatte, Albert
hob sie an. Ich hatte gedacht, dass sie einfach so da he-
rumlag, aber darunter war ein Hohlraum. Ich spähte
hinunter, doch ich sah nichts. Es war stockfinster.

»Spring«, flüsterte er, »das Loch ist nicht sehr tief.
Bedeck dich, Mädchen, versteck dich in einer Ecke,
mach dich unsichtbar!«

Ich sprang, und über mir schloss sich der Metall-
deckel.

Ich landete auf etwas Hartem, Unebenem, das unter
mir in Bewegung geriet, rollte, sich verschob. Es roch
nach Erde und ein kleines bisschen faulig. Hektisch tas-
tete ich herum, bekam etwas zu greifen und musste fast
lachen, als ich spürte, was es war – die runzlige Schale
einer keimenden Kartoffel.

Albert hatte mich in seinem Kartoffellager versteckt. So tief war das Kellerloch immerhin, dass es hier sicher auch bei Minusgraden frostfrei blieb.

Und ich hatte mich schon die ganze Zeit gefragt, wo er die Kartoffeln und Möhren aufbewahrte, die er mir zum Kochen hinlegte. Die Kartoffeln würden bald in die Erde müssen.

Schnell nahm ich den Rucksack ab, stopfte ihn in die hinterste Ecke und häufelte Kartoffeln darauf. Daneben grub ich eine Kuhle, legte mich hinein und bedeckte auch mich mit Kartoffeln. Ich atmete ganz flach durch eine Lücke meines gebeugten Arms und lauschte angestrengt, was oben vor sich ging.

Erst hörte ich Rufe, etwas wie einen schweren Schlag, dann wurde eine Tür aufgestoßen, was ganz nah klang und mich zusammenzucken ließ: Sie waren im Schuppen über mir. Es polterte, etwas wurde umgestoßen, ich hörte einen protestierenden Ausruf: »*Njet, njet,* ich habe keine Frau, sie ist weg, das habe ich doch gesagt!« Dann einen Fluch, dumpfe Schläge und schließlich Schmerzensschreie, die in ächzendes Stöhnen übergingen.

Und plötzlich wurde die Metallplatte weggezogen. In den Hohlräumen zwischen den Kartoffeln nahm ich einen wandernden Lichtschein wahr. Ich hielt den Atem an, fürchtete, dass jemand auf mich sprang, mich sofort entdeckte, mir Schreckliches antat – da vernahm ich eine tiefe, laute Stimme: »*Kartochel.*« Es erklang ein Schuss, ein paar Kartoffeln rollten von mir herunter. Ich lag wie erstarrt da.

Jemand lachte, und der Lichtschein erlosch, etwas polterte. Schließlich hörte ich sich entfernende Schritte.

Ich blieb regungslos unter dem Kartoffelberg liegen und versuchte herauszufinden, ob mich der Schuss getroffen hatte. Aber ich fühlte nichts. Ich fühlte überhaupt nichts, während ich da lag und lauschte. In der Ferne gingen das Rufen und das Klirren, das Rumsen und das Splittern noch eine Weile weiter.

Endlich herrschte Stille. Doch auch dann geschah nichts. Ein schrecklicher Gedanke überkam mich: Was, wenn die Russen Albert schwer verletzt hätten und er bewusstlos und blutend im Haus lag? Wenn sie ihn mitgenommen hätten oder gar umgebracht? Ohne ihn hätte ich keine Chance, aus diesem Verlies herauszukommen. Ich war lebendig begraben. Würde hier drinbleiben und von rohen Kartoffeln leben, bis ich starb.

Nein, versuchte ich mich zu beruhigen. Schüsse waren schließlich keine gefallen. Als ob ein Gewehrschuss die einzige Möglichkeit war, jemanden umzubringen ... Ich traute mich immer noch nicht, aus dem Kartoffelhügel herauszukriechen.

Schließlich hörte ich über mir Schritte, dann wurde die Platte von dem Kellerloch weggezogen. Ganz starr lag ich in meiner Kartoffelkuhle.

Als sich über mir Alberts Silhouette gegen den Nachthimmel abzeichnete und er »Lissa? Hörst du mich? Bist du verletzt?« sagte, fing ich an zu weinen.

Ich nahm all meine Kraft zusammen, stemmte mich hoch und wischte mir übers Gesicht, konnte gar nicht mehr aufhören zu weinen.

»Gott sei Dank, du lebst. Ich dachte, er hätte dich getroffen. Warte, ich gebe dir die Leiter«, flüsterte Albert.

Er reichte mir eine Trittleiter mit wenigen Stufen hinunter. Ich stellte sie neben den Kartoffelhügel und kletterte zitternd hinauf. Noch bevor ich oben war, sagte er: »Sie haben gesagt, Hitler hat sich umgebracht. Wenn das stimmt, ist das das Ende.«

Dann stand ich neben ihm und sah ihn an. Der Mond schien hell, die Nacht um uns war wieder ruhig, aber ich wusste, dass das trügerisch war. Alles, was einem eben noch friedlich erschien, konnte im nächsten Augenblick zu Ende sein.

»Dein Auge!«, sagte ich erschrocken. Eines war rot und geschwollen, die Augenbraue war aufgeplatzt, Blut lief ihm die rechte Wange hinunter. Und er hielt sich die Seite.

»Sie haben mich geschlagen, weil sie wissen wollten, wo ich meine Frau versteckt habe«, sagte Albert müde. »Sie haben mir nicht geglaubt, dass Marijke wieder bei ihren Verwandten in Holland ist, weil sie nichts mit dem Krieg der Deutschen zu tun haben wollte. Und nach Waffen haben sie auch gesucht, aber nichts gefunden. Ich habe keine Waffen.« Es war das erste Mal, dass er über seine Frau sprach. »Sie sind weg.« Er legte den Arm um meine Schultern.

Ich schaute auf sein Handgelenk, das neben meiner Schulter pendelte. »Sie haben dir deine Uhr weggenommen«, sagte ich.

»*Uhri, Uhri*«, erwiderte er zynisch. »Was ist schon eine Uhr. Komm.«

»Wenn ich jemals ein eigenes Haus habe, dann sorge ich dafür, dass es einen tiefen Kartoffelkeller hat«, versprach ich mir laut. »Ich glaube, in jedem anderen Versteck hätten sie mich sofort gefunden.«

Ich dachte daran, was die Frauen an der Pumpe erzählt hatten, wie die Russen junge Frauen einfach mitgeschleift und sie vergewaltigt hatten. Weinend, geschlagen, blutend und verletzt fürs Leben hatten sie sie zurückgelassen.

Ich schlang meinen Arm um Alberts Taille, und wie ein Liebespaar, das wir ja gar nicht waren, machten wir uns auf den Weg zurück zum Haus. Ich wollte ihn stützen, er hinkte stark und stöhnte leise beim Gehen. Sein versehrtes Bein hatte etwas abbekommen.

Durch die offene Schuppentür hatte ich gesehen, dass die Russen ein Honigglas von einem Regal gefegt hatten. Es waren fünf Gläser gewesen, jetzt lag ein Glas zerbrochen in einer klebrigen süßen Pfütze auf dem Boden, die anderen vier Gläser waren weg.

Was für eine sinnlose Verschwendung! Das Wissen darum, dass der Honig auf die Brote dieser brutalen Kerle gestrichen würde, tat weh. Ein Honigbrot zum Frühstück und Honig im Thymiantee waren so wunderbar – zwei Löffel Luxus wie das Versprechen, dass irgendwann alles gut werden würde. Den nächsten Honig konnten wir erst wieder in ein paar Monaten ernten.

Während ich das noch dachte, zeigte Albert hinten auf die Wiese: Sie hatten auch die Bienenstöcke umgekippt. Dort, wo ich überlegt hatte, mich zu verstecken.

Im Haus hatten sie ebenfalls gewütet. Im Wohnzimmer war das Sofa umgeworfen, ebenso mein Feldbett und Alberts Bett, die Matratzen waren heruntergerissen, ein wüster Haufen lag auf dem Boden. Die Türen des Küchenschranks hingen lose in den Angeln, Geschirr war zerschmettert, der Brotkasten war leer – wir hatten noch ein halbes Brot gehabt –, das versilberte Besteck war weg. Der Topf, in dem ich uns am Abend zuvor Kartoffelsuppe gekocht hatte, lag vor dem Herd, der Suppenrest war auf dem Dielenboden verschüttet, graue Emaille vom Deckel abgesprungen.

»Woher wussten sie, dass hier eine Frau wohnt?«, fragte ich und sah mich angewidert um.

»Sie haben den Rock gefunden, den ich dir gegeben habe. Er lag auf deinem Bett.« Das stimmte. Den hatte ich in der Eile nicht in meinen Rucksack gepackt.

»Und mein Fahrrad haben sie auch genommen, diese Bande«, sagte er bedrückt. »Aber morgen werden sie bestimmt nicht wiederkommen. Die Harbigstraße haben sie eingenommen.«

Es tröstete mich nicht sehr. Ich wollte, dass sie *nie* wiederkamen.

Da fiel mir etwas ein. Ich stellte meinen Rucksack auf den Boden und kramte darin herum. Es dauerte ein bisschen, aber schließlich fand ich, was ich suchte. Ich richtete mich auf.

»Da«, sagte ich und hielt Albert Vatis Uhr hin. »Ich möchte sie dir schenken. Sie ist noch heil.«

Er schaute mit seinem zerschlagenen Gesicht erst die Uhr an, dann mich. Schließlich schüttelte er den Kopf.

»Das kann ich nicht annehmen«, meinte er.

»Doch«, beharrte ich und griff nach seinem Handgelenk. Ich legte ihm das abgenutzte Lederband um, zog die Uhr an dem Rädchen auf, hielt sie mir ans Ohr und hörte das vertraute Ticken. »Du hast mich aufgenommen, du gibst mir Essen und Kleidung, du hast mich versteckt, du hast dich sogar für mich schlagen lassen. Du hast mir das Leben gerettet. Ich wüsste niemanden, der diese Uhr mehr verdient hat als du. Das würde auch mein Vater so sehen. Nur versteck sie lieber, wenn die Russen das nächste Mal kommen. Noch eine habe ich nicht.«

»Ach, Mädchen. Danke. Dabei zählt doch nur, dass du unverletzt geblieben bist«, sagte er.

Er umarmte mich, zog mich ganz dicht an sich. Ich legte den Kopf gegen seine Schulter, spürte den rauen Stoff seiner Joppe an meiner Wange. Es tat gut, nicht so allein auf der Welt zu sein, jemanden zu haben, der einen beschützte.

Von dieser Nacht an schlief ich in Alberts Bett.

7. Kapitel

Berlin im April, Gegenwart

»Du hast den Ehering abgenommen«, bemerkte Constanze.

Sie und Gitta standen im »Wintergarten« und pinselten alles weiß, worauf sich Farbe hielt – Decke, Wände, Fensterbretter. Die schrecklichen Möbel und den gruseligen PVC-Belag hatte Marits ältester Sohn Nils zur Müllkippe gefahren. Dafür hatte Marit versprochen, seine Töchter Luzie und Matilda ein Wochenende lang zu hüten. Was sie sowieso gerne tat, weil sie die beiden Mädchen vergötterte.

Jedenfalls war nun die Veranda ausgeräumt. Unter dem grässlichen PVC war ein grober Dielenboden zum Vorschein gekommen. Er hatte definitiv Potenzial. Vielleicht würden sie noch einen bunten Flickenteppich darauflegen.

Es war eine Wohltat, die hässliche Holzverkleidung allmählich schwinden zu sehen. Schon jetzt hatte man den Eindruck, dass man sich nicht mehr in einer alten braunen Holzschachtel befand, sondern in einer verschneiten.

Sie trugen weiße Schutzanzüge mit Kapuzen, die

sie eng ums Gesicht gezurrt hatten, um die Haare vor Farbspritzern zu schützen. Sie sahen wie Michelin-Männchen aus – Gitta ein dickeres, Constanze ein dünneres.

»Natürlich habe ich den Ring abgenommen. Warum sollte ich ihn noch tragen? Ich fühle mich nicht mehr verheiratet. *Er* betrügt mich, nimmt mir mein Zuhause. *Er* reißt die Mauern unserer Ehe ein. Das ist so ein ungeheurer Verrat.« Traurig tauchte Gitta den breiten Pinsel tief in den Farbeimer und klatschte ihn gegen die Wand. Constanze sprang zurück, um der Farbdusche auszuweichen. »Außerdem vergeht kein Tag, an dem mir sein Scheidungsanwalt nicht irgendetwas schickt. Meiner kommt kaum noch nach. *Er* hat es wirklich unglaublich eilig, mich loszuwerden.« Verbittert ließ Gitta den Pinsel sinken.

Constanze fuhr sorgfältig den Spalt zwischen zwei Brettern entlang, bis auch die in unberührtem Weiß erstrahlte. »Es tut mir so leid für dich, Gitta. Ein Scheidungskrieg muss schrecklich sein. So richtig vorstellen kann ich es mir kaum. Aber ich war ja auch noch nie verheiratet«, sagte sie, als Marit auf die Veranda stürzte und bewundernd stehen blieb.

»Hui! Das blendet ja richtig! Kommt mal raus. Die Jungs haben die grauenhaften Thujas ausgegraben. Es sieht gleich viel heller aus.«

Marits Zwillinge Friedo und Falk hatten sich erbarmt und waren mit scharfen Spaten angerückt. Die beiden Dreiundzwanzigjährigen waren kräftige, testosterongesteuerte Grobmotoriker in schwarzen Zunfthosen mit zwei Reißverschlüssen am Hosenstall, als ob auch dort doppelte Sicherung nötig wäre. Noch vor dem ersten Spatenstich hatten sie sich über eine Riesenplatte mit Sandwiches hergemacht, die Marit ihnen mitgebracht hatte. Constanze und Gitta hatten ungläubig dabei zugeschaut. Wie konnten zwei Menschen nur solch einen ungeheuren Stullenberg verputzen! Marit dagegen sah aus, als wäre es das Normalste auf der Welt.

Falk hatte eine Lehre als Maurer gemacht, Friedo als Zimmermann, und Marit erwartete praktisch jeden Tag, dass sie zusammen die Baufirma Pratt & Pratt gründeten. Aber alles Zukunftsgerichtete ließ bei ihnen ein bisschen auf sich warten.

Marit nahm es mit Humor.

Das war bei ihren Großen Nils und Jonas nicht anders gewesen, und sie musste selbst manchmal staunen, wie gut sie sich entwickelt hatten. Nils war Garten- und Landschaftsarchitekt geworden, Jonas entwickelte Computerspiele, in denen es um Bauernhöfe und Farmen ging. Jungs brauchten ein bisschen länger, um erwachsen zu werden, glaubte sie, erst recht, seit sie ihre beiden Enkelinnen hatte. Mädchen entwickelten sich einfach schneller.

Als Constanze und Gitta, immer noch in ihren weißen Schutzanzügen, hinter Marit um die Ecke bogen, fielen sie fast über einen gigantischen Bodenaushub und mehrere dicke Thujaäste, die kreuz und quer auf einem der Beete lagen. Es sah aus, als hätte ein Riese Mikado im Wald gespielt.

»Ist das nicht toll?«, fragte Marit bewundernd. »Meine Jungs! So stark!«

Constanze und Gitta mussten zustimmen – die beiden hatten wirklich ganze Arbeit geleistet. Stolz grinsend wie zwei kanadische Holzfäller standen sie breitbeinig vor ihrem Werk. Das Ausmaß der Verwüstung war ungeheuerlich.

»Was machen wir bloß mit dem vielen Holz?«, fragte Constanze.

»Und mit den Erdlöchern?«, hauchte Gitta.

»Wir sind mit dem Transit da«, sagte Friedo. »Wir machen das Holz klein und nehmen es mit. Habt ihr den Schlüssel fürs Tor, damit wir mit dem Wagen vorfahren können?«

Aus einer großen blauen IKEA-Tasche holte Falk ein Beil. Er machte sich daran, die nadligen Äste eines der ausgehobenen Baumstämme abzuhacken.

»Können wir die Nadeln und kleineren Zweige nicht gleich irgendwo entsorgen?«, fragte Gitta. Ein Berg Grünabfall auf der nackten Erde entsprach nicht ihrer ästhetischen Gartenvorstellung.

Marit sah sich um. »Moment«, meinte sie. »Ich hab da doch was gesehen, wo wir das Grünzeug reinwerfen könnten. Warte mal, Falk.«

Sie legte den Finger an die Nase und dachte nach. Wo hatte sie nur dieses große Behältnis entdeckt? Einen Sack? Eine Schubkarre? Nein, es war etwas anderes gewesen.

Dann fiel es ihr ein. Rasch ging sie hinters Haus. Auf der Rückseite war unten ein Stück Mauerwerk ausgespart, vielleicht gut einen Meter hoch, einen Meter breit und einen Meter tief. Marit hatte keine Ahnung, wozu diese Lücke im Mauerwerk gedient hatte, aber dort stand sie – eine riesige graue Zinkwanne, groß genug, als dass ein Erwachsener darin baden könnte. Sie war mit einem alten Stück Dachpappe abgedeckt.

Sie bückte sich, um die Wanne herauszuziehen, aber sie war zu schwer. Der hölzerne Tragegriff drückte in ihre Hand, das mächtige Becken war randvoll mit Eierkohlen gefüllt. Marit richtete sich wieder auf und ging zurück zu den anderen.

»Friedo und Falk«, sagte sie zu ihren Söhnen, »kommt mal mit.«

Die beiden machten mit der Wanne kurzen Prozess: Sie zerrten sie raus, kippten die Eierkohlen auf die Erde und trugen sie nach vorn.

»Sollen wir da wirklich einen improvisierten Kompost drin anlegen?«, fragte Falk. »Ich finde das zu schade. Dieses Ding ist so groß, da könntet ihr glatt Wasser einfüllen und ein paar Teichpflanzen reinsetzen.«

Er hatte recht. Die Wanne sah uralt aus und war eingedellt, die Verzinkung war stumpf und fleckig.

»Vorausgesetzt, die Wanne ist noch dicht«, ergänzte Friedo.

»Wofür hat man früher nur so was gebraucht?«, fragte Gitta.

»Um Wasser darin zu sammeln«, vermutete Constanze. »Das war hier sicher nicht immer an das Stadtwasser angeschlossen. Und wurde darin nicht früher auch gebadet? Gut, dann kommt da eben nicht das Grünzeugs rein. Stellt die Wanne mal … da drunter. So ist sie aus dem Weg.« Sie zeigte auf einen Dachvorsprung, und die Zwillinge taten wie ihnen geheißen.

Friedo hackte weiter Äste ab. »Was ist denn jetzt mit dem Schlüssel fürs Tor?«

»Haben wir nicht. Eigentlich kommen wir hier noch gar nicht vor, keine Rechte, keine Pflichten. Niemand kennt uns. Wir haben noch immer nicht mit dem Vereinsvorsitzenden gesprochen. Er ist krank«, gab Constanze zu. Ihr war sichtlich unbehaglich bei dem Gedanken.

»Er kann ja nicht der Einzige sein, der die Schlüsselgewalt hat. Lass dir was einfallen, Mama! Wir brauchen den Schlüssel.« Friedo war entrüstet.

»Typisch Laubenpieper«, warf Falk ein. »Da ist so ein Schlüssel eine richtige Machtgeschichte, den darf nur einer haben. Das ist bei uns ganz anders. Das ist doch eine Frage der Solidarität.«

»Bei uns« bedeutete das Tempelhofer Feld, die Gemeinschaftsgärten des Allmende Kontors. Dort beackerten die Zwillinge mit Gleichgesinnten Hochbeete. Auch ihre älteren Brüder waren Stadtgärtner: Nils engagierte sich bei den Prinzessinnengärten am Moritzplatz, Jonas war in einer Gruppe, die auf einem Friedhof in Neukölln gärtnerte. Es gab immer weniger Bestattungen, also legten sie Hochbeete auf stillgelegten Grabstätten an, nach Rücksprache mit der Friedhofsverwaltung, verstand sich.

Gäbe es noch kein Urban Gardening, hätten die

Pratt-Brüder es erfunden. Die Liebe zum Grün lag ihnen im Blut. Obwohl alle vier die Stirn gerunzelt hatten, als sie von den Kleingartenplänen ihrer Mutter erfahren hatten. Na gut, sie liebten ihre Mutter, und wenn sie Spaß an dieser Laubengeschichte hatte, würden sie sie darin unterstützen, beschlossen sie in ihrer WhatsApp-Gruppe (»prattbrothers«). Schließlich war das ja ebenso Urban Gardening, fanden sie, wenn auch für Uncoole (das sagten sie ihrer Mutter vorsichtshalber nicht, dann hätten sie womöglich riskiert, dass sie sie nicht mehr bekochte).

Die vier hatten ihrer Mutter nach dem Tod des Vaters die Gartenreise nach England geschenkt, um sie auf andere Gedanken zu bringen. Das hatten sie nun davon: eine Ma mit einer Datsche!

Und nun mussten sie im Garten mit ran.

»Unmöglich können wir das Holz zum Parkplatz nach vorn schleppen. Das ist viel zu viel und zu schwer«, beschwerte sich Friedo, während Falk auf den nächsten Baumstamm einhackte und die Äste zu Boden fielen. Er holte eine Säge aus der Tüte und begann den nackten Baumstamm durchzusägen. »Und wir haben nicht den ganzen Tag Zeit.«

»Ihr habt es immer so eilig«, beschwerte sich Marit. »Diese Hektik! Was sollen wir denn mit den Erdlöchern machen? Ich dachte, darum kümmert ihr euch auch.«

»Nö. Die Löcher schippt ihr selbst wieder zu, am besten mit Pflanzerde, wenn der Aushub nicht reicht«, sagte Friedo ungerührt. »Müsst ihr doch. Sonst purzelt ihr rein. Und nun hopp. Schlüssel.«

Marit sah hilflos in den Nachbargarten zur Linken. Dort war aber niemand. Auf der Parzelle zur Rechten konnte sie ebenfalls keinen Menschen entdecken. »Ich habe keine Idee, wer hier noch einen Schlüssel hat. Vor allem habe ich keine Ahnung, wen ich fragen könnte.«

»Du musst kommunikativer sein, mit den Piepern quatschen. Wir lassen das Holz eben liegen, bis ihr ihn habt. Vielleicht gar nicht schlecht, da drin gibt's ja einen Ofen. Könnt ihr an kühlen Tagen heizen«, kritisierte Falk. »Friedo, säg schneller. Das Tempelhofer Feld wartet.«

»Worauf wartet denn das Tempelhofer Feld?«, fragte Gitta.

»Auf uns natürlich.«

Bei so viel jungmännlicher Überheblichkeit verdrehten die Freundinnen die Augen.

»Hallo? Sind Sie die Neuen?«, erklang es in diesem Moment vom Weg zwischen den Parzellen.

Gitta, Constanze und Marit wandten sich um. Ein Paar im besten Alter linste über die Ligusterhecke.

»Ja, das sind wir«, rief Gitta zurück

Sie gingen alle drei zu den beiden hinüber.

»Wir haben schon gehört, dass Sie Roberts Laube diesen Sommer auf Vordermann bringen wollen«, sagte die Frau. Offenbar hatten sich die Freundinnen getäuscht: Die Übergabe der Laube war keineswegs unbemerkt geblieben. »Er hat ja auch gar nichts mehr gemacht. Eigentlich hat er überhaupt nie etwas gemacht, nicht, Heinz? So ein Fauler ist das. Schlimm sah das aus! Nun wird das hoffentlich anders. Obwohl …

Ist ja ungewöhnlich, drei Frauen in einer Laube. So ganz ohne Mann.«

Sie stellte sich auf die Zehenspitzen, um den Garten besser mustern zu können und um zu überprüfen, ob sich schon was an dem unmännlichen Garten geändert hatte.

»Wir haben männliche Hilfe. Meine Söhne. Handwerker«, unterbrach Marit den Redefluss und zeigte auf Friedo und Falk, die die Baumstämme weiter zersägten.

»Ach was, echte Handwerker?«, fragte nun der Mann interessiert.

»Ja. Maurer und Zimmermann«, erklärte Marit. Sie witterte Akzeptanz. »Falk, komm bitte mal her«, rief sie in ihrer besten Mutterstimme und, oh Wunder, der Sohn gehorchte. Mit dem Beil in der Hand kam er hinzu.

»Was gibt's?« Groß und breitschultrig baute er sich neben seiner kleinen, rundlichen Mutter auf.

Plötzlich änderte sich das Gebaren des Mannes jenseits der Ligusterhecke. Er strahlte. »Endlich junge Leute! Handwerker! Die brauchen wir hier dringend. Heute denkt ja jeder nur an sich selbst. Früher war das ganz anders, da hatte man noch Gemeinschaftssinn, da hat jeder jedem geholfen. Na, die Zeiten sind vorbei. Würdet ihr auch Aufträge übernehmen? Bei uns sind die Fenster undicht. Wir benötigen dringend jemanden, der sich darum kümmert.«

Falk sah ihn nachdenklich an. Dann fragte er: »Haben Sie einen Schlüssel fürs Tor? Hat jeder hier einen?«

Der Schrebergärtner wirkte peinlich berührt. »Nein, den hat nicht jeder. Es gibt zwei. Und, na ja ... unseren«, sagte er zögernd.

»Wir sind schon fast vierzig Jahre in der Kolonie«, ergänzte die Frau ärgerlich.

Die Freundinnen verstanden die Logik überhaupt nicht.

»Prima! Kann ich ihn mal kurz ausleihen? Danach schaue ich mir Ihre Fenster an«, sagte Friedo munter.

Ihm war die Logik offensichtlich klar. Jeder half eben jedem, und zwar auf dem kurzen Dienstweg quer über die Hecke hinweg.

Marit konnte nur darüber staunen, wie gewieft ihr Jüngster war.

Eine Stunde später brausten Friedo und Falk mit einem Auftrag für die Fensterreparatur in der Tasche weg. Das Haupttor hatten sie wieder abgeschlossen (»Vorsicht, Wildschweine!«) und die Schlüssel an Heinz und Gunda Ergel fünf Parzellen weiter zurückgegeben. Im Gegenzug hatten sie noch erfahren, dass ihr direkter Nachbar Hajo seinen Giersch nur sehr schlampig beseitigte, weshalb er unterm Gartenzaun direkt in den spärlichen Lavendel wuchs, den wer auch immer dort gesetzt hatte.

Die Ergels könnten es gut verstehen, wenn die Freundinnen das nachbarschaftliche Unkraut auf der nächsten Vereinsversammlung endlich mal thematisieren würden. Hajo und sein subversiver Giersch waren schon länger ein Ärgernis, überhaupt dieser ungebändigte Garten, in dem nicht gerade regelmäßig Rasen gemäht wurde …

Falk hatte enthusiastisch dazu geraten, den Giersch zu ernten und zu essen, was besonders mit Olivenöl und Knoblauch gut schmecke. Auch eine Chilischote schade nichts. »Wir hacken Wildkräuter auf dem Tempelhofer Feld nicht weg, wir essen sie einfach auf«, hatte er geschwärmt.

Marit und Constanze waren begeistert gewesen, Gitta skeptisch und die Ergels hatten bei seinem Vorschlag gewirkt, als ob sie überhaupt nicht verstünden, wovon er sprach.

Dann waren Gitta und Constanze wieder verschwunden, um weiterzumalern.

Die Thujas waren zu einem Berg Ästen, einem Haufen zersägter Stämme und mächtigen Wurzelballen reduziert worden. Einen Teil hatten die Zwillinge abtransportiert, der Rest lagerte nun neben dem Schnellkomposter, den Gitta schon in der ersten Woche gekauft hatte. Zwei gewaltige Löcher waren geblieben, die zugeschaufelt werden mussten. Das würde anstrengend werden. Das wenige Gartenwerkzeug, das Robert ihnen im Schuppen gelassen hatte, war rostig, die Stiele drohten bei jeder kräftigen Bewegung zu brechen.

Marit warf achselzuckend einen Blick auf das Gesamtchaos. Es erinnerte sie stark an das Kinderzimmer der Zwillinge als Fünfjährige, bloß in einem anderen Maßstab.

Sie ging in die Miniküche und holte einen Teller mit Schnittchen aus dem Kühlschrank, die sie mit Alufolie sorgfältig abgedeckt und ihren Söhnen wohlweislich vorenthalten hatte. So klein und delikat, wie sie waren, wären sie von den Jungs mit einem Happs verschlungen worden, während die Freundinnen das viel mehr zu schätzen wussten.

»Hey, Marit«, hörte sie Gitta rufen, »was hältst du davon, wenn wir aus der Veranda ein Gärtnerinnenzimmer machen würden?«

»Finde ich toll«, rief sie zurück und griff nach einer Sektflasche, die sie ebenfalls darin deponiert hatte.

Die Tür zum Tiefkühlfach ließ sich nicht richtig schließen, sie fürchtete, dass sie das spätestens bei der nächsten Stromrechnung merken würden. Beziehungsweise dass Robert es merken und ihnen in Rechnung stellen würde. Er schien ihnen ja allerlei in Rechnung stellen zu wollen.

Sie wusste nicht genau, was die Freundinnen mit einem »Gärtnerinnenzimmer« meinten, aber das Wort gefiel ihr schon mal sehr gut. Es klang nach Strohhüten mit Bändern, englischen Gartenbüchern, grünen Leinenschürzen, Korbsesseln und leuchtend bunten Dahliensträußen, nach Sisalschnur zum Hochbinden, vorgezogenen Pflänzchen und alten Gießkannen.

Marit öffnete die Sektflasche, nahm drei Pappbecher aus dem Regal und schenkte ein.

»Pause, Mädels«, rief sie in Richtung Gärtnerinnenzimmer.

»Wir sind gleich so weit!«, rief Constanze zurück.

Marit nahm ihren Becher und ging durch den hinteren Ausgang auf die Terrasse. Bis jetzt hatten sie sich immer gemeinsam in der Laube getroffen, aber sie schätzte selbst in der Gesellschaft der Freundinnen die Momente des Alleinseins.

Sie schaute sich um. Sicher, es war noch eine Menge zu tun, aber jetzt, da die Natur aufspielte, sah alles gleich viel weniger trostlos aus. Selbst auf der traurigen Fläche zwischen den beiden großen Obstbäumen zeigte sich zartes Grün. Und überall, wo er nicht wachsen sollte, wuchs Löwenzahn, trieb Blüten und leuchtete gelb. Gitta hatte etwas von Ausstechen gemurmelt, aber selbst sie hatte es nicht übers Herz gebracht, das wenige, das hier blühte, rauszureißen.

Eigentlich hieß es ja *Alles neu macht der Mai*, Marits Meinung nach musste es eigentlich *Alles neu macht der April* heißen.

Das klang zwar lyrisch nicht so gut, und singen ließ es sich schon gar nicht. Aber für sie war der April der schönste Monat. Der Mai setzte dann nur noch den i-Punkt auf das, was der April geschaffen hatte.

Ein Flecken helles Grün unter einer Forsythie, der vor ein paar Tagen noch nicht da gewesen war, zog ihre Aufmerksamkeit auf sich. Sie ging hin und beugte sich hinunter: Es war ein kleines Feld lanzettförmiger Blätter, die an Maiglöckchen erinnerten, nur heller und schmaler waren. Ein schwacher Geruch von Knoblauch ging von ihnen aus.

Marit pflückte ein Blatt ab, rieb es ein bisschen und schnupperte. Ja, definitiv Knoblauchduft. Sie biss hinein. Es schmeckte auch nach Knoblauch. Das musste Bärlauch sein! Den hatten sie in Gittas Garten nicht gehabt, nicht mal Kräuter hatte die Freundin in ihrem Staudenperfektionismus geduldet.

Wie schön, dass das hier so ungezähmt und wild wuchs. Eine Überraschung, ebenso wie der zarte rosa Lerchensporn, der seit ihrem letzten Gartenbesuch überall erblüht war. Marit fragte sich, welche Geheimnisse der Boden wohl im Laufe des Sommers offenbaren würde.

Sie wollte schon wieder ins Haus gehen, als sie noch etwas bemerkte: Die ersten Blüten am Apfelbaum waren in der Aprilsonne aufgegangen. Verzückt trat sie unter einen dicken Ast und schaute nach oben. Das Weißrosa hob sich dramatisch von dem dunkelblauen Himmel ab. Gott, war das schön! Hier würden sie sitzen, ihre wohlverdienten Pausen machen.

Ihr Blick fiel auf die Zinkwanne, die ohne die Eierkohlen längst nicht so schwer war. Sie schleppte die Wanne unter den Apfelbaum und drehte sie um, eilte ins Haus, holte das Tablett samt Flasche und Becher, stellte es auf den improvisierten Tisch und dekorierte den Schnittchenteller mit frisch gepflücktem Bärlauch. Dann nahm sie drei ramponierte Gartenstühle, die Robert zurückgelassen hatte, und gruppierte sie um die Wanne. Schließlich ließ sie sich in einen der Stühle sinken. Er knarrte ominös, hielt ihrem Gewicht aber stand.

Jetzt fehlten nur noch Gitta und Constanze. Es machte doch keinen Sinn, einen Garten zu haben, wenn die Arbeit darin einen von den Freuden der ersten Blüte abhielt.

Marit stand seufzend wieder auf, um die Freundinnen zu holen. »Kommt ihr?«, fragte sie. Constanze wusch sich gerade die Hände in dem winzigen Bad, Gitta stand, den Pinsel noch in der Hand, mitten im Gärtnerinnenzimmer und sah sich kritisch um, ob sie eine Stelle vergessen hatte. Hatte sie nicht.

»Schön ist das geworden«, sagte Marit. »Jetzt fehlen nur noch ein Tisch, ein paar gemütliche Stühle mit bunten Kissen, ein schöner Teppich und ein paar Bücher. Dann können wir hier drinnen sitzen und den Blumen beim Wachsen zuschauen, wenn es regnet.«

»Mir gefällt es auch. Das wird unsere Gartenzentrale«, meinte Gitta und klang nur noch ein kleines bisschen traurig. Sie legte den Pinsel auf den geschlossenen Farbeimer und schlüpfte aus dem Anzug. »Fertig.«

»Was ist das denn?«, fragte Marit und bückte sich. Zwischen der nun weißen Scheuerleiste und der frisch gemalerten Holzverkleidung glitzerte etwas silbern. Sie versuchte, es herauszufischen, aber erst nach dem dritten Versuch erwischte sie es – eine 50-Pfennig-Münze. Sie legte sie auf die Hand und betrachtete sie.

»Lange nicht mehr gesehen. Da pflanzt sie wieder, die Kulturfrau«, sagte sie versonnen. »So hat man die jungen Frauen nach dem Krieg genannt, die nicht nur als Trümmerfrauen gearbeitet haben, sondern auch aufgeforstet haben. Meine Oma hat das gemacht.« Sie hielt sich die Münze ganz dicht vor die Augen. »Ah, jetzt sehe ich es zum ersten Mal: Sie pflanzt eine Eiche. Man erkennt die Eichenblätter.« Sie warf die Münze hoch, fing sie auf und steckte sie in die Tasche.

Zusammen gingen sie zur offen stehenden Hintertür, als Constanze wie angewurzelt stehen blieb und nach draußen starrte.

»Was ist denn?«, fragte Marit, aber Constanze legte nur einen Finger auf den Mund. Marit und Gitta schauten ebenfalls nach draußen: Ein Fuchs saß auf der Zinkwanne und fraß Marits liebevoll zubereitete Schnittchen. Es war ein mageres Tier, das ein bisschen räudig aussah. Sein Fell war rotgrau, es hatte eine dunkle Schwanzspitze.

Der Fuchs hatte sie bemerkt, denn er warf ihnen einen raschen Blick zu und fraß jetzt hektischer. Empört sah Marit von der Tür aus, wie der Lachs im Fuchsmaul verschwand, die italienische Mortadella und der Gorgonzola. Schließlich leckte das Tier auch noch an den Schnittchen mit dem Radieschenquark.

»Das glaub ich jetzt einfach nicht«, sagte sie, lief auf die Terrasse und klatschte in die Hände. »Kusch! Weg mit dir, du Untier!«

»Lass ihn doch. Er hat Hunger. Wer weiß, wann er das letzte Mal etwas bekommen hat. Ein Fuchs ist doch gut. Der frisst auch Mäuse. Außerdem ist er so spindeldürr. Er hat das nötiger als wir«, beschwichtigte Constanze sie und kniff sie liebevoll in die Taille.

Marit schlug ihre Hand weg.

Dem Fuchs wurden die Zuschauerinnen nun doch zu viel. In einem weiten Satz sprang er von der Zinkwanne, rannte zum Zaun und schlängelte sich in einer geübten Bewegung hinüber zum Nachbargrundstück, wo er hinter dem grün angestrichenen Häuschen verschwand.

»Och, Mensch«, beschwerte sich Marit. »Das war für

uns, du blöder Fuchs!« Sie trat an die Zinkwanne und betrachtete das kulinarische Schlachtfeld. Dann lachte sie. »Schaut mal, Gemüse mag er nicht.«

Sauber hatte der Fuchs den Quark von den Schnittchen geleckt. Nur die Radieschenscheiben hatte er liegen gelassen und ebenso den Bärlauch nicht angerührt.

»Ist ja kein Vegetarier. Sekt mag er zum Glück auch nicht«, sagte Constanze und griff nach einem der Becher. Sie setzte sich, lehnte sich genüsslich seufzend zurück und hielt mit geschlossenen Augen das Gesicht in die wärmende Aprilsonne. »Es gäbe ja noch jede Menge zu tun. Aber nicht gleich. Ah … So hab ich mir das vorgestellt. Die Gartensaison beginnt.«

Marit tat es ihr gleich.

Gitta schlenderte mit ihrem Sektbecher zu den Kohlen. Mit ihren grünen Garten-Birkenstocks trat sie leicht dagegen. Einige Kohlen kullerten zur Seite

»Wofür nimmt man eigentlich Eierkohlen? Zum Grillen?«, fragte sie. Sie nahm eine hoch und ließ sie auf ihrer Handfläche hin- und herrollen. Die Kohle hinterließ eine graue Spur auf ihrer Haut.

»Nee, sicher nicht. Meine Oma hatte einen Kachelofen, den hat sie mit solchen Kohlen beheizt. Ich habe Eierkohle ewig nicht mehr gesehen. Wahrscheinlich waren die für den kleinen grünen Ofen drinnen gedacht.« Im Sitzen kickte Constanze eine Kohle weg. Sie kullerte über den mageren Rasen und blieb wie ein dunkelgraues Osterei vor der Hecke zum Nachbargrundstück liegen, mitten in einem kleinen Haufen leerer Schneckenhäuser.

Sie runzelte die Stirn. »Fressen Füchse eigentlich Schnecken? Oder woher kommen diese vielen kaputten Häuser?«

»Ne, Füchse fressen nur Lachs, Mortadella und Gorgonzola. Ich frage mich, wann endlich jemand vom Vorstand mit uns spricht. Meint ihr, wir sollten diesen Udo mal anrufen?«, fragte Gitta.

Constanze schüttelte den Kopf. »Ich finde, wir sollten das aussitzen. Robert hat ja unsere Daten weitergegeben.«

»Und zudem«, ergänzte Marit listig, »kann uns niemand vom Grundstück verweisen, wenn sich niemand zuständig fühlt.«

»Leider wissen wir«, schloss Gitta, »dass das nur für den Moment gilt.«

»Aber der Moment fühlt sich sehr gut an.«

Constanze seufzte zufrieden.

8. Kapitel

Berlin im Mai 1945

Die meisten Tage plätschern dahin, ohne eine Spur in unserer Erinnerung zu hinterlassen. Dann wieder erinnert man sich an Tage, an denen etwas Bedeutendes passierte, minutiös.

So ein Tag war für uns der 2. Mai.

Als wir morgens in den Garten kamen, war es noch empfindlich kühl. Aber nachts hatte es keinen Frost gegeben, auch wenn die Eisheiligen noch nicht vorbei waren.

Den Lauch hatten wir längst ausgepflanzt. Möhren wuchsen bereits in langen, gefiederten Reihen, das Saatgut war so fein gewesen, dass wir es mit Sand vermischt hatten, um es gleichmäßig auszubringen. Die Zwiebeln hatten wir gesteckt, kleines, helles Grün wuchs alle paar Zentimeter in die Höhe. Wir würden mit der Ernte warten, bis die Zwiebeln reif waren, bis das Laub im August abstarb. Aber man konnte das Zwiebelgrün auch zum Würzen von Suppen und Salaten nehmen.

Die Kartoffeln hatten wir Ende April gelegt, und gebrochene Erde zeigte bereits, wo sie gekeimt hatten.

Die Fläche hinter dem Haus hatten wir gemeinsam mühevoll umgegraben. Es war mehr als ein Beet, es war ein kleiner Acker.

Während wir den zerstörten Zaun wieder aufgebaut hatten, hatten die Russen weiter jeden einzelnen Straßenzug in Berlin erobert – gegen den erbitterten Widerstand der immer noch bewaffneten Deutschen, die Berlin verteidigten. Wir hörten Schüsse, mal ferner, mal näher, manchmal auch donnernde Geräusche, vielleicht eine Stalinorgel. Die Schlacht um Berlin tobte, wir duckten uns bei jedem Knall.

Am 27. April, in den frühen Abendstunden, waren die Russen doch noch ein zweites Mal gekommen. Ich war zum Kartoffelkeller gerannt und in die Dunkelheit gesprungen, hatte mich wieder lebendig unter den Kartoffeln begraben. Albert hatte die Metallplatte geschlossen und das Haus verrammelt, so gut es ging. Aber natürlich drangen sie einfach ein, kramten alles aus den Schränken, nahmen mit, machten kaputt, drohten. Vatis goldene Uhr hatte Albert gerade noch unten in einen gepolsterten Stuhl stecken können. Die Russen hatten die Vorräte, die noch in der Küche gewesen waren, mitgenommen, aber einiges hatten wir im Kartoffelkeller versteckt. Geschlagen hatten sie ihn nicht – diesmal hatten wir meine Kleidung besser versteckt. Als sie wieder weg waren, befreite Albert mich aus meinem Verlies.

Es hieß, inzwischen wehte schon die rote Fahne vom Reichstag. Aber niemand aus dem Eichkamp hatte den Mut, sich davon zu überzeugen. Niemand wollte sich freiwillig in den Teil Berlins begeben, in dem immer noch gekämpft wurde. Wo die Deutschen eine letzte Schlacht kämpften, die sie schon längst verloren hatten.

Als wir am Nachmittag des 2. Mai im Gewächshaus die ersten Radieschen ernteten, rot, rund, saftig und scharf, hörten wir in der Ferne eine blecherne Stimme. Einige monotone Sätze, dann eine kurze Stille, ein Schnarren, schließlich ging es wieder von vorn los.

»Was sagen sie da?«, fragte Albert, aber ich hatte es auch nicht verstanden.

Wir gingen aus dem Gewächshaus, verließen die Gärtnerei und folgten der Stimme, bis wir die Waldschulallee erreichten. Andere schlossen sich uns an. Und dann fuhr ein Wagen die Straße entlang, zwei Männer in Uniform saßen darin. Durch einen großen Lautsprecher auf dem Dach erklang die Ansage wieder und wieder und wieder: »Heute hat die Berliner Garnison kapituliert. Die Bevölkerung wird aufgerufen, ruhig zu bleiben und alle Kampfhandlungen sofort einzustellen. Dem Kapitulationsbefehl ist unverzüglich Folge zu leisten.«

Der Wagen fuhr an uns vorbei, an all den dunkel gekleideten Menschen, überwiegend Frauen, denen der lange Krieg anzusehen war. Wir schauten ihm fragend hinterher, manche umarmten sich scheu oder klopften sich auf den Rücken, aber aus dem Lautsprecher plärrte keine Antwort auf die dringendste Frage: Was wird jetzt aus uns?

»Weißt du, was das heißt? Kein Verstecken mehr. Keine Angst mehr. Kein Töten mehr«, sagte Albert, als wir zurück zur Gärtnerei gingen. Er hob mit seiner versehrten Hand einen Wassereimer vom Leiterwagen und stellte ihn so schwungvoll auf die Erde, dass er überschwappte. Dann zog er mich an sich. »Mädchen, der Krieg ist vorbei!«

»Nur weil Berlin kapituliert, muss doch nicht ganz Deutschland kapitulieren, oder?«, fragte ich. Das Ende des Krieges … ich war siebzehn gewesen, als er angefangen hatte, und ich wusste nicht mehr, wie Frieden ging.

Albert lachte, und es klang rau und ungelenk und wunderbar, weil er sonst sehr selten lachte. »Berlin *ist* Deutschland, wer sollte da noch weiterkämpfen?«

Ich zuckte mit den Achseln. »Es gibt sicher noch Leute, die an den deutschen Sieg glauben.«

»Die leben jetzt gefährlich. Traust du dem Frieden nicht, Lissa?«

Ich schüttelte den Kopf, während mir Tränen in die Augen stiegen. Ich freute mich, sicher. Wer würde sich nicht freuen, wenn dieser schreckliche Krieg endlich vorbei war?

Aber ohne Krieg hatte ich plötzlich eine unbekannte Zukunft. Wenn die Gärtnerei wieder ganz normal betrieben wurde, musste das doch wohl heißen, dass Alberts Frau wieder zurückkam.

Und was wurde dann aus mir?

Am nächsten Tag war es richtig warm. Ich zog Marijkes Rock an und musste die Blusenärmel hochkrempeln, weil ich beim Arbeiten so schwitzte. Als ich vor einem Vierteljahr aus Oderberg weggegangen war, hatte ich keine Sommerkleidung mitgenommen. Wahrscheinlich, weil ich mir nicht hatte vorstellen können, wie lange ich wegbleiben würde. Oder der kalte Winter hatte jeden Gedanken an Sommerkleidung eingefroren. Ich fragte mich, wo ich Stoff herbekommen sollte, um mir etwas Leichtes zu nähen.

Ich arbeitete barfuß und nicht in den Holzpantinen. Das Gefühl der Erde an den nackten Füßen war einfach wunderbar. Nur das Schweigen in der Ferne war noch ungewohnt. Während ich sorgsam die aufgegangenen Möhren verzog, sodass die einzelnen Feldfrüchte mehr Platz zum Wachsen hatten, hielt ich inne und lauschte unbewusst auf einen Schuss, einen Einschlag, ein Artilleriedonnern in der Ferne.

Die Obstbäume blühten um die Wette, ebenso die Brombeerhecke am hinteren Zaun, und ich nahm mir vor, im Spätsommer Marmelade einzumachen, am liebsten Brombeermarmelade wie die, die ich aus Oderberg mitgenommen hatte. Falls ich dann noch bei Albert war.

Die Bienen schwirrten von Blüte zu Blüte. Albert hatte die umgestoßenen Bienenstöcke wieder aufgerichtet, sie repariert und die Wabenrahmen richtig angeordnet. Wenigstens die Bienen hatten wieder ihr altes Zuhause.

»Lissa, ich muss einfach mal raus. Wollen wir einen Spaziergang machen?«, fragte Albert, als er zum Möhrenbeet kam.

Ich rappelte mich auf und sah auf meine schmutzigen Hände, die schmutzigen Füße. Das letzte Mal hatte ich die Gärtnerei verlassen, als wir zu dem Rohbau der Wehrtechnischen Fakultät gegangen waren. Bis uns die Angst vor Bombeneinschlägen zurückgejagt hatte.

»Ist das sicher?«, fragte ich.

Er zuckte mit den Schultern. »So sicher, wie es im Moment sein kann. Es herrscht Waffenstillstand.«

Ich wusch mich mit dem Wasser in der großen grauen Zinkwanne, dann zog ich wieder die schweren Stiefel an. Als ich fertig war, reichte mir Albert ein weißes Band: Er hatte eine Serviette zerschnitten, die wir uns vorsichtshalber um den Arm banden. Wir verriegelten das Haus sorgfältig.

Seit dem 21. April hatte Albert keine Lebensmittelkarte mehr bekommen. Würden sie weiterhin an die Berliner ausgegeben werden? Konnte ich mich jetzt offiziell anmelden? Was wir anbauten, war uns sicher, glaubten wir. Damit ging es uns viel besser als den vielen anderen Berlinern.

Einerseits war alles zu Ende, andererseits wussten wir nicht, wann es einen Neuanfang geben würde. Wir fühlten uns wie in einem luftleeren Raum, der erst wieder mit neuen Idealen, mit Leben, mit Entscheidungen und Plänen gefüllt werden musste.

Wir gingen los. Nicht zum Adolf-Hitler-Platz, den Weg, den ich kannte, sondern die Waldschulallee in die andere Richtung entlang, wo ich noch nie gewesen war. Auch hier reichte ein Wäldchen bis an die Straße, viele Bäume waren gekappt worden. Dann war da die S-Bahn-Station Deutschlandhalle – auch wenn kein Zug fuhr. Auf der anderen Straßenseite schlossen sich

Einfamilienhäuser an. Spuren des Straßenkampfes gegen die Russen waren allgegenwärtig, Schusslöcher in den Fassaden, kaputte Fenster, ein Haus war ausgebrannt. Aber es war nicht dieses Trümmerfeld, wie ich es am Kaiserdamm gesehen hatte.

Viele Frauen waren unterwegs, einige kannten Albert und grüßten, aber die meisten schienen Fremde zu sein. Sie sahen müde aus und gingen trotzdem rasch und zielstrebig, mit schweren Taschen in den Händen auf der Suche nach wer weiß was. Einige zogen und schoben Leiterwagen. Ich fragte mich, wo die vielen Dinge, die sie bei sich hatten, herkamen und wo die Leute hinwollten. Aber je weniger man hatte, desto wichtiger war es einem wahrscheinlich, es immer bei sich zu haben. Sie wollten nichts zurücklassen, sie wussten ja nicht, wo ihr Weg sie hinführte.

Hinter uns hörten wir Stimmen, und wir drehten uns um. Eine große Gruppe magerer Gestalten in schäbigen Uniformen folgte uns. Eng beisammen und hastig gingen sie.

»Die kommen vom Todt-Lager. Das sind die Letzten der offiziellen Bauuniformierten. Das Baubataillon«, raunte Albert.

»Und die inoffiziellen? Die aus den Baracken? Was geschieht mit ihnen?«, fragte ich.

Darauf hatte Albert keine Antwort.

Vor einem einstöckigen Haus mit grauen Fensterläden, an dem der Putz abgeblättert war, blieb er stehen. Im oberen Stockwerk waren die Läden geschlossen, im unteren Stockwerk verhinderten Gardinen, dass man hineinschauen konnte. Ich fand, dass das Haus trostlos und verlassen aussah. Albert sah sich rasch um, dann gingen wir zur Haustür. Er klopfte.

Eine ältere Dame mit schmalen grauen Augen und einem grauen Dutt, durch den die Kopfhaut rosa hindurchschimmerte, öffnete die Tür so rasch, als hätte sie bereits auf uns gewartet. Obwohl es mild war, trug sie eine dicke dunkelgrüne Strickjacke, an den Füßen karierte Pantoffeln, die ihr viel zu groß waren. Die Dame schaute mich misstrauisch an, sie wirkte nicht sympathisch.

Als Albert nickte, lächelte sie schwach und ließ uns ein.

»Es ist ein guter Tag. Wir haben es bald überstanden«, sagte sie und führte uns in ein Wohnzimmer. Die Vorhänge waren halb zugezogen, es war schummrig im Zimmer, ein seltsamer Gegensatz zu dem Sonnenschein draußen. Schwere Möbel standen herum, ein hohes Regal voller Bücher, Grünpflanzen, auf dem Tisch lagen Kerzen – aus Bienenwachs, wie mir auffiel, genau solche wie die selbst gemachten von Albert, die wir in der Gärtnerei hatten.

»Zum Glück.« Albert hielt ihr eine Tasche hin, die er mitgebracht hatte. »Wir haben leider nicht mehr so viel, Lilo. Es wächst, aber es braucht seine Zeit. Radieschen und ein paar letzte Kartoffeln.«

Die Frau tätschelte ihm den Arm. »Du bist ein guter Junge. Es wird für uns reichen, bis dieser Albtraum vorbei ist. Muss es ja. Möchtest du raufgehen?«

»Er ist noch oben?«

»Ja. Hier, nimm ihm ein paar Kerzen mit.« Sie gab ihm die Kerzen vom Tisch, und Albert reichte sie an mich weiter.

Albert nahm mich bei der Hand und stieg eine Treppe in den ersten Stock hoch. Zwei Türen gingen von einem kleinen Flur ab. Ich war gespannt, was wir hier suchten. Oder wen.

Albert machte keine Anstalten, in eines der Zimmer zu gehen. Stattdessen griff er nach einem Besen, der dort stand, und klopfte in einem bestimmten Rhythmus an die Decke. Da erst sah ich, dass in die Decke, kaum wahrnehmbar, eine Tür eingelassen war. Sie öffnete sich, und eine schmale Klapptreppe wurde heruntergelassen. Albert kletterte mühsam hoch, ich folgte ihm.

Als ich auf der letzten Stufe war, gab Albert mir die Hand, dann stand auch ich auf einem Dachboden. Es war zugig hier oben, aber ich sah eine Liege und einen Lehnsessel, der direkt unter einer Luke platziert war, um das wenige Tageslicht, das hinein fiel, zu nutzen. Mehr Lichtquellen gab es hier oben nicht.

Vor uns stand, wegen der Dachschrägen etwas gebückt, ein sehr großer, breitschultriger, bärtiger Mann mit wilden dunklen Locken, ungefähr in Alberts Alter. Er war barfuß, trug eine abgewetzte dicke Hose mit Hosenträgern, ein blaues Hemd und eine Handwerkerjacke. Er zog Albert in eine bärenhafte Umarmung.

»Mein Freund«, sagte er, und in seinen dunklen Augen standen Tränen. »Die Nazis sind erledigt.«

»Das haben wir so oft gesagt, Milan, und noch viel

häufiger gehofft«, antwortete Albert und gab ihm die Kerzen. »Diesmal scheint es zu stimmen. Du bleibst noch im Versteck?«

»Es wird nicht mehr lange dauern, bis nicht nur Berlin, sondern auch Deutschland kapituliert. Du machst dir keine Vorstellungen, was es bedeutet, morgens aufzuwachen und zu hoffen, bald rauszukönnen. In eine Stadt frei von Bomben, frei von Verdunkelung, frei von der Gestapo!«

»Doch, das kann ich mir sehr gut vorstellen«, sagte Albert und klopfte ihm auf die Schulter. Dann schaute er zu mir. »Das ist Lissa. Sie wohnt bei mir. Ich vertraue ihr.«

»Lissa.« Meine Hand versank in seiner Pranke. »Eine Freundin von Albert ist auch eine Freundin von mir. Der erste Weg, wenn ich hier rauskomme, ist zu euch.«

»Bring Lilo mit«, erwiderte Albert. »Sie ist dein Engel.«

»Das bist du ebenso, mein Freund.«

Als wir wieder auf der Straße waren, erzählte mir Albert mehr von Milan Andrasch, dem wild gelockten Riesen auf dem Dachboden. Er war sein ältester Freund, sie kannten sich noch aus der Schule. Er war Ofenbauer geworden, hatte in der Danckelmannstraße in Charlottenburg eine eigene Werkstatt gehabt. Aber er war Jude, und die Gestapo hatte zudem vermutet, dass er das Hinterzimmer seiner Werkstatt für illegale Treffen der Sozialdemokraten nutzte, deren politische Haltung er teilte. Einmal war er von der Gestapo verhaftet und brutal befragt worden, ein weiteres Mal hätte ihn wahrscheinlich ins Gefängnis gebracht. Oder in etwas Schlimmeres.

Lilo Wiesner war Alberts und Milans Lehrerin aus Schulzeiten, und sie pflegten freundschaftlichen Kontakt mit ihr. Bevor die Nazis an die Macht gekommen waren, hatte sie die Jugendorganisationen begrüßt. Aber als 1933 die Bücher verbrannt worden waren, hatte sie erkannt, was für Monster in Deutschland die Macht ergriffen hatten. Sie war vorsichtig gewesen, hatte versucht, im Unterricht so viel humanistisches Gedankengut zu vermitteln, wie es möglich war. 1935 war sie berentet worden. In der Nacht, als die jüdischen Geschäfte zerstört worden und die Synagogen in Flammen aufgegangen waren, war Milan zufällig bei ihr gewesen. Er war bei ihr untergetaucht, hatte das Haus seitdem nicht mehr verlassen.

So streng Lilo wirkte, so groß war ihr Herz. Seit fast sieben Jahren wohnte Milan nun schon auf ihrem Dachboden. Nur manchmal, wenn er es nicht mehr aushielt, eingesperrt zu sein, wagte er sich in den Garten. Dann saß er im Gras, streichelte es, als wäre es die kurz geschorene Haartracht der Welt, und fragte im Stillen den Mond, was das alles überhaupt sollte und ob das nicht ein schrecklicher Irrtum war.

Seit Albert kriegsversehrt zurückgekehrt war, hatte er Lilo und Milan mitversorgt. Jetzt verstand ich, wohin er immer gegangen war.

»Ich hätte es nicht aushalten können, dass sie Milan inhaftieren«, erklärte er.

Ich griff seine verwundete Hand und drückte sie vorsichtig.

Die Siedlung Eichkamp endete an einer Straße, und dahinter lag eine noch breitere Straße. Eine Kolonne russischer Militärfahrzeuge fuhr langsam in Richtung Westen, und ich krallte mich in Alberts Ärmel. Berlin war russisch geworden. Die Straße war voller Löcher, die eine schnelle Fahrt gefährlich machten. Weiter in Richtung Osten wurde sie von einer hohen Mauer begrenzt.

»Das ist die Automobil-Verkehrs- und Übungsstraße samt Nordkurve«, sagte er. »Schon mal davon gehört?«

»Hier wurden Autorennen gefahren, oder?«, fragte ich.

Ich meinte, Martin hätte mir mal davon vorgeschwärmt. Schnelle Autos hatten ihn begeistert.

»Jetzt werden auf der AVUS bestimmt keine Autorennen mehr gefahren. Früher war es eine Rennstrecke, seit ein paar Jahren ist die Straße für den öffentlichen Verkehr freigegeben.«

»Warum?«, fragte ich, aber da wusste ich die Antwort auch schon: wegen des Krieges.

Die Straße war ein Zubringer zum Berliner Ring, darauf hatte man nicht verzichten können wegen so etwas Albernem wie Autorennen. Auf alles, was uns beschäftigte, ängstigte und lähmte, gab es nur eine Antwort: Es war der Krieg.

Wir bogen links ab und gingen an der zerstörten Deutschlandhalle vorbei, unsere Armbinden ein leuchtend weißer Schutz. Bis zum Kurfürstendamm trauten wir uns vor, der am Halensee begann, vorbei an zerstörten Häusern, an ausgebrannten Militärfahrzeugen.

Ich hatte den Kurfürstendamm noch nie gesehen. Aber ich erinnerte mich daran, dass Tante Martha öfter über diese Prachtstraße des Westens in ihren Briefen geschrieben hatte, von den eleganten Geschäften, die noch bis weit in die Kriegsjahre geöffnet gewesen waren, in denen hochrangiges Militär und reiche Zivilisten bis zum Ende erstaunlich viel hatten kaufen können. Kinos, Theater und Restaurants waren noch lange geöffnet gewesen.

Jetzt dagegen war die Bezeichnung »Prachtstraße« für den Kurfürstendamm der blanke Hohn. Er war aufs Erbärmlichste zerstört, genauso eine Geröllwüste wie der Kaiserdamm. Frauen, die ihr Haar mit Tüchern gegen den Staub geschützt hatten, räumten Steine weg, als ob die neue Ordnung auf den Bürgersteigen auch ihrem eigenen Leben Struktur gäbe. Ich verstand sie: Das Chaos zu beseitigen schien besser als Untätigkeit.

Wir gingen über eine Brücke, unter uns Bahnschienen. Überall sahen wir die Spuren der letzten Tage, in denen die Russen Straßenzug um Straßenzug eingenommen hatten: einen ausgebrannten Panzer, auf dem ein kleiner Junge herumkletterte, zerstörte Brückenköpfe. Mitten auf der Straße standen zwei verbeulte Autos auf dem Kopf.

Wir bogen in die Westfälische Straße ein. Auch hier waren viele Häuser weggebombt, nur wenige standen noch da – mit zersplitterten Fenstern, Einschlaglöchern wie Wunden und tiefen Rissen in den Mauern. An den

Hauswänden hingen Zettel über Zettel, wo die überlebenden Bewohner Unterschlupf gefunden hatten. Entlang der Ruinen sah ich immer wieder Rohre, die sich wie graumetallene Rüssel aus dem Boden schoben.

»Was ist das denn?«, fragte ich Albert.

»Irgendwo müssen die Menschen ja wohnen. Die Keller sind das Einzige, was ihnen geblieben ist, wenn sie nicht in den Bunkern bleiben wollen.«

Und das wollten sie sicher nicht. Das verstand ich. Ich wäre auch lieber in einen kleinen Keller gezogen, als einen Tag länger als nötig mit vielen Menschen in einem der grauenhaften Luftschutzbunker zu bleiben.

Vor einem Rohr, aus dem Rauch aufstieg, blieb ich stehen und schnupperte.

»Vanille«, sagte ich. Mir lief das Wasser im Munde zusammen. Ich wusste nicht mehr, wann ich das letzte Mal Vanillepudding gegessen hatte, süß und weich und sanft im Mund …

»Sie holen aus den Geschäften, was es noch gibt. Wahrscheinlich haben sie Puddingpulver erwischt.« Albert wies auf eine kleine Gruppe Frauen, die auf der gegenüberliegenden Seite durch eine glaslose Ladentür stiegen, jede einen Karton in der Hand.

Zu meinen Füßen bewegte sich etwas: Angeekelt sah ich drei Ratten, die sich mit krummen Rücken um das Rohr scharten, wahrscheinlich vom Vanilleduft angelockt.

Dann schien Albert plötzlich von etwas in der Ferne abgelenkt. Er versuchte, mich wegzuziehen, aber es war zu spät. Ich hatte es bereits gesehen, auch wenn mein Geist sich weigerte, das Bild, das sich mir bot, einzuordnen.

Ein Toter hing an einer Straßenlaterne, sein Gesicht und die Zunge, die ihm aus dem Mund hing, waren blau, er hatte ein Schild um den Hals.

Ich drehte mich um und musste mich übergeben. Während ich keuchte und würgte und Alberts Hand auf meinem Rücken spürte, hörte ich eine Frau, die an uns vorbeiging, zu einer anderen sagen: »Diese Barbaren. Hast du gesehen, was auf dem Schild stand?«

»›Ich war zu feige, für Deutschland zu kämpfen‹«, sagte die andere. »Die das gemacht haben, gehören auch gehenkt. Verdammte Nazis. In den letzten Tagen die eigenen Leute hinzurichten.«

»Der arme Kerl. So kurz vor der Kapitulation haben sie ihn noch erwischt.«

»Gestern hab ich auch schon zwei baumeln sehen. In der Uhlandstraße.«

»Berlin ist eine Stadt der Toten geworden. Wie viele Leichen in den Kellern unter diesen Ruinen wohl liegen? Es stinkt nach Verwesung …« Ihre Stimmen verklangen in der Ferne.

»Lass uns nach Hause gehen«, bat ich Albert erschöpft, als ich mich wieder aufrichtete.

Langsam gingen wir zurück durch die zerstörten Straßen der Stadt. Ich konnte es kaum erwarten, in die Gärtnerei zu kommen. Wie glücklich ich mich schätzen durfte, dass ich bei Albert ein Zuhause gefunden hatte. Müde fühlte ich mich, entsetzlich müde.

Kurz vor der Deutschlandhalle sahen wir ihn: einen

Hund, der hektisch im Geröll eines Schuttbergs grub. Nur selten hatte ich in den letzten Monaten Hunde in der Stadt gesehen. Wahrscheinlich waren sie bei den Luftangriffen nicht mit in die Bunker genommen worden und im Bombenhagel verendet, ohne zu verstehen, was all dieser entsetzliche Krach, die Erschütterungen und das Feuer um sie herum bedeuteten. Sicher wollte auch niemand das wenige Essen mit seinem Tier teilen, egal, wie groß die Liebe zum Haustier noch in den ersten Kriegsjahren gewesen war. Vielleicht fanden die Besitzer es ja gut, wenn ihre Lieblinge ein schnelles Ende fanden. Einige Hunde waren vielleicht bereits in Kochtöpfen gelandet.

Diesen hier zu essen hätte nichts gebracht. Er war sehr mager, schien aber unverletzt. Ungefähr so groß wie ein kleiner Schäferhund war er, schmutzig braun und mit Schlappohren.

Während ich ihn beobachtete, dachte ich mit Schaudern an die Toten der Stadt, die unter den Steinen begraben waren. War es das, wovon dieser Hund lebte? Oder lag da vielleicht sein Herrchen begraben?

Immer wieder steckte er seine Schnauze in das größer werdende Loch und scharrte, seine dunklen Pfoten schon hellgrau von Mörtelstaub.

»Lass das. Such dir ein Kaninchen im Grunewald«, sagte Albert streng.

Er dachte wahrscheinlich dasselbe wie ich: dass der Hund jeden Moment eine Leiche ausscharren könnte. Der Vierbeiner warf uns einen raschen Blick zu, bevor er weitermachte.

»Der Krieg hat ihn wild gemacht«, dachte ich laut. Albert nickte. »Der Hunger auch. Erst kommt das Fressen, dann kommt die Moral.« Ich sah ihn fragend an. »Von Brecht, aus der *Dreigroschenoper*. Kennst du sie nicht?« Ich schüttelte den Kopf. So was hatten sie uns in Oderberg nicht beigebracht. »Später gehen wir mal ins Theater. Vielleicht zum Neuen Operettentheater am Schiffbauerdamm. Oder ins Theater im Admiralspalast in der Friedrichsstraße. Der Heesters in der *Lustigen Witwe* war wirklich wie für die Rolle geschaffen. So ein Charmeur!«

Er drückte meine Hand, und ich war froh, dass er mich in seine Zukunftspläne mit einbezog. Später – wie gut das klang.

Wir gingen langsam weiter, kamen an Lilo Wiesners Haus vorbei, wo Milan wahrscheinlich die Minuten zählte, bis sein neues Leben begann. Als wir die Harbigstraße wieder erreichten, drehte ich mich um. Eine vage Unruhe hatte mich ergriffen, ich fühlte mich beobachtet, glaubte, dass mir jemand hinterherstarrte. Und damit hatte ich recht. In einiger Entfernung nahm ich eine Bewegung wahr.

Es war der Hund. Als er sah, dass wir stehen geblieben waren, setzte er sich, die Schlappohren abwartend aufgestellt, und kratzte sich mit dem Hinterlauf am Kopf. Ich meinte, Hoffnung in seinen dunklen Augen zu sehen, aber das musste ich mir einbilden. Dafür war er zu weit entfernt.

»Wir werden verfolgt«, sagte ich zu Albert.

»Das habe ich befürchtet«, erwiderte er, ohne zurückzuschauen. Er wusste sofort, wen ich meinte. »Überlebende unter sich. Hoffen wir mal, dass wir uns alle drei satt bekommen. Meinst du, er mag Radieschen?«

Ich lachte. »Ein Hund doch nicht.«

Wir nannten ihn Oskar, und wir badeten ihn im Garten im Elefanten, den wir sonst selbst benutzten. Einmal in der Woche schleppten wir die Zinkwanne ins Haus, machten Wasser warm und schütteten es hinein, badeten direkt vor dem Küchenherd.

Wir schrubbten Oskar mit Kernseife, bis er frei von Dreck, Mörtel und Flöhen war. Es kam mir fast wie eine Taufe vor, durch die er von allen schrecklichen Taten, die er aus Hunger begangen hatte, reingewaschen wurde.

Oskar ließ das Bad geduldig über sich ergehen, bis wir ihn losließen und er aus dem Elefanten hüpfen konnte. Er schüttelte sich, wir sprangen hastig zur Seite.

Ich glaube, er wusste genau, dass das Bad ein relativ kleiner Preis für ein neues Zuhause war.

9. Kapitel

Berlin im Mai, Gegenwart

»Hallo, Nachbarin! Auch zugange?«

»Jetzt wird's ernst.«

»Ich ärgere mich jedes Jahr, dass ich so spät anfange. Hoffentlich kommen wir mit allem durch. Die Abmahnung letztes Jahr hat mir gereicht.«

»Die Hecke! Die Hecke! Mein Gott, die Hecke ist zu hoch!«

»Eigentlich darfst du die Hecke nur bis Ende Februar schneiden. Wegen der brütenden Vögel.«

»Ich schneid sie nicht, ich korrigiere sie, du Blödmann. Das darf man immer, das ganze Jahr über. Hast du nicht die Vorschriften gelesen? Und so was will ein Schrebergärtner sein! Zeig mir lieber dein Gemüse.«

»Gelten Haselnüsse eigentlich als Gemüse?«

»Dieses verdammte Unkrauthacken zwackt ganz schön im Rücken! Eigentlich bin ich zu alt für so was. Trotzdem bleib ich.«

»Hast du es schon mal mit einem Hochbeet versucht, Lutze? Das ist bequemer.«

»Na, so alt bin ich nun auch wieder nicht!«

»Was redest du denn da für einen Quatsch? Hochbeete sind total angesagt!«

»Wird man eigentlich auch abgemahnt, wenn der verdammte Buchsbaumzünsler einem die Buchshecke ruiniert hat? Die sieht bei mir ganz nackig aus. Aber dafür kann ich ja nüscht, oder?«

Was war denn heute mit den Laubenpiepern los? Noch nie hatte Gitta so viele zeitgleich werkeln sehen, noch nie so viele Gesprächsfetzen zwischen den Parzellen gehört. Egal in welches Grundstück sie schaute, jedes wirkte so ... aufgeräumt. Gemäht. Bepflanzt. Gejätet. Geradezu gebügelt.

Sie schob die schwer beladene Schubkarre den Weg entlang. Wenn ihr ein neugieriger Blick von dem einen oder anderen Garten zugeworfen wurde, nickte sie. Weil in jedem Garten Leute arbeiteten, nickte sie viel. Huldvoll, wie sie fand. Fehlte nur noch, dass sie wie die Gartenqueen die Hand zum Gruß hob.

Trotzdem dachte Gitta nicht daran, stehen zu bleiben und sich zu unterhalten. Denn die Stiele von Edelstahlspaten, Hacke, Rechen, Gabel und Harke verrutschten ständig, drohten, ihr zwischen die Beine zu geraten, und machten das Laufen unbequem.

Es hatte sie etwas Mut gekostet, *ihn* anzurufen und darauf zu bestehen, dass sie endlich ihr Gartenwerkzeug bekam. Und nach den ersten Worten war da plötzlich Wut hochgekocht. Sehr energisch hatte sie drauf bestanden, und weil *er* genau wusste, dass sie das gesamte Gartenwerkzeug von ihrem eigenhändig verdienten Geld gekauft hatte, hatte *er* zugestimmt. Eigentlich hatte sie nie wieder mit *ihm* sprechen geschweige denn *ihn* um etwas bitten wollen. Aber dann hätte sie alles neu kaufen müssen. Warum sollte sie das tun? *Er* würde sowieso nur den Gärtner durch den Garten jagen, und der hatte schließlich sein eigenes Werkzeug. Also bitte.

Sie hatte das Werkzeug am Morgen abgeholt, als *seine* Putzfrau da gewesen war.

Ihren früheren Garten in seiner ganzen Maienpracht zu sehen hatte ihr fast das Herz gebrochen. Wirklich, sie war immer noch ganz erschüttert. Und dass die Putzfrau sie so mitleidig angesehen hatte, hatte ihr den Rest gegeben. Den Weg nach Hause hatte sie kaum fahren können, weil ihr die Tränen so den Blick verschleiert hatten.

So ging das nun schon seit Wochen: Die Trauer kam in Wellen. Manchmal ging es ihr sehr schlecht. Dann fragte sie sich, ob sie diesen großen Teil ihres Lebens falsch gelebt, den Mann an ihrer Seite gar nicht wirklich gekannt hatte. Am Grund dieses Tränentals fragte sie sich auch, wie ihre Zukunft aussehen würde, besonders wenn sie abends allein zu Hause in ihrer kleinen Wohnung war. Es war so unfair!

Außerdem waren die langen Arbeitsstunden im Einrichtungsladen noch ungewohnt. Abends sank sie erschöpft auf ihr Sofa. Die Differenz zwischen ihrem Gehalt und ihrem bisherigen Lebensstandard musste der Rechtsanwalt (diese Lusche) irgendwie für sie rausholen.

Wenigstens hatte sie jetzt das Werkzeug.

Ächzend stellte sie die Schubkarre vor der Gartenpforte ihrer Parzelle ab, griff hinüber und schob den Riegel auf, der sie von der Innenseite verschloss. Mit der Hüfte stieß sie schwungvoll gegen das Holz, wie sie es in letzter Zeit so häufig getan hatte.

Inzwischen machten sich Marits und Constanzes Freunde gar nicht mehr die Mühe, bei ihnen in der Wohnung vorbeizuschauen oder anzurufen. Sie kamen gleich in den Garten, denn dort verbrachten die beiden ihre meiste Freizeit.

Ihre eigenen Freunde … Nun, es war noch nicht klar, wer bei Ralf und wer bei ihr bleiben würde. Denn dass sich das teilen würde, war sicher. Gitta hatte früher immer getönt, dass man auch bei Trennungen zu beiden eine gute Beziehung haben könnte. Das stimmte nicht, wie sie inzwischen aus eigener Erfahrung wusste. Manche Paare hatten sich sofort von ihr abgewandt, aber einige Freundinnen hatten sie auch schon in ihrem Garten besucht.

Gitta schaute zu den beiden Beeten im vorderen Teil des Gartens.

Zweimal waren sie in einem Gartencenter gewesen und hatten gekauft, bis in ihren MINI nicht mehr reingepasst hatte (den hatte sie bei *ihm* immerhin ausgehandelt, plus Versicherungsbeitrag für ein Jahr; das fand ihr Rechtsanwalt ausnahmsweise mal angemessen, wahrscheinlich hatte er Aktien bei BMW). Trotzdem wirkten die Pflanzen in den Beeten noch sehr spärlich.

Was bis jetzt zaghaft blühte, blühte in allen Farben und keineswegs nur in Weiß, genau wie die anderen beiden es gewollt hatten. Sie mussten wirklich dringend sehen, dass noch mehr angepflanzt wurde!

Nur eins wollte Gitta nicht: Funkien für den schattigeren Teil hinter der Laube. Es wäre ihr frevelhaft vorgekommen, wo doch in *seinem* Villengarten die schönsten Funkien der Welt wuchsen. Dann riss sie sich ihre Lieblingspflanzen besser ganz aus dem Herzen!

Gitta war so vertieft in ihre Betrachtung, dass ihr erst verspätet auffiel, dass sich das Tor zur Parzelle nicht öffnen ließ, egal, wie energisch sie mit der Hüfte dagenstieß. Zwei kleine Mädchen kamen auf ihren Rollern schwungvoll den Weg entlanggefegt und stoppten neugierig vor ihr.

»Was machst du da?«, fragte die eine, und da erst hielt Gitta peinlich berührt inne. Wahrscheinlich sah sie aus wie jemand aus den Siebzigern, der mit der Gartenpforte Bump tanzte.

»Ich versuche, das Tor zu öffnen«, erklärte sie.

»Sieht aber aus, als ob du es mit deinem dicken Popo kaputtmachen wolltest«, meinte die Größere, und kichernd rollerten die beiden weiter.

Freche Bande, dachte Gitta empört. Dicker Popo, also wirklich!

Sie rüttelte am Tor, aber es war offenbar abgeschlossen. In ihrer Umhängetasche kramte sie nach dem Gartenschlüssel – nein. Sie hatte ihn nicht eingesteckt, weil sie mit Constanze verabredet war. Aber wo steckte die denn?

Da erklang ein vertrautes Lachen, allerdings, wie merkwürdig, aus dem Nachbargarten.

Bis jetzt hatten sie mit dem Nachbarn keinen Kontakt gehabt, von einem gelegentlichen Zunicken, wenn sie zufällig zeitgleich bei den Gartenpforten standen, mal abgesehen. Außerdem trennte die beiden Grundstücke eine verblühte Forsythienhecke, die entgegen den Vorschriften deutlich höher als ein Meter zwanzig war. Jetzt, wo die Blätter so dicht ausgetrieben waren, konnte man unmöglich hindurchspähen.

Was Constanzes Lachen von der falschen Seite des Zaunes nur noch mysteriöser machte.

»Constanze?«, rief Gitta fragend.

Constanze antwortete nicht, und genervt ging sie zum Nachbargrundstück. Vom Weg aus sah man, wie es auf dem Nachbargrundstück wucherte, kein Vergleich zu ihrer spärlichen Bepflanzung. Wahrscheinlich war es die wildeste Parzelle in der ganzen Kolonie. Zu Beginn des Frühjahrs hatte man überwiegend graubraunes Gestrüpp gesehen, inzwischen schimmerte die Blätterwand in allen Grüntönen, und wer immer dort gärtnerte, konnte sich dahinter wunderbar verbergen. Von der Pforte aus sah man gerade noch so einen schmalen Zickzackweg, der bis zu einem Häuschen führte, das wie ein hölzerner Schuppen mit einem flachen Wellblechdach aussah. Auf halbem Weg dorthin wucherte eine wild wachsende Kletterrose, die in ihrer Üppigkeit den rostigen Rosenbogen darunter fast in die Knie zwang. Überall im hohen Gras standen Obstbäume.

Gitta fragte sich, wie so ein Chaos die Gnade vor den Augen der Laubenpieper fand. Hier hätte sie gern mal die Hecke in Zentimetern gemessen …

Aber noch etwas anderes zog ihren Blick auf sich: ein traumhafter weiß blühender Flieder weiter hinten auf dem Grundstück. Himmel, war der schön! Es war Fliederzeit, Maiglöckchenzeit, und in ihrem Garten war weder das eine noch das andere. Das würde sich ändern müssen. Und direkt bei diesem prachtvollen Flieder, an einem kleinen Tisch, entdeckte Gitta endlich Constanze. Sie saß neben einem Mann. Die beiden waren von üppig wachsenden Pflanzen eingerahmt, als wären sie zufällig in einem Dschungelgemälde von Henri Rousseau gelandet.

»Huhu«, rief Gitta, winkte und ließ den Arm sofort wieder peinlich berührt sinken.

Was war das nur in Laubenkolonien, dass man immerzu an irgendwelchen Hecken zu fremden Gärten stand, winkte und viel zu laut rief? So war das in *seiner* Villa am Messelpark nie gewesen. Da hatte sich jeder schön nur um seinen eigenen Kram gekümmert. Aber da waren die Grundstücke auch so groß gewesen, dass man schon hätte brüllen müssen, um vom Nachbarn gehört zu werden.

Jedenfalls hörte Constanze sie jetzt. Sie sagte etwas zu dem Mann und winkte zurück. Er stand auf und kam zum Tor.

Bis er bei ihr war, hatte Gitta genügend Zeit, ihn zu mustern. Er war sehr groß, schlank, fast hager und hatte dunkle, scharf blickende Augen, die wirkten, als ob ihm selten etwas entging. Er war auffallend glatt rasiert, fast, als ob er sich regelmäßig zweimal am Tag rasierte, um der dunklen Schatten Herr zu werden.

Trotz der klobigen Gartenschuhe bewegte er sich geschmeidig, hatte die Ärmel seines grünen Leinenhemdes, das er lose über seinen Jeans trug, hochgekrempelt. Er trug eine randlose Brille, aber am auffälligsten war sein graues Haar, das so lang war, dass er es zu einem Pferdeschwanz zusammengebunden hatte.

Hätte Gitta beschreiben sollen, wie sie sich den klassischen Schrebergärtner vorstellte: Dieser Typ war genau das Gegenteil davon.

»Hallo. Ich bin Hajo, komm rein, komm rein. Wie schön, dass ich endlich die neuen Nachbarinnen kennenlerne.« Er duzte sie gleich. Na, das passte ja zu allem anderen. Obwohl – das hatte Liane ebenfalls getan. Das tat man hier wohl so, es gehörte sich anscheinend auf Laubisch. Ihr Nachbar öffnete das Tor und reichte ihr die Hand. »Ich glaube, wir waren bisher komplett konträr unterwegs. Immer wenn ich da war, war von euch nichts zu sehen.«

»Guten Tag. Freut mich, dich kennenzulernen. Mein Name ist Gitta Velten«, sagte Gitta und kam sich merkwürdig formal vor, wie auf einer Cocktailparty, auf der sie ein Hummerhäppchen in der einen Hand und einen Cosmo in der anderen hatte, während alle anderen Bier vom Discounter tranken und Käsewürfel naschten.

Sie folgte ihm und hatte nach wenigen Metern das Gefühl, von einer grünen Hölle geschluckt zu werden. Überall rankte und kletterte etwas, schlug Bögen, belagerte Äste, wand sich um Stämme, bildete Naturlauben. Es gab zwar auch Beete, aber sie waren ungewöhnlich angelegt: zwei breite, geschwungene Beetbänder zogen sich links und rechts am Steinweg entlang. Reihenweise war hier etwas ausgesät, das in unterschiedlichen Höhen gewachsen war, auf der einen Seite begrenzt vom Weg, auf der anderen Seite von Gras, Rosen und Kräutern.

Gitta blieb kurz stehen und betrachtete die Pflanzen. »Was ist das? Gemüse?«

So gut sie sich mit Stauden auskannte, so schlecht wusste sie über Essbares aus dem Garten Bescheid.

Sie fand, dass Stauden an Stellen sein sollten, an denen man repräsentieren wollte. Gemüse dagegen gehörte ihrer Meinung nach schön hinter das Haus oder höchstens in einen abseits gelegenen Bauerngarten. Und sie war nun mal definitiv ein Vor-dem-Haus-Stauden-Typ. Gemüse? Wirklich nicht.

Warum sollte sie Lauch anbauen, wenn es den selbst beim Discounter als Bioprodukt zu kaufen gab? Das war doch völlig abwegig. Kartoffeln? Bohnen? Salat? Spinat? Mangold? Kohl? Auf gar keinen Fall! In ihren Augen machte es überhaupt keinen Sinn, sich selbst darum zu kümmern. Der Arbeitsaufwand stand in keinem Verhältnis zu dem bisschen Grünzeug, das man nach all der Plackerei ernten konnte.

Hajo blieb stehen und drehte sich zu ihr um. »Ja. Das sind meine Gemüsebeete.« Er klang regelrecht liebevoll. Er wies auf etwas, das zart wie Gras aussah und sich im lauen Maiwind wiegte. »Das hier ist mein Lauch. Ich hab ihn im Februar ausgesät, auf dem Fensterbrett in meinem Schafzimmer. Im April hab ich ihn hierhergesetzt. Er macht sich jedes Jahr großartig. Aber man muss ihn früh ernten, damit die Lauchfliege sich nicht dransetzt. Und das hier ist mein Chinasalat. Wenn alles klappt, ernte ich ihn schon im Juni.« Er zeigte zu etwas Großblättrigem mit gezacktem Rand. »Das ist Eisbergsalat – den hab ich auch aus Saatgut gezogen. Ganz wunderbar schmeckt der. Er schießt so gut wie nie. Oh, und hier ist mein Bronzefenchel! Da nehme ich aber nicht die Knolle, sondern nur das fiedrige Laub. Er kommt jedes Jahr wieder. Die ersten Radieschen habe ich ebenfalls schon geerntet. Scharf, gut und madenfrei.« Er drehte sich um und ging weiter in Richtung Laube. »Das ist das Gestell für die Kletterbohnen«, sagte er über seine Schulter hinweg zu Gitta. »Sie tragen bei mir einfach mehr als die Buschbohnen. Ich hab sie vor ein paar Tagen gelegt. Man sagt, Bohnen müssen die Kirchenglocken läuten hören, also falls ihr sie noch nicht gelegt habt – nur ganz flach mit Erde bedecken und gern vorher einen Tag ins Wasser legen. Sie keimen dann schneller. Zwei Zucchinipflanzen und vier Hokkaido-Setzlinge hab ich wie jedes Jahr auf den Kompost gepflanzt. Da haben sie ordentlich viel Nahrung. Das muss für morgen reichen.«

»Was ist denn morgen?«, fragte Gitta.

»Die Gartenbegehung natürlich«, antwortete Hajo.

Gitta fragte sich, wofür das Gemüse reichen musste und was es mit dieser Gartenbegehung auf sich hatte. Waren deshalb alle so hektisch unterwegs an diesem schönen Nachmittag?

Für sie kam das ja nicht infrage, weil sie noch gar keine Pächterinnen waren. Zum Glück. Sie war es schließlich gewohnt, nach ihren eigenen Vorstellungen zu gärtnern und nicht nach irgendwelchen Vereinsstatuten.

Das Gestell für die Bohnen kam Gita wie der gesamte Garten von Nachbar Hajo vor: Es war aus krummen Stöcken zusammengeschustert und hatte nichts an sich, was sich mit ihrem Gartengeschmack vereinen ließ. Nie im Leben hätte sie diese Rankhilfe, die weder verchromt noch verzinkt noch dunkelgrün lackiert war, genutzt. Das wäre ihr einfach gegen ihre Ehre als Staudengärtnerin gegangen.

Trotzdem blieb sie einen Moment lang stehen und schaute, ob schon etwas von den Bohnen zu sehen war. An einer Stelle, dicht an einer der Stangen, war die Erde gerissen, etwas Weißes schimmerte durch den Spalt – konnte das eine Bohne sein, die die Kirchenglocken lauter hören wollte?

Gitta ging zu dem Tisch, an dem Constanze saß. Hajo war in der Laube verschwunden.

»Hey, Constanze«, rief sie. »Ich dachte, wir wären bei uns drüben verabredet. Hast du mich nicht rufen hören?«

Constanze sah sie träumerisch an. »Ach, Gitta. Ich hab einen Ast zur Seite gebogen, er hat einen Ast zur Seite gebogen, und wir sind quer durch die Hecke ins Gespräch gekommen. Dann hat Hajo mich zu sich rübergebeten. Glück ist ein Sommerhaus, sagt er. Ist das nicht ein Paradies hier? Und er hat ... Schau doch nur!«

Hajo kehrte mit einem maroden roten Klappstuhl

zurück, den er für Gitta aufstellte. Auch ein Glas hatte er dabei.

»Weißwein?«, fragte er, und sie nickte.

Dann sah sie in den hinteren Teil des Grundstücks. Constanze zeigte auf mehrere Holzkisten, um die es schwirrte, sirrte und flog, in den weißen Flieder hinein und in alles andere, was jetzt schon blühte.

»Du hast Bienen?«, fragte Gitta, und statt Hajo antwortete Constanze:

»Ja, acht Völker hat er, stell dir vor! Deshalb sieht es hier auch so aus! So fabelhaft verwildert!«

Hajo lachte. »Meine Bienen brauchen Futter. Je mehr blüht, desto besser. Ich freu mich schon, wenn die Phacelia aufgehen, die duften so schön, und danach sind die Bienen ganz verrückt. Wenn die blühen, sieht das Beet dahinten aus wie ein kleines lila Feld.«

Er nickte in Richtung eines weiteren Beetbandes, das am Bienenstock begann und sich den Gartenzaun entlangzog. Es war mit fiedrigem, hellgrünem Kraut dicht bewachsen.

»Er verkauft seinen Honig sogar«, sagte Constanze verzückt.

Hajo schenkte Gitta ein, dann lehnte er sich zurück. Etwas selbstgefällig, wie sie fand. Aber vielleicht bildete sie sich das auch nur ein.

»Du bist Imker?«, fragte sie. »Hauptberuflich?«

Er grinste. »Nee, Jurist. Von acht Völkern, von denen meistens noch eins im Winter eingeht, kann man sicher nicht leben. Aber es ist ein schönes Hobby. Man hat pro Stock zwanzigtausend Haustiere, die sich um sich selbst kümmern, und immer genügend Geschenke für Freunde. Jeder liebt den Berliner Blütenhonig.«

»Ich kauf dir gern ein Glas ab«, sagte Constanze. »Oder zwei. Oder drei. Du willst doch sicher auch eins, oder, Gitta?«

Gitta antwortete nicht.

»Im Moment habe ich keinen Honig, und bis ich die Waben schleudern kann, dauert es noch ein bisschen«, antwortete er. »Im April hat irgendwer drei Stöcke umgestoßen. Das hat großen Schaden angerichtet. Wenn's kein Mensch gewesen ist, tippe ich mal auf Waschbär. Ich musste die Beuten erst mal reparieren, jetzt brauchen die Bienen mehr Zeit als sonst, ihr Volk wieder zu pflegen und aufzubauen. Vor Juli werde ich keinen Honig ernten.«

»Was sind denn Beuten?«, fragte Constanze.

»Bienenstöcke, Bienenhäuser, wie immer du es nennen willst.«

»Stechen dich die Bienen nicht?«

»Bienen werden auf Sanftmut und Ertrag gezüchtet«, erklärte er. »Wenn ich an ihre Waben gehe, räuchere ich sie ein, dann werden sie noch ruhiger. Ich werde nur gestochen, wenn ich mit dem Rasenmäher zu dicht an ihre Stöcke komme. Den Lärm mögen sie nicht.«

Die Gefahr ist ja hier nicht sehr groß, dachte Gitta und betrachtete das hohe Gras.

»Manche Leute schreien schon los, wenn eine Biene über die Hecke fliegt. Aber das macht nichts, damit kommen sie im Verein nicht durch. Bienen sind schließlich ein Teil der Natur, und dafür steht so eine Kolonie.«

»Eine Bienenkolonie?«, fragte Constanze.

»Ja. Und auch eine Laubenkolonie.«

»Kann ich mal dabei sein, wenn du das machst? Wenn du sie einräucherst und Honig erntest?«

Constanze begann von ihrer Bienen-Schul-AG zu erzählen, während Gitta an dem kalten Wein nippte. Der wunderbare Duft von Maiglöckchen drang ihr in die Nase, und sie sah sich um. Ja, direkt unter dem Flieder blühten sie. Das war ja wohl das schönste Unkraut der Welt. Die Kombination von weißem Flieder und weißen Maiglöckchen gefiel ihr ausnehmend. Würde sie ein Frühlingsparfüm kreieren, würden diese beiden Blumen sicher eine Hauptrolle spielen. Ach, sie vermisste ihren grün-weißen Garten immer noch.

Dann fiel ihr etwas ein, und sie sprang auf.

»Ich hab die Schubkarre vor dem Tor stehen lassen. Wir müssen rüber, Constanze.«

Constanze nestelte an ihrem Schlüsselbund und gab ihn Gitta.

»*Du* musst rüber. Ich bleibe noch. Tut mir leid, aber ich will einfach noch mehr über Bienen erfahren.« Sie strahlte Hajo an, er lächelte zurück.

Gitta fragte sich, ob schon allein ein Gespräch über Bienen auf den menschlichen Vermehrungswillen abfärbte, wenn es auch in Constanzes Fall definitiv zu spät war für das Thema Vermehrung. Wo sie doch sonst immer fand, dass die meisten Männer sowieso eher Drohnen waren, wie Gitta wusste. Aber Hajo schien in ihren Augen ein anderer Fall zu sein. Hoffentlich würden sie Constanze nicht dauerhaft ans Nachbargrundstück verlieren!

»Hallo«, rief da schon wieder jemand über die Hecke. »Hajo? Sind sie das, deine neuen Nachbarinnen?«

Hajo und Constanze lösten den Blick voneinander.

»Wollen wir morgen bei mir grillen? Da seid ihr doch sicher auch hier, oder?«, fragte er noch rasch, und Constanze nickte.

Gitta verdrehte die Augen, dann drehten sich ihre Gedanken plötzlich um Lammfilet und Thüringer Rostbratwurst und was am besten dazu passte. Sie war etwas aus der Übung, was rustikales Grillen anging. Aber hey, warum nicht? Die Zeit der teuren Restaurants war sowieso erst einmal vorbei.

»Hallo!« Die Stimme von der Hecke klang schon deutlich ungeduldiger. »Wie lange soll ich denn noch warten?«

»Moment, Udo«, rief Hajo. »Das ist unser großer Vorsitzender«, erklärte er. »Mit dem müsst ihr euch gut stellen.« Er klang deutlich reservierter als während ihres Gesprächs, als er zur Hecke eilte. Constanze und Gitta folgten ihm.

»Ja, das sind sie. Sie haben schon so oft nach dir gefragt«, erklärte Hajo, was eine glatte Lüge war. »Möchtest du reinkommen, Udo? Geht's dir wieder gut?«

»Nein, ich will nicht reinkommen, sondern mit den Neuen reden. Und ja, mir geht's wieder gut, sonst wäre ich wohl nicht hier, sondern immer noch in dieser schrecklichen Reha. Gestern haben sie mich aus dem

Rüdersdorfer Knast entlassen. Aber das neue Knie zwackt noch«, gab der Mann hinter der Hecke mürrisch zurück. Er war klein, auf seiner spiegelblanken Glatze reflektierte das Sonnenlicht, und was auf seinem Kopf an Haaren fehlte, machten seine auffallend buschigen Augenbrauen wett. Udo Melcher trug ein graugrünes, ziemlich abgewetztes Jackett, das ihm das Aussehen eines ungehaltenen, in die Jahre gekommenen Finanzbeamten gab.

Gitta überlegte gerade, ob es möglich wäre, seine Augenbrauen so hochzukämmen, dass sich die Glatze darunter verbergen ließ, als er sich ihr und Constanze zuwandte, sie mit zusammengekniffenen Augen musterte und dann sagte: »Und nun zu euch. Ihr kommt mal gleich in den Garten, damit wir den Bestand aufnehmen können. Ich habe ein paar Unterlagen dabei.«

Bedeutungsvoll klopfte er auf eine braune, abgeschabte Lederaktentasche, die er unter dem Arm trug. Sie wirkte, als ob in ihr die Schicksalspapiere ganzer Schrebergärtnergenerationen durch die Tulpengasse getragen worden wären.

Constanze winkte dem grinsenden Hajo zu, und Gitta kam sich vor wie ein Schulmädchen, und zwar nicht von der munteren, selbstbewussten Sorte, die in Constanzes Umwelt-AG hüpfend und springend den Bienentanz tanzte, sondern eher die demütige, die sich allein beim Anblick des Lehrers schuldig fühlte.

Udo war schon weitergegangen und wartete bereits an ihrer Gartenpforte.

»Wie hieß er noch mal?«, raunte Gitta Constanze zu.

»Hajo«, antwortete sie. »Seinen Nachnamen kenne ich nicht. Noch nicht.«

»Nein! Der Vorsitzende!«

»Udo Melcher«, antwortete Constanze ertappt. »So, jetzt zählt's!«

Gitta fiel auf, wie hoch ihre Ligusterhecke inzwischen war. Sie hatte im Frühjahr mächtig ausgetrieben, aber keine von ihnen hatte Lust verspürt, eine Verlängerungsschnur zu kaufen und mit Roberts blitzscharfem Gerät gegen die Triebe anzukämpfen, die genau in Sichthöhe munter im Wind wippten.

»Und ihr wollt euch nun um den Garten kümmern?«, fragte Udo statt einer Begrüßung, als sie ihn eingeholt hatten. »Dann passt mal auf, dass die Hecke nicht zu hoch wird. So geht das nicht. Das ist gegen die Vorschriften.«

Damit du rüberschauen kannst, dachte Gitta ungehalten, aber sie biss sich gerade noch rechtzeitig auf die Unterlippe. Constanze stieß den Schlüssel etwas zu heftig ins Schlüsselloch und öffnete das Tor. Gitta schob die Schubkarre in den Garten, Constanze holte aus dem Haus rasch noch Kissen, eine Flasche Selters und drei Gläser. Tisch und vier Stühle hatten sie neulich günstig gebraucht erstanden und einen weiteren Sitzplatz vor der Laube, neben dem Eingang zur Veranda, eingerichtet. Bei warmem Wetter war es hier wunderbar. Man konnte so schön das Staudenbeet betrachten.

Udo stand abwartend da, bis er sich schließlich aufatmend an den Tisch setzte, umständlich einen ganzen

Packen Papiere aus der Aktentasche hervorkramte und sie darauflegte. Dann sah er sich um.

»Habt ihr einen Stein?«, fragte er.

»Wie bitte?«, antwortete Gitta, aber Constanze hatte verstanden.

Statt eines Steines nahm sie einen alten, angelaufenen Blumentopf und stellte ihn auf den Stapel, um zu verhindern, dass die Blätter fortflatterten. Trockene Erde rieselte aus dem Topf aufs Papier, hinterließ Sand auf den Kopien.

»Ihr wollt also die Laube haben«, hub Udo an. »So läuft das ja gar nicht. Man kann doch nicht einfach in einen Garten kommen und so tun, als würde er einem gehören.«

»Das haben wir ja auch nicht getan …«, warf Constanze ein, aber er hob die Hand.

»Moment. Ich bin noch nicht fertig. Normalerweise bewirbt man sich beim Bezirksverband.« Er zupfte ein Blatt Papier unter dem Blumentopf hervor, angelte einen Kugelschreiber aus seiner Aktentasche und umkreiste eine Adresse dick. »Hier.« Er schob es Constanze hin. Sie nahm es, ohne draufzuschauen. »Zuerst brauche ich mal eure Namen. Die scheint ja keiner in der Kolonie zu haben.«

»Wie denn auch, wenn sich niemand mit uns in Verbindung gesetzt hat?«, gab Gitta schnippisch zurück und zuckte gleich darauf zusammen, weil Constanze ihr gegen das Bein trat.

Udo Melcher schrieb ihre Namen und Adressen auf, dann sah er von seinen Unterlagen hoch.

»Also, wir machen das jetzt mal so: Ihr beantragt einen Garten beim Bezirksverband. Natürlich werdet ihr keinen bekommen, denn die Wartefrist ist lang. Das ist ausgeschlossen. Aber ihr pflegt diesen Garten nach den Richtlinien unserer Kolonie, und am Ende der Saison schauen wir mal. Wenn ihr sie eingehalten habt, dann *könnte* es was werden.« Die Freundinnen sahen sich an. Dann hatte Erika also recht gehabt. »*Könnte*, habe ich gesagt. Nicht *muss*. Das ist reine Ermessenssache.« Melcher hatte ihren hoffnungsfrohen Blick offenbar richtig gedeutet. »Die Richtlinien findet ihr hier.« Er zupfte wieder ein Papier unter dem Blumentopf hervor. »Wenn wir mit euch einverstanden sind, wird die Parzelle geschätzt. Den Schätzwert müsst ihr Robert bezahlen. Oh, und die Laube hat Übergröße. Ein Zimmer hat der Vorpächter schon abreißen lassen, und da muss noch mehr weg.« Er zeigte auf die verglaste Veranda, ihr Gärtnerinnenzimmer. Constanze holte erschrocken Luft, Gitta sah ganz unglücklich aus. »Aber eins nach dem anderen. Erst mal seid ihr probehalber hier.«

»Das klingt so kompliziert«, sagte Gitta. »All dieses Abgereiße. Eigentlich wollen wir doch nur gärtnern.«

»Warum ist diese Laube so groß? Und das Grundstück?«, fragte Constanze.

»So ganz genau weiß ich das nicht«, gab Melcher zu. »Sie war wohl schon hier, als es noch gar keine Laubenkolonie gab. Was nicht heißt, dass ihr auf Bestandschutz klagen könnt. Das haben schon ganz andere versucht.« Mahnend hob er den Finger, und Constanze nahm sich vor, »Bestandschutz« zu googeln.

»Und was war dann hier, wenn es keine Kolonie war?«

Udo zuckte mit den Schultern. »Vielleicht der Grunewald. Das weiß ich ebenfalls nicht genau. Ein Stückchen weiter hatte die Organisation Todt ihre Baracken. Unter einer der ersten Lauben haben wir sogar einen Keller von der Todt gefunden. Und nach außen zum Grunewald gibt es ein paar niedrige Begrenzungsmauern, die stammen wohl auch von der Organisation Todt.«

»Was war die Organisation Todt?«, fragte Gitta. Der Name kam ihr nur vage bekannt vor.

»Die Bauorganisation der Nazis«, antwortete Melcher.

In diesem Moment klappte die Gartenpforte: Marit. So war es in den letzten Wochen fast jeden Tag gewesen. Sie hatten sich nachmittags getroffen, und zum Schluss war Marit noch dazugekommen, immer mit dem Fahrrad, immer erst kurz nach sechs, nachdem sie ihren Buchladen geschlossen hatte.

»Hey«, rief sie, »ich hab uns etwas zu essen ... Oh.« Sie hatte ihren Gast erblickt.

Gitta räusperte sich. »Das ist Udo Melcher, Marit. Der Vorstand. Er erklärt uns gerade unsere Rechte und Pflichten. Na ja, eigentlich nur unsere Pflichten.«

Marit nickte und lehnte das Fahrrad an die Laubenwand, dann schüttelte sie Melcher die Hand und setzte sich an den Tisch. »Ich bin Marit Pratt, die Dritte hier im Bunde der Laubeninteressierten.«

Udo Melcher sah sie deutlich freundlicher als die

anderen beiden an, vielleicht, weil sie schon grauhaarig war, vielleicht auch, weil sie mit dem Fahrrad gekommen war. Jedenfalls schien er in ihr etwas zu sehen, das er bei den anderen beiden deutlich vermisste.

»Ich habe gerade erklärt, dass ihr eine Chance auf die Laube habt, wenn ihr alle Auflagen erfüllt. Angefangen mit der Gartenbegehung morgen. Die Hecke solltet ihr noch schneiden. Das gibt sonst eine Abmahnung.« Er erhob sich mühsam. »Dann lasse ich euch mal allein. Die Jahrestermine in unserer Kolonie findet ihr alle hier …« Wieder zeigte er auf den Packen Papier.

»Ich kann nicht Skat spielen. Will ich auch nicht«, sagte Gitta halblaut, weil sie sicher war, dass sich auf der Liste unter anderem ein Termin für Preisskat finden würde.

Melcher warf ihr einen scharfen Blick zu. »Wir spielen hier Doppelkopf. Skat wird in der Nachbarkolonie gekloppt. Grundsätzlich wird schon erwartet, dass ihr euch einbringt. Wir sind ja schließlich ein Verein. Laubenbegehung und Wasserablesen haben wir diesmal zusammengelegt. Deshalb morgen der Termin.« Er ließ den Blick kritisch über das Grundstück streifen und strafte damit seine Worte Lügen. »Ich habe jetzt nicht geschaut, aber die kleingärtnerische Nutzung habt ihr im Griff? Alles schon gesetzt und gepflanzt und gesät? Das Flugblatt zur kleingärtnerischen Nutzung legen wir ja jedem Gartenkameraden jedes Jahr in den Briefkasten. Die Leute scheinen nur zu glauben, was sie schwarz auf weiß lesen. Ich sag mal so: Normalerweise haben Neupächter im ersten Jahr noch Welpenschutz.

Da schauen wir nicht genau hin, wie die Gartennutzung ist. In eurem Fall ist das allerdings anders. Ihr wollt uns ja von euch überzeugen. Wenn ihr euch auf die faule Haut legt, wird das garantiert nichts.«

Mit Mühe unterdrückte Gitta eine Schnappatmung. Bedeutete das etwa, dass die strengen Auflagen, von denen Nachbar Hajo gesprochen hatte, doch schon für sie galten?

Marit schaute zu dem eingedellten Briefkasten am Tor. Bis jetzt hatten sie sich nicht die Mühe gemacht, ihn aufzuschließen. Wer sollte ihnen schon was schicken? Sie blickte zu den beiden großen Beeten im vorderen Teil des Gartens, die sie konzentrisch bepflanzt hatten, und nickte eifrig. Constanze runzelte die Stirn. So wie Melcher es formulierte, klang kleingärtnerische Nutzung nicht so, als ob es nur bedeutete, dass man einen Garten kleingärtnerisch nutzte. Es klang wie etwas Großes, Bedrohliches.

»Gut, gut.« Er rieb sich die Hände, wieder an Marit gewandt. »Das sehen wir ja morgen, wie ihr das umgesetzt habt. Hoffen wir mal das Beste, sonst können wir gleich alles vergessen.« Er ging langsam zum Tor.

Marit folgte ihm und schloss es hinter ihm.

»Ich kann auch nicht Doppelkopf«, sagte Gitta, als sie wieder an den Tisch kam. »Ich hab Kartenspiele noch nie gemocht.«

»*Ich will in keinem Haufen raufen, lass mich mit keinem Verein ein*«, sang Marit laut ein altes Lied von Reinhard Mey und stand auf. »Irgendwer Rosé?«

Die anderen beiden nickten, und sie ging ins Haus.

Als Marit mit einer Flasche, Gläsern und Tellern zurückkam – sie aßen in der Laube von Gittas Maria-Weiß-Tellern, sie hatte das zwölfteilige Service kurz entschlossen geteilt –, hatten die anderen bereits das Paket vom Asia-Imbiss ausgepackt: Sushi, Maki-Röllchen, Tekka Maki in Seetang, Avocado wie ein Blatt geschnitten, umgeben von Wasabi-Klecksen und orangefarbenen Ikura-Perlen.

»Lecker«, sagte Constanze. »Danke, Marit! So hübsch. Das sieht aus wie ein klitzekleines blühendes Staudenbeet auf dem Teller.«

Sie griff zu, dann nahm sie die Unterlagen und begann zu lesen. »Oh, hier stehen ja die Termine! Am Samstag ist Gartenbegehung, und das Wasser wird abgelesen. Mitte Juli gibt's dann ein Sommerfest, danach den Doppelkopf-Wettbewerb und Ende September ein Erntedankfest – na, das geht ja noch.«

»Ich frage mich, warum es in der Laubenkolonie kein Fest zum Thema Garten und Pflanzen gibt«, überlegte Marit laut. »Man könnte doch eine interne Staudenbörse veranstalten, einen Blumenbindewettbewerb, ein Sämereientausch zum Herbst, Ausleihe von Gartenbüchern …«

»Schlag das dem Melcher vor. Der hat dich sowieso so interessiert angeschaut«, sagte Gitta. »Heftest du diesen Stapel ab?«

Marit nickte. Sie hatte in der Buchhandlung einen Ordner deponiert, auf dem dick LAUBE stand. Bis jetzt enthielt er nur Rechnungen und den Vertrag, den sie mit Robert geschlossen hatten – dass sie für alle Kosten aufkommen mussten, die entstanden. Nun, jetzt würde wohl noch mehr Papier hinzukommen.

Sie schnappte sich ein Maki-Röllchen, beträufelte es mit Sojasoße und steckte es sich genießerisch in den Mund.

»Moment mal.« Gitta sah von dem Papier auf, das sie gerade las. »Hier steht etwas über kleingärtnerische Nutzung.«

»Davon reden im Moment alle«, sagte Gitta.

Constanze stutzte. »Aber … das kann doch wohl nicht wahr sein.« Sie las laut vor. »*Laut BKleingG muss mindestens ein Drittel der Gesamtgartenfläche dem Anbau von Gartenerzeugnissen für den Eigenbedarf dienen.*«

»Was ist BKleingG?«, fragte Gitta.

»Bundeskleingartengesetz.«

Gitta lachte, wenn auch humorlos. »Quatsch. Dann müssten wir ja hundertfünfzig Quadratmeter Gemüse und Obst anbauen! Bis morgen! Wie soll denn das gehen?«

Marit schaute auf das große Beet auf der linken Seite des Gartens, das im Frühjahr noch erschreckend kahl gewesen war und nun ein Spiegelbild des rechten Beetes war.

»Oh«, sagte sie langsam, »das erklärt natürlich einiges. Da hat Robert wohl letztes Jahr Gemüse angebaut. Gemüse ist einjährig. Das heißt, im Frühjahr ist das Beet immer kahl.« Sie schluckte. »Da hätten wir schon vor ein paar Wochen die Radieschen aussäen müssen, wenn wir morgen zur Gartenbegehung die Auflage erfüllt haben wollen.«

»Zählen die beiden großen Obstbäume hinten zu den hundertfünfzig Quadratmetern dazu? Und der Stachelbeerstrauch? Das würde helfen«, fragte Gitta.

Constanze sprang auf. »Ich frag mal Hajo.« Sie verließ den Garten, und die Freundinnen sahen sie den Weg entlangeilen.

»Wer ist denn Hajo?«, fragte Marit.

»Unser Nachbar. Ein Imker. Constanze ist sehr angetan von ihm. Wir grillen morgen zusammen«, antwortete Gitta knapp. »Das heißt, wenn wir morgen nicht mit Schimpf und Schande aus der Kolonie gejagt werden.« Ein Kloß formte sich in ihrer Kehle, an dem kein Sushi-Häppchen vorbeigleiten wollte.

Tief in Gedanken versunken, was ein Abschied von dem Garten für jede von ihnen bedeuten würde, tranken sie ihren Rosé, bis Constanze zurückgejoggt kam.

Schwer atmend ließ sie sich auf den Gartenstuhl fallen.

»Er hat schallend gelacht darüber, dass wir nicht wussten, was kleingärtnerische Nutzung ist. Konnte es nicht fassen, denn offenbar ist das in jeder Laubenkolonie der größte Streitpunkt. Es ist wohl der Grund, warum damals überhaupt die Schrebergärten angelegt wurden – damit kinderreiche Stadtmenschen etwas Natur und vor allem Gemüse zum Eigenverzehr haben und damit die Kinder etwas über die Natur lernen. Er sagt, dass alles darüber auf dem Zettel steht, den jeder Kleingärtner in seinen Briefkasten gesteckt bekommen hat. Das ist der Hauptgrund, dass es an jedem Garteneingang einen Briefkasten geben muss: Wir sollen alljährlich an die Geschichte der Schrebergärten erinnert werden und daran, dass die Pacht des Grund und Bodens mit der Verpflichtung zur kleingärtnerischen Nutzung Hand in Hand geht.«

»Mist!«, sagte Gitta.

»Ja, Mist, das sagt Hajo auch. Den brauchen wir nämlich unbedingt, um dem mageren Boden überhaupt ein Möhrchen abzuringen«, erwiderte Constanze. »Hajo meint, dass sie für die beiden Obstbäume, die wir hinterm Haus haben, je zehn Quadratmeter berechnen. Beerensträucher berechnen sie mit zwei Quadratmetern. Da könnten wir morgen früh tatsächlich noch ein paar kaufen. Kräuter wären auch gut. Aber so wie das Beet hier aussieht, nehmen sie uns eine kleingärtnerische Nutzung nicht ab. Daran ist Robert anscheinend gescheitert. Sie haben ihn zwar nicht rausgeworfen, nur jedes Jahr bei jeder Begehung mehr Druck gemacht. Das hätte er uns ruhig sagen können!«

»Dazu war er viel zu scharf aufs Geld. Er hatte bestimmt Angst, dass wir den Garten nicht übernehmen, wenn wir das hören. Ich wusste die ganze Zeit, dass die Sache mit der kleingärtnerischen Nutzung einen Haken hat. Das hat Liane sicher damit gemeint, als sie sagte, dass wir ein paar Vorschriften zu beachten haben«, meinte Marit.

Sie ließ sich in den Gartenstuhl zurücksinken, musterte die beiden spärlichen Beete, die Felsenbirne neben dem Haus, die noch immer weiß blühte, den kurzen Rasen, die Austriebe der Ligusterhecke, die dringend geschnitten werden musste. Seltsam, wie so ein bisschen Garten, das noch nicht mal besonders schön war, einem so schnell ans Herz wachsen konnte.

»Mädels, ich glaube, wir haben verloren, bevor es richtig losgeht. Wir hätten in dieser Saison hundertfünfzigprozentige Laubenpieper sein sollen. Was sind wir stattdessen? Keine kleingärtnerischen Nutzer. Und es gibt keinen Welpenschutz für uns.«

Gitta stand auf. »Ich schau mal, ob was im Briefkasten ist.«

Mit gesenktem Kopf ging sie in Richtung Tor. Wo eigentlich das Schloss hätte sein sollen, gab es nur eine kreisrunde Öffnung. Sie steckte den Zeigefinger hinein und zog die Tür auf, da zischte eine aufgescheuchte Blaumeise an ihr vorbei. Ein Nest mit drei kleinen weißen Eiern mit rötlichen Sprengseln lag auf dem Boden des Briefkastens.

»Entschuldigung«, sagte Gitta erschrocken.

Ihr Briefkasten war ein Nistkasten – kein Wunder. Die Vögelchen hatten ja seit Wochen ihre Ruhe, weil sie keinen Gedanken an mögliche Post verschwendet hatten. Was sich im Nachhinein als Kardinalfehler herausgestellt hatte.

An der Rückwand entdeckte sie den Zettel. Vorsichtig, um das Nest nicht zu zerstören, zupfte sie ihn heraus und schloss den Briefkasten behutsam. Auf dem Tisch breitete sie ihn aus und fegte mit der Hand die Hinterlassenschaften der Vögel weg. Dann las sie laut vor:

Liebe Gartenkameradinnen und Gartenkameraden,

*wie jedes Jahr möchten wir Euch hiermit daran erinnern,
dass Ihr Eure Parzellen nicht aus Jux und Tollerei gemie-
tet habt, sondern auch, um den maßgeblichen Gedanken
nach Schreber Folge zu leisten. Im Bundeskleingartengesetz heißt es: »Der Kleingärtner nutzt das Grundstück
zum nichterwerbsmäßig gärtnerischen Anbau, insbe-
sondere zur Gewinnung von Gartenbauerzeugnissen
für den Eigenbedarf und zur Erholung. In der Regel ist
wenigstens ein Drittel der Fläche zum Anbau von Gartenerzeugnissen für den Eigenbedarf zu nutzen.«
Haltet Euch daran, damit wir nicht gezwungen sind,
so viele Abmahnungen wie letztes Jahr zu verschicken.
Unser Ruf als Kleingärtner in Berlin steht auf dem Spiel,
wir definieren uns nicht nur durch hübsche Dahlien
und grünen Rasen, sondern vor allem durch Obst- und
Gemüseanbau. Und über Hecken, die niedrig genug sind,
damit Spaziergänger darüber hinwegschauen können
und nicht glauben, dass sie in einem Labyrinth gelandet
sind! Wir sind schließlich eine Erweiterung des öffentlichen grünen Raumes und wollen den raffgierigen
Investoren in Berlin keine Chance geben, uns zu diskre-
ditieren.
Bei der Gartenbegehung (diesmal erst ab 14:00 Uhr,
nutzt die Zeit) werden wir uns von der Einhaltung der
akkuraten kleingärtnerischen Nutzung ein Bild verschaf-
fen. Der Termin ist relativ früh im Jahr veranschlagt,
aber allemal spät genug, um Euer Engagement zu überprüfen.*

Mit freundlichen Gärtnergrüßen und immer eine Hand-
breit Erde unter der Schaufel!

Euer Vorstand der Kolonie Krötenglück e. V.

»Autoritärer Haufen. Jux und Tollerei«, empörte sich
Constanze. »So habe ich das Gärtnern mit Stauden ja
noch nie gesehen.«

»Aber das ist doch nicht mehr zeitgemäß«, protestierte Gitta. Sie klang verzweifelt. »Ich verstehe es einfach nicht. Wer ernährt sich denn heute noch von seinem
›nichterwerbsmäßig gärtnerischen‹ Anbau?«

»Wir können ja theoretisch bei Aldi Radieschen und
Lauch und Salat kaufen und das alles in die Erde stop-
fen!«, überlegte Constanze laut. »Vielleicht kommen
wir damit durch.«

Marit lachte bitter. »Du spinnst. Bei Aldi haben
Lauch und Salat nicht mal Wurzeln. Die liegen dann
schlapp auf der Erde. Das sieht nicht gut aus. Ich
schlage vor, wir trinken den Rosé aus und essen das
Sushi auf. Und danach …«

»… packen wir unsere Sachen, gehen nach Hause
und weinen?«, fragte Constanze mit belegter Stimme.

»Ganz sicher nicht. Danach pflanzen wir alle Stauden aus dem linken Beet ins rechte, damit das linke
wieder frei wird. Das ist heute unser Abendprogramm.
Vielleicht können wir ja mit dem Vorstand verhandeln
und unser Grünzeug ein paar Wochen später zeigen.«
Marit wirkte immer noch erstaunlich gefasst.

»Glaub ich nicht. Dieser Vorstand ist so … Na ja, eine gute Seite hat es. Das rechte Beet sieht dann nicht mehr so mickrig aus. Aber wie sollen wir denn in einem Tag die Illusion erschaffen, dass wir tatsächlich Gemüse anbauen?«, fragte Gitta ratlos.

»Wir könnten morgen früh ins nächste Gartencenter fahren. Dort kaufen wir alles, was es an vorgezogenen Pflanzen gibt«, sagte Constanze. Kampfgeist erfüllte sie, die zuerst von der Parzelle nichts wissen wollte. Sie würde nicht die Gartenwaffen strecken!

»Heute die Stauden umpflanzen und morgen vorgezogene Gemüsepflanzen in die Erde bringen – ich glaube, das schaffen wir körperlich nicht«, meinte Marit. »Da müssen wir umgraben und Kompost ausbringen, den wir gar nicht haben, und wässern. Auf hundertfünfzig Quadratmetern? Unmöglich.« Sie fischte ihr Handy aus der Tasche. »Ich ruf mal meine Jungs an. Die müssen uns helfen.« Kurz überlegte sie, dann suchte sie eine Nummer aus dem Telefonverzeichnis. »Ich versuch's bei Falk. Der ist der empathischste.«

WhatsApp-Gruppe Pratt Brothers:

Falk: Mamas Datsche in Gefahr! Bis morgen muss das Gemüsebeet stehen! Begehung um 14:00 Uhr!
Friedo: Kleingärtnerische Nutzung! Ein Drittel vom Grundstück muss mit Gemüse und Obst bepflanzt sein!
Jonas: Was für eine Spießernummer. Wie viel qm ist denn ein Drittel?

*Friedo: Gut 150. Aber wegen der Obstbäume und -sträu-
cher geht was ab, also rund 130.*

*Falk: Mama ist echt traurig. Sie und die beiden anderen
müssen sich von ihrer besten Seite zeigen. Sonst bekommen sie keinen Vertrag. Haben den Garten nur auf
Probe. Voll die Erpressung.*

Jonas: Weiß ich. Trotzdem Spießernummer.

*Friedo: Spießernummer hin oder her. Wir müssen Mama
helfen. Wir können sie echt nicht hängen lassen (und wir
wollen auch nicht, dass sie bei unseren Projekten dabei
ist). Nils? NILS?*

*Nils: Ruhig, Bro. Hab was organisiert. Wir treffen uns
in einer halben Stunde in den Prinzessinnengärten am
Moritzplatz. Schafft ihr das?*

Friedo: Na klar.

Falk: Logo.

Jonas: Bin da.

*Nils: F & F, bringt euren Transporter mit. Alle Garten-
geräte, die ihr habt. Habt ihr heute Abend noch was vor?*

Falk: Nö.

Friedo: Nope.

Jonas: Jetzt nicht mehr.

10. Kapitel

Berlin im Juni 1945

In den ersten Tagen nach Kriegsende fühlten wir uns wie unter einer Glocke, ohne Strom, ohne Gas, ohne Wasser aus der Leitung, ohne Radio und ohne Licht, ohne Verkehrsmittel – in einem Vakuum gefangen. Es gab keine Flugblätter mehr, die Albert vom Wasserholen hätte mitbringen können, aber es gab auch noch keine Zeitungen.

Dafür gab es Stille: Keine Sirenen heulten, keine Bomben fielen. Nur die Vögel zwitscherten. Allmählich gewöhnten wir uns wieder daran, in Nachtkleidung zu schlafen und nicht in Straßenkleidung. Die Stiefel blieben in der Kammer, ich trug nur noch die Holzpantinen, weil ich nachts nicht mehr weglaufen musste.

Am 15. Mai hatte die russische Verwaltung die Verdunklung aufgehoben. Es war herrlich, morgens zu erwachen, wenn die Sonne ins Zimmer fiel. Ebenfalls ab dem 15. Mai gab es eine Zeitung, die *Tägliche Rundschau*. Wir lasen sie, um uns zu informieren, auch wenn uns die vielen Informationen über Moskau irritierten. Die Chefredaktion stand unter der Zensur der Russen.

Nach den langen Jahren, in denen die Nazis alles

reguliert, kontrolliert und bewacht hatten, schaute uns niemand mehr direkt auf die Finger. Und erst recht nicht in die Köpfe. Zwar gab es seit dem 18. Mai eine Berliner Städtische Selbstverwaltung und sogar einen vorläufig eingesetzten Oberbürgermeister, der an die Russen berichtete, trotzdem herrschte zunächst Chaos. Albert meinte, Chaos sei Freiheit und es könne nicht zu viel Freiheit geben.

Die Zäune der Organisation Todt wurden eingerissen, in Scharen wanderten erschreckend magere Zwangsarbeiter an der Gärtnerei vorbei, ihre wenigen Habseligkeiten als geknotetes Bündel über die Schulter geworfen. Schweren Schrittes schlurften sie mit kaputten Schuhen die Straße entlang. Ich wünschte ihnen so sehr, dass sie gut nach Hause kamen, wo immer ihr Zuhause auch war, dass es keine unüberwindbaren Grenzen gab, die vorher nicht da gewesen waren, dass ihre Leute noch lebten.

Es gab zwar wieder Lebensmittelkarten, aber zu wenig Essbares, das man hätte verteilen können. Die Menschen standen lange vor Geschäften an, wenn es hieß, es gebe Brot. Was für ein Irrtum, dass die Versorgungslage nach dem Ende des Krieges besser werden würde. Das Gegenteil war der Fall.

Dabei hatten wir es noch gut. Für das Gemüse in der Gärtnerei versuchten wir die besten Bedingungen zu schaffen. Die Pflanzen bekamen Wasser, bevor wir unseren Durst stillten. Wir hatten sogar schon die ersten kleinen Möhren gegessen. Im letzten Herbst hatte Albert Walnüsse von einem Baum ganz hinten auf dem

Grundstück geerntet und getrocknet. Eine Handvoll Nusskerne half gut gegen den Hunger.

Ganz besonders freuten wir uns auf die Erdbeerernte. Die ersten Früchte hatten wir schon gepflückt und sie voller Genuss gegessen, die große Ernte stand kurz bevor. Ich konnte es kaum erwarten. Das Aroma, die Süße, nach so langer Zeit das erste Obst. Wir hatten vor, die Erdbeeren mit etwas Honig einzukochen, in dem großen Topf auf dem Herd.

Unsere Salatpflanzen waren immerhin schon so groß, dass wir regelmäßig Salat essen konnten. Im Gewächshaus hingen kleine grüne Tomaten an den Stängeln, die Stangenbohnen waren aufgegangen und wickelten sich um ihre Rankhilfen. Die Kartoffelpflanzen, ein kleiner Acker hinten auf dem Grundstück, hatten wir hoch angehäufelt, damit sie ja genug Kartoffeln ansetzten. Auf sie freuten wir uns besonders. Eine dicke, fette Kartoffelsuppe, Kartoffelbrei mit Salz und vielleicht sogar Butter – mein Magen knurrte schon bei dem Gedanken daran.

Albert hatte jeden freien Flecken bepflanzt.

Trotzdem hatten auch wir oft Hunger, wenn wir zu Bett gingen. Es gab kaum Brot, kaum Fett, kaum Milch, kein Fleisch, außerdem teilten wir alles mit Lilo und Milan.

Und wir brauchten mehr Saatgut. Jetzt war noch Zeit, um etwas auszusäen. Man munkelte, dass es vor dem Bahnhof Zoo einen Schwarzmarkt gab, und so beschlossen wir, unser Glück dort zu versuchen.

Wir nahmen zwei Gläser Honig, den wir von den

Bienen geerntet hatten. Die Waben hatten wir lange auslaufen lassen müssen, weil sie noch kaum voll gewesen waren. Außerdem hatte Albert ein Säckchen mit Walnüssen dabei.

Oskar kam auch mit. Ich hatte ihm aus einem alten Gürtel ein Halsband genäht, an dem wir eine geflochtene Schnur befestigten. Erst hatten wir ihn nicht haben wollen, jetzt konnten wir uns nicht mehr vorstellen, ohne ihn zu sein. Er folgte uns, wo immer wir in der Gärtnerei hingingen, es war sehr schlimm für ihn, wenn wir in unterschiedliche Richtungen gingen. Dann blieb er genau in der Mitte liegen und sah uns abwechselnd winselnd hinterher.

Zu dritt gingen wir langsam das Trümmerfeld entlang, das früher die Kantstraße gewesen war. Kaum ein Haus war von den Bomben und dem Kampf zwischen den Russen und der Berliner Garnison verschont geblieben.

Albert erzählte mir von eleganten Juweliergeschäften, von Restaurants und Bars, die sich hier vor dem Krieg aneinandergereiht hatten, von dem Kino, in dem er seinen ersten Film angesehen hatte. Aber meine Fantasie reichte nicht aus, mir diesen lang gezogenen Schutthaufen als prächtige Straße vorzustellen.

Trotzdem hatten in den Ruinen bereits wieder Geschäfte geöffnet. An manchen Eingangstüren hingen Schilder: HEUTE KEIN KAFFEE, FLEISCH IST NICHT GEKOMMEN, MEHL ERST MORGEN WIEDER. Auch hier sahen wir viele Menschen, die ihr Hab und Gut hochgestapelt auf Leiterwagen schoben und zogen. Ich fragte mich, wo sie wohl unterkommen würden in diesem zerbombten Berlin, diesem zerbombten Deutschland.

Jedes Mal, wenn ein Militärfahrzeug vorbeifuhr, wichen sie auf der Straße aus und schoben ihre Wagen eilends zur Seite. Und jedes Mal klammerte ich mich an Alberts Arm. Männer in Uniform machten mir Angst. Doch die Soldaten hielten nicht, würdigten uns keines Blickes, brausten die Straße in Richtung Osten entlang.

Vor dem Bahnhof Zoo, von dem nur noch ein nacktes Stahlgerüst übrig geblieben war, waren viele Menschen unterwegs. Zuerst sah alles normal aus – ein hektisches Durcheinander zwischen Trümmerhügeln. Beladene Wagen, sehr wenige Männer in heruntergekommenen Anzügen, die rauchten, viele Frauen mit hochgebundenen Haaren, geflickten Schürzen, Beuteln in der Hand, die wie aus Lumpen gemacht aussahen. Aber je länger wir standen und beobachteten, desto deutlicher zeichnete sich ein Bild ab. Wir bemerkten, wie Leute miteinander sprachen, schnell etwas tauschten, dann hurtig weitergingen, dabei hinter sich sahen, als ob sie befürchteten, beobachtet oder verfolgt zu werden.

»Bleib hier, Lissa«, sagte Albert. Das Säckchen Walnüsse und die beiden Honiggläser hatte er in seinen Jackentaschen verstaut. Er sprach eine Frau ganz in der Nähe an, die aber nur mit den Schultern zuckte. Dann ging er weiter. Ich sah ihm nach, bis er sich in der Masse verlor. Mit Oskar an der Leine wartete ich, bis Albert zurückkehrte. Nun sah auch er sich um, niemand folgte ihm.

»Lass uns gehen«, flüsterte er.

In den Händen hielt er ein kleines, schmutzig graues Stoffbündel, in dem sich etwas bewegte. Oskar reckte sich und versuchte, daran zu schnuppern, Albert zog es weg.

»Was hast du bekommen?«, fragte ich.

»Tabaksamen, Samen für schwarzen Rettich und Rote Beete«, erwiderte er und klopfte sich auf die Jackentasche.

»Und was ist darin?« Ich zeigte auf das zuckende Bündel.

»Nicht jetzt«, antwortete er. »Später.«

Wir gingen denselben Weg zurück. Bis zur Gärtnerei waren es bestimmt vier Kilometer. Albert schlug ein rasches Tempo an, und als wir die Harbigstraße erreichten, humpelte er wieder sehr stark. Der Schweiß stand ihm auf der Stirn, und ich machte mir Sorgen. Statt etwas für die Gärtnerei auf dem Schwarzmarkt zu suchen, hätten wir lieber nach Medikamenten fragen sollen. Na ja, wahrscheinlich hätten wir eh nichts gefunden.

Und dann sahen wir, dass der Zaun niedergerissen worden war. Er sah aus wie aus der Verankerung gebrochen, das Zaunstück war auf die Straße geworfen worden.

Mein Herz stolperte, ich fasste an meine Brust, um es zu beruhigen. Alberts ohnehin hageres Gesicht sah plötzlich aus wie aus Holz geschnitzt. Seine Miene war unbeweglich.

Oskar knurrte.

Zögernd traten wir über das verbogene Metall, das auf dem Boden lag, langsam gingen wir zum Haus. Die Tür war verschlossen. Ich atmete erleichtert auf. Unser Hab und Gut war sicher. Wir waren sicher.

Doch Albert schaute in Richtung Garten.

»Die Pflanzen«, sagte er und drehte sich zum Grundstück. »O Gott, unsere Pflanzen.«

So schnell er nach dem langen Marsch konnte, humpelte er zur Anbaufläche, wo auf den ersten Blick alles genauso aussah, wie wir es verlassen hatten. Aber auf den zweiten Blick fehlte das Rot, das vorhin noch zwischen dem Grün geleuchtet hatte, auf das ich mich so sehr gefreut hatte. Jemand hatte alle reifen Erdbeeren geerntet, selbst die, die erst zur Hälfte rot gewesen waren.

Viele der Salatköpfe waren weg. Auch von den klitzekleinen Möhren fehlte einiges. Jemand hatte die Hälfte der ersten Reihe herausgerissen, bis er eingesehen hatte, dass er davon nicht satt werden würde. Der Lauch war abgeschnitten, obwohl er nicht mal so dick wie mein kleiner Finger war.

In den Reihen der angehäufelten Kartoffeln hatte jemand ebenfalls angefangen zu wühlen, aber wohl nichts gefunden. Oder er war gestört worden.

»Unser Gemüse«, sagte ich und fing an zu weinen. Ich dachte an die viele Arbeit, an die kleinen Pflanzen, die in den letzten Wochen so gewachsen waren. An die Erdbeeren, auf die ich mich gefreut hatte. Ich fühlte mich verraten.

»Sie haben sich einfach genommen, was wir gehegt

und gepflegt haben. Das, was wächst, ist jetzt mehr wert als alles andere.« Albert wandte den Blick von den geschändeten Beeten ab. »Was ist mit den Bienen? Kannst du mal nach den Bienen sehen, Lissa?«

Ich rannte in den hinteren Teil des Gartens.

Die Bienenstöcke waren unversehrt. Die Bienen schwirrten auf der Blumenwiese umher. Ich rannte zurück. »Sie sind unbeschadet«, sagte ich.

Albert nickte bloß. »Das darf uns nicht noch mal passieren. Wir können die Gärtnerei nicht mehr zusammen verlassen«, sagte er. Dann blickte er sich um.

»Wo ist die Schubkarre?«, fragte er alarmiert. »Ich habe sie vorhin am Gewächshaus abgestellt.« Da stand sie nicht mehr. »Sie haben uns auch die Schubkarre gestohlen!«

Ich spürte seine Wut mehr, als dass ich sie sah. Unsere gute alte Schubkarre, mit der wir alles Schwere transportiert hatten, mit der sie vielleicht unsere Erdbeeren, unseren Salat, unsere Möhren abtransportiert hatten … Das war wirklich schlimm.

Wir schauten beide auf Oskar.

»Er muss ab jetzt draußen bleiben. Morgen bekommt er eine Hundehütte«, entschied Albert.

»Glaubst du, er vertreibt Einbrecher?«, fragte ich. »Dazu ist er doch viel zu lieb.«

»Er wird bellen, wenn jemand kommt, und damit die Einbrecher vertreiben«, erwiderte Albert.

Wir richteten den Zaun notdürftig her, wie Albert es schon nach den Übergriffen der Russen gemacht hatte. »Morgen suche ich nach mehr Material«, sagte er.

Als wir zum Haus gingen, scheuchten wir Oskar, der uns wie immer folgte, zurück in Richtung Grundstück.

»Pass auf«, befahl Albert ihm. »Schlag an, wenn du irgendwen witterst. Geh!« Oskar winselte.

Auf dem Küchentisch entknotete Albert das Tuch. Darin lagen zwei kleine Kaninchen, eines schwarz-weiß, das andere braun-weiß. Ängstlich duckten sie sich. Vorsichtig nahm ich das braun-weiße Tier in die Hand, spürte sein weiches, seidiges Fell, das sanfte Schnuppern seiner Nase auf meiner Haut. Ich streichelte es mit dem Zeigefinger, und es kauerte sich in die Höhlung meiner Hand, als wäre mein Finger ein Raubvogel.

»Wir werden sie mit Löwenzahn großziehen. Zwei gut genährte Kaninchen, das wird uns irgendwann helfen«, bestimmte Albert.

Gut genährte Kaninchen – ich mochte nicht an das Ende der kleinen Kerle denken. Wir hatten in Oderberg, noch vor dem Krieg, Kaninchen gehabt, aber wenn Mutti im Winter den Braten auf den Tisch gebracht hatte, hatte ich nichts davon gegessen.

»Wollen wir sie im Schuppen unterbringen?«, fragte ich zögernd.

Albert sah mich abwägend an. »Lieber im Haus. Nach dem, was heute passiert ist.«

Wir nannten sie Hinz und Kunz, und sie bezogen in einem notdürftig zusammengenagelten Käfig die kleine Kammer, in der ich die ersten Nächte geschlafen hatte. Jedes Mal, wenn ich den Raum betrat, sprangen sie mit einem klopfenden Geräusch, das ihre kleinen Pfoten auf dem Holz machten, auf. Sie aßen den

Löwenzahn, den ich ihnen hinhielt, zogen Stängel für Stängel durch das Drahtgeflecht. Ich mochte, wie sich ihre Nasen auf- und abbewegten, wenn sie schnupperten, ich mochte ihre blanken braunen Knopfaugen.

Als ich am nächsten Tag den Abstellraum betrat, um die Kaninchen zu füttern, roch es darin bereits nach tierischen Ausscheidungen.

Auf einmal stellte ich mir vor, wie es sein würde, wenn sie geschlachtet wurden. Ich meinte, den metallischen Geruch von Blut wahrzunehmen, frisch und rot und pulsierend, hörte schrilles Todespfeifen, spürte das letzte Zucken, das Krampfen unter ihrem weichen Fell.

Ich schluckte. Mir wurde schlecht, mein Magen zog sich zusammen, und ich rannte, noch das Büschel Löwenzahn in der Hand, nach draußen. Bis zum Klo schaffte ich es nicht mehr, sondern nur noch bis zur Wiese, wo ich mich gekrümmt übergab. Alles, was ich an diesem Morgen gegessen hatte, würgte ich hervor. Viel war es nicht, weil mir schon beim Aufwachen übel gewesen war, eine Suppe aus Möhren und Petersilie, Brot – mehr hatten wir nicht. Ich wischte mir über den Mund und lehnte mich zitternd gegen den Stamm eines Apfelbaums.

»Hilf mir«, flüsterte ich und streichelte die Rinde. »Das darf jetzt nicht sein. Das passt nicht in mein Leben. Alles ist so unsicher.«

Aber natürlich konnte mir der alte Apfelbaum nicht helfen. Ich hatte schon seit ein paar Wochen unruhig auf meine Periode gewartet, die nicht gekommen war.

Ich war schwanger.

Während ich noch dort stand und versuchte, mir auszumalen, was auf mich zukommen würde, hörte ich Stimmen auf der Straße. Sofort wurde ich unruhig, die Angst, wenn ich allein auf dem Grundstück war, hatte sich noch immer nicht gelegt.

Aber dann trat Albert ums Haus. Er war sofort nach dem Frühstück verschwunden, um Material zu sammeln, das er für die Verstärkung des Zaunes nutzen konnte. Es war mühsam für ihn, die einzelnen großen Teile, verbogenes Metall oder Drahtgeflecht hinter sich herzuziehen, die schweren Steine zu transportieren. Der Mörtel biss in die Haut, Alberts verwundete Hand hatte kaum Kraft, und einhändig konnte er nicht gut tragen. Schon jetzt vermissten wir die Schubkarre schmerzlich.

Wie immer folgte ihm Oskar auf dem Fuß, und dieses Mal war auch Milan dabei. Zu zweit trugen sie einen zersplitterten Balken auf ihren Schultern, Albert mühsam und hinkend, Milan, als wäre es das Leichteste auf der Welt.

Wir hatten ihn seit der Kapitulation Deutschlands am 8. Mai oft gesehen. Er half uns, und wir brauchten seine körperliche Stärke ebenso wie seine Freundschaft. Noch immer wohnte er in Lilos Haus. Seine Wohnung in der Danckelmannstraße war ausgebombt, nur die Werkstatt im Hinterhaus stand noch. Manchmal ging er dorthin, breit und haarig und stark wie ein Bär, und setzte sich einfach auf einen Stuhl, um das anzuschauen, was von seinen alten Gerätschaften übrig geblieben war. Offenbar hatten die Russen den Brenn-ofen für die Kacheln nicht mitgenommen. Was unge-wöhnlich war, denn sonst hatten sie sehr viel in Berlin demontiert, um es in Russland zu nutzen – Kriegs-beute. Vielleicht war der Ofen ihnen auch zu schwer gewesen. Jedenfalls gab allein der Anblick Milan Kraft, an die Zukunft zu glauben, das erzählte er uns. »Meine Stunde kommt noch«, pflegte er zu sagen. »Dann werde ich vom Angeklagten zum Kläger. Sie werden anhören, was die Nazis mit denen gemacht haben, die anders dachten als sie. Sie werden sie bestrafen.«

Seine Angst war einer maßlosen Hoffnung auf eine gute, gerechte Zukunft gewichen. Seine ungefilterten Gefühle flößten mir Furcht ein, aber so war Milan eben.

Und außerdem brannte er darauf, wieder zu arbei-ten. Sieben Jahre Untätigkeit waren für diesen großen, kräftigen Mann schwer zu ertragen gewesen. Jetzt war er wie ein Stier, der endlich auf die Weide in die Sonne durfte und nicht wusste, wohin mit seiner Kraft.

Dass er jetzt mit Albert aus den Trümmerfeldern Material für den Zaun holen konnte, war für ihn sicher schwere Arbeit, aber zugleich auch eine Erlösung. Immer noch an den Baum gelehnt, beobachtete ich, wie sie den gesplitterten Balken zu Boden sinken ließen. Milan winkte mir zu und ging, um noch mehr Mate-rial zu suchen.

Albert dagegen hinkte auf mich zu, so schnell, wie es sein kaputtes Bein zuließ.

»Was ist passiert, Lissa? Waren sie wieder hier? Haben sie dir was getan?«, fragte er.

»Warum fragst du das, Albert?«, wollte ich wissen.

»Du bist kreideweiß, dir steht der Schweiß auf der Stirn, und du zitterst. So sahst du aus, als ich dich aus dem Kartoffelkeller gehoben habe.«

Er zog mich an sich. Wegen der schweren Arbeit roch er stark nach Schweiß, aber von diesem Geruch wurde mir nicht schlecht.

Ich stieß mich leicht von seiner Brust ab, um ihm bei dem, was ich ihm sagen würde, ins Gesicht sehen zu können, dann nahm ich aus einem Impuls heraus seine Hand und legte sie mir auf den Bauch.

»Ich bekomme ein Kind, Albert. Wir bekommen ein Kind«, sagte ich. »Es tut mir leid.«

Ich hoffte so sehr, dass er mich nicht verstieß, mich nicht beschimpfte, mich nicht von sich wies, weil das, was jetzt kommen würde, nichts leichter und alles schwerer machte.

Zuerst schaute er mich regungslos an. Dann lächelte er. »Das muss dir doch nicht leidtun. Wir werden es schaffen, Lissa. Irgendwie wird es gehen.«

»Ja, irgendwie wird es gehen.«

Der Stein auf meinem Herzen begann zu fallen. Aber ich registrierte, dass Albert kein Wort von Heirat gesagt hatte. Nicht in diesem Moment und auch nicht in den folgenden Tagen.

Geschätzte Marijke,
ich schreibe Dir diesen Brief in der Hoffnung, dass er
Dich bei bester Gesundheit erreicht und dass es Dir bei

Deinen Eltern gut geht. Der Krieg ist nun vorbei, auch wenn es die Notzeiten in Deutschland noch lange nicht sind. Seit Du mich verlassen hast, weil wir uns voneinander entfremdet haben, ist viel passiert. Die Gärtnerei führe ich weiter, so gut es mit meinen nicht unerheblichen Verletzungen geht.

Seit Anfang des Jahres lebt ~~eine Helferin~~ eine Frau bei mir. Sie hilft mir bei der Arbeit in der Gärtnerei, sie ist jung und gesund, und wir sind ein Paar geworden. Deshalb möchte ich Dich um die Scheidung bitten. Ich verstehe, wenn es sich nicht sofort umsetzen lässt, zumal wir in Berlin geheiratet haben und dort auch die Scheidung stattfinden muss. Aber ich denke, es ist an der Zeit, unsere Ehe aufzulösen. Dein Einverständnis voraussetzend, werde ich Dir schnellstmöglich die entsprechenden Unterlagen senden.

Mit Grüßen aus Berlin
Albert

Als ich den Brief an Marijke adressiert auf dem Tisch sah, plagte mich die Neugier sehr. Aber Albert machte keine Anstalten, mir den Inhalt zu verraten, und ich fragte nicht.

Ich vertraute ihm einfach. Er wusste, dass wir ein Kind bekamen. Er würde dafür sorgen, auch wenn wir in einer Zeit lebten, in der man kaum für sich selbst sorgen konnte.

11. Kapitel

Berlin im Mai, Gegenwart

»Leo, pass auf. Die Reihen stehen viel zu dicht in euren Kisten hier, lass dir das von einem gewieften Garten- und Landschaftsarchitekten sagen. Versteh ich ja, ihr wolltet das Saatgut nicht wegwerfen, und es ist einfach cool, wenn die Saat aufgeht. Da will man die kleinen Pflanzen nicht auf den Kompost werfen. Aber so geht das nicht, und ich hab eine Idee.« Nils verschränkte die Arme. »Meine Brüder und ich, wir brauchen nämlich dringend Gemüsepflanzen für die Datsche unserer Mutter. Und eure Pflänzchen wären ideal. Sie sind schon so weit gewachsen, dass wir sie gut rausnehmen und umpflanzen können, das Wurzelwerk ist ausgebildet. Für uns alle ist das eine Win-win-Situation, verstehst du? Eure Pflanzen gedeihen viel besser, wenn sie etwas mehr Platz haben – und wir haben eine glückliche Mutter. Also, Leo! Was können wir nehmen?«

Leo war an diesem Abend für die Prinzessinnengärten am Moritzplatz verantwortlich. Er war ein guter Freund von Nils, sie teilten die Leidenschaft für alles Grüne im urbanen Raum – und besonders für den mobilen Stadtgarten in Kreuzberg.

Nils wusste, dass Leo heimlich von vertikalen Gärten träumte. Was Christo vor Jahren mit dem Reichstagsgebäude mit Plastikbahnen veranstaltet hatte, würde Leo liebend gern mit Pflanzen tun. Und bis es so weit war, engagierte er sich eben in den Prinzessinnengärten. Jede freie Minute verbrachte er hier.

Leo wollte sich nicht von den Pflanzen trennen, aber da hatte er seine Rechnung nicht mit Nils gemacht. Denn der konnte Pinguinen einen Kühlschrank verkaufen, hieß es in der Familie Pratt. Nils hatte es sogar einmal geschafft, seinem Bruder Jonas unter dem Weihnachtsbaum die Playstation abzuluchsen, die Jonas sich mehr gewünscht hatte als alles andere auf der Welt.

»Mir tut es irgendwie weh, die Pflanzen rauszunehmen«, erklärte Leo den vier Brüdern nun zum x-ten Mal.

»Aber es geht kein Weg drum rum, Leo! Verziehen musst du sie in jedem Fall. Wenn wir sie nicht mitnehmen, verdammst du sie hartherzig zum Tod. Das muss dir doch klar sein.«

Mit Engelszungen sprach Nils seit fünf Minuten auf Leo ein, während seine Brüder zunehmend ungeduldig hinter ihm standen. Falk und Friedo ließen abwechselnd die Knöchel ihrer stämmigen Handwerkerfinger knacken, eine martialische Drohgebärde, die überflüssig war und ihnen strenge Blicke von Jonas einbrachte.

Die Zeit drängte. Sie hatten einen Plan. Aber der erste Schritt war es, noch an diesem Abend Pflanzen aufzutreiben, viele Pflanzen, je mehr, desto besser. Was von Leo abhängig war, der sich unglaublich zierte.

Nils machte einen weiteren Vorstoß. »Die Pflanzen,

die wir mitnehmen, kommen in echte Erde«, erklärte er. »Ich meine … nicht dass sie es hier schlecht hätten«, fügte er beschwichtigend hinzu.

Die Pflanzen in den Prinzessinnengärten befanden sich in ausrangierten Bäckerkisten, Tetra Paks und Reissäcken, was den Garten mobil machte. In vielen Pflanzgefäßen herrschte tatsächlich ziemliche Enge.

»Schau mal, die Pflanzen fühlen sich hier bestimmt wie Hühner in einer Legebatterie. Die *träumen* bestimmt von mehr Platz in der Erde! Komm, erfüll ihnen ihren Traum, heute Abend noch. Ich schwöre dir, dass sie bei unserer Mutter in der Kolonie großartig gedeihen werden. Sie haben da Licht und Luft und Nährstoffe und Wasser und … Freiheit.«

Gut, das war jetzt ein bisschen übertrieben, musste Nils insgeheim selbst zugeben. Aber dann sah er, dass seine Brüder ihn bewundernd anschauten. Und viel besser noch: Leo nickte zustimmend.

Nils atmete erleichtert auf.

»Sponsert ihr dann ein bisschen die Prinzessinnengärten?«, fragte Leo. Alle vier nickten bereitwillig. Leo hatte ja nicht gesagt, wie viel sie spenden mussten.

»Na gut. Kommt mit.«

Die Zwillinge nahmen die beiden Kisten hoch, die sie mitgebracht hatten. Leo ging vorneweg und hob mit einem Holzspatel vorsichtig einzelne Pflanzen aus den Gefäßen.

»Das hier ist Romanesco«, erklärte er. »Und hier haben wir es mal mit Gelber Bete versucht. Sie sind schön wüchsig.« Er legte die Pflanzen in die erste Kiste.

Jonas sortierte sie und kritzelte die Namen auf Zettel-chen, die er dazulegte.

»Hier ist eine Tromboncino d'Albenga. Zucchini. Aber davon kann ich euch echt nur eine geben. Ach, na komm, dann eben zwei. Hier habt ihr acht Pflanzen von dem Butterkohl und hier vier Blaukohlpflänzchen. Und das da sind Blaugurken. Pflanzt sie mit ordentlich viel Abstand. Sie werden bis zu drei Meter hoch.«

»Was macht man mit denen?«, fragte Friedo.

»Man isst die blauen Früchte, die an dem Strauch hängen. In China heißen sie Katzenkotgurke.«

»Na toll«, murmelte Falk. »Auf den Gurkensalat freu ich mich schon. Katzenscheiße mit Dill.«

Leos Enthusiasmus war nun nicht mehr zu brem-sen. »Hier, das sind Hörnchenkürbisse. Davon haben wir wirklich zu viele angebaut. Da kann ich euch einen ganzen Schwung abtreten. Nehmt auch noch vom Hirschhornwegerich.«

»Habt ihr nichts Normales?«, wollte Jonas wissen und schrieb *Hirschhornwegerich* auf einen weiteren Zettel.

Leo überlegte. »Vielleicht Erdbeerspinat?«

»Das klingt, als ob die Pflanze schizophren wäre und sich nicht entscheiden könnte, was sie nun werden will«, maulte Falk, und Friedo grinste. »Den nehmen wir auch gern.«

Und schon lagen mehrere Erdbeerspinatpflanzen in der zweiten Kiste, denn die erste war inzwischen rand-voll mit Setzlingen. Ihnen folgten noch Roter Spitzkohl, Malabarspinat, Gartenmelde und Cardy.

»Den Cardy müsst ihr bleichen, wenn er groß genug ist«, sagte Leo und streichelte die kleinen, zarten Blätter liebevoll. »Am besten erst im dritten Jahr, unter einer Tonglocke. Dann können die Stiele als Gemüse gegessen werden.«

»Was passiert denn, wenn man sie nicht bleicht?«, fragte Falk.

»Er wird gallebitter und nicht zart genug«, erläuterte Leo. »Man macht das so: Man erntet die gebleichten Stängel, muss allerdings unbedingt die Fäden außen abziehen. Gekocht schmecken sie ein bisschen wie Artischocke. Wie gesagt, erst im dritten Jahr, und einen Quadratmeter Fläche braucht jede Pflanze bestimmt. Ihr müsst den Boden auf jeden Fall mit Brennnesseljauche düngen. Wie ihr die ansetzt, wisst ihr?«

Jonas nickte, aber überkreuzte dabei Zeige- und Mittelfinger hinter seinem Rücken.

»Wir könnten ja einfach draufpinkeln«, flüsterte Friedo Falk zu.

»Jungs, wir haben es«, rief Nils, nachdem Leo noch mehr rausgerückt hatte, und inspizierte die beiden übervollen Kisten, die die Zwillinge trugen. Dann schaute er zu den hohen Häusern, die rund um den Moritzplatz standen. Die Sonne stand bereits tief. »Wir haben noch zu tun! Danke, Leo.«

»Die Spende.« Leo hielt die Hand auf, und seufzend kramten alle nach ihren Portemonnaies.

»Vierzig Euro für die Prinzessinnengärten«, zählte Leo vergnügt. »Braucht ihr eine Spendenquittung?«

»Ganz sicher nicht. Wir brauchen nur Zeit. Und die

ist gerade knapp«, erwiderte Nils. »Los geht's.« Das sagte er zu seinen Brüdern.

»Zum Strebergarten?«

»Nein. Zuerst noch nach Wannsee. Zum Don-Bosco-Steig. Da können wir ein paar Wannen Pferdemist abholen. Das hab ich arrangiert. Die Babys hier sollen ja gut wachsen und gedeihen.«

Eine Stunde später fuhr der Ford Transit rasant auf den Parkplatz der Kolonie Krötenglück und hielt mit quietschenden Bremsen. Die Türen wurden aufgerissen, Werkzeuge, Pflanzenkisten, zwei Wannen mit Pferdemist gegriffen.

Manche Schrebergärtner, die noch im Schummerlicht in ihren Gärten beschäftigt waren, sahen den vier schwer beladenen jungen Männern hinterher. Wie Urban Cowboys gingen sie mit wiegenden Schritten den Weg entlang, zwischen sich die Wannen, auf denen die Kisten standen, so unterschiedlich und sich doch in ihren Bewegungen so ähnlich, wie es nur Brüder sein konnten.

Die Wahl ihrer Waffen waren Gartengeräte, das Ziel die Freiheit der kleinen Setzlinge.

»Das ist Mamas Parzelle.« Falk blieb stehen. »Ist anscheinend keiner mehr da. Wollen wir sie anrufen?«

»Nein«, bestimmte Nils. »Wir bringen die Babys in die Erde. Das wird morgen eine Überraschung.«

»Wie kommen wir denn rein?«, fragte Jonas. Das Tor war verschlossen.

»So«, antwortete Friedo, hob die Pforte aus den

Angeln, sodass sich der Riegel aus dem Schloss löste, und lehnte sie ordentlich gegen die Ligusterhecke.

»Das ist eine ganze Menge«, meinte Constanze am nächsten Morgen und schaute in den Wagen, den sie im Gartencenter vor sich herschob.

»Schaffen wir das heute überhaupt noch einzupflanzen?«

Sie sah auf die Uhr. Es war kurz vor zehn, um neun hatte das Gartencenter geöffnet, aber ehe sie sich geeinigt hatten, was sie genau anbauen wollten und vor allem, bevor sie gesichtet hatten, was das Gartencenter überhaupt vorrätig hatte, war einiges an Zeit vergangen.

Bis zwei hatten sie Zeit, bis zwei Uhr ... es war wie ein Gartenmantra.

»Niemals schaffen wir das. Aber wir versuchen es zumindest«, meinte Gitta. »Mehr bekommen wir sowieso nicht in mein Auto. Auf zur Kasse.«

Für zwei Kisten mit Salatsetzlingen, Rotkohl, Spitzkohl und Weißkohl, Sellerie, Lauch, einige Tomatenpflanzen, acht Kräutertöpfe, zwei Johannisbeer-, zwei Himbeer-, zwei Stachelbeer- und einen Brombeerstrauch zahlten sie vierundneunzig Euro und vierunddreißig Cent.

»Das ist ein teurer Spaß«, fand Constanze. »Nächstes Jahr müssen wir aussäen und vorziehen. Dann haben wir jede Menge Setzlinge, und es ist viel günstiger. Vielleicht gibt Hajo uns ja auch ein paar ab.«

»Noch ein Grund mehr, sich gut mit ihm zu stellen«,

sagte Gitta süffisant. »Honig und Pflanzen. Klingt wie *Brot und Tulpen*.«

Marit lächelte verzückt. »So ein schöner Film. Wenn es für uns überhaupt ein nächstes Jahr gibt! Wir müssen heute alles dransetzen, damit der Vorstand wenigstens unseren guten Vorsatz sieht. Das oder keine Parzelle.« Sie tippte auf ihrem Handy herum. »Ich versuche schon die ganze Zeit, die Jungs anzurufen. Sie wissen doch, dass wir heute ihre Hilfe brauchen! Aber keiner von den vieren geht ans Telefon.«

»Vielleicht sind sie schon im Garten und warten auf uns«, mutmaßte Constanze, als Gitta ihren Wagen aufschloss.

»Träum weiter. Die stehen doch nicht freiwillig früh am Wochenende auf, um irgendwo auf mich zu warten«, antwortete Marit. »Niemals. Außerdem haben sie keinen Schlüssel für das Tor. Ich finde es trotzdem merkwürdig, dass ich niemanden erreiche. Nils ist ja immer wegen Luzie und Mathilda früh wach. Autsch!«

Sie versuchte gerade, eine wehrhafte Stachelbeere im Kofferraum unterzubringen, und ein Dorn war ihr tief in den Zeigefinger gefahren. Sie lutschte das Blut weg. »Wehe, die lassen mich hängen! Wenn sie das tun …«

»Was machst du dann?«, fragte Constanze gespannt. Kinderlos, wie sie war, hätte sie nie gewusst, wo man den Hebel ansetzt. Und den eigenen Kindern eine schlechte Note geben würde sicher nicht viel helfen.

»Dann verweigere ich ihnen die Weihnachtsgans! Können sie sehen, wo sie eine herbekommen«, beendete Marit die Drohung verärgert. »Das wird ihnen leidtun! Ewig! Ich wird ihnen das ganze Fest verderben. Ha!«

»Die Rache der erbosten Mutter«, murmelte Gitta. »Marit, kannst du bitte noch zwei Himbeersträucher auf den Schoß nehmen? Mehr bekomme ich nicht in den Kofferraum.«

Immer noch ärgerlich über die Unerreichbarkeit ihrer Söhne setzte Marit sich auf die Rückbank. Neben ihr standen bereits die Kräutertöpfe dicht an dicht. Sie nahm von Gitta die Himbeergehölze entgegen und platzierte sie wie zwei kleine holzige Enkelkinder auf ihrem Schoß.

Die frischen hellgrünen Blätter, die dicht auf den kahlen rotbraunen Stämmchen und Zweigen saßen, kitzelten sie im Gesicht, aber stoisch hielt sie es aus.

Was war schon ein bisschen Nasenkitzeln gegen die Enttäuschung, von ihren Söhnen im Stich gelassen zu werden! Hatte sie gestern nicht Falk deutlich gesagt, wie viel daran hing, an diesem Morgen zusammen das Gemüsebeet zu bepflanzen? Dass genau dieser Tag die Entscheidung bringen konnte, ob sie in Zukunft einen Garten haben würden oder nicht? Es sah so schrecklich nackt auf dem linken Beet aus, seit sie, Constanze und Gitta am Abend zuvor noch die Stauden und Sommersetzlinge in das rechte Beet umgepflanzt hatten.

Plötzlich wich ihr Ärger Tränen. Sie wusste, dass sie ihren Söhnen nicht die Last aufbürden sollte, sie wie Partner zu unterstützen, weil sie verwitwet war. Aber damit hatte das nichts zu tun. Den Gefallen hätten sie ihr tun müssen, egal, ob es nun einen Mann in ihrem

Leben gab oder nicht. Es war bitter, dass ihre Söhne nicht verstanden, wie wichtig das für sie war. War das etwa die Quittung, die sie für ihre Erziehung bekam? Hatte sie ihre Söhne zu Egomanen erzogen?

Hinter den Himbeersträuchern versteckt, schniefte sie auf der Rückbank leise vor sich hin. Aber natürlich nicht leise genug. Marits Freundinnen hatten gute Ohren.

Ein weißes Tempotaschentuch wehte durch das frische Blätterwerk, und Marit griff danach. Sie schnäuzte sich die Nase, Gitta warf einen Blick in den Rückspiegel, lächelte ihr kurz zu und fuhr dann los.

Um Viertel nach zehn waren sie auf dem Parkplatz der Kolonie Krötenglück. Viele Autos der Kleingärtner standen dort, was nicht überraschte. Vor der Gartenbegehung waren sicher überall noch Last-minute-Verbesserungen erforderlich.

Hinter den Himbeeren spähte Marit hervor und hoffte, irgendwo den Ford Transit der Zwillinge zu sehen. Aber wieder wurde sie enttäuscht. Verbissen wartete sie, bis Constanze ihr die Pflanzen abnahm, dann hievte sie sich selbst aus dem Wagen und blieb mit hängenden Schultern stehen.

»Soll ich die Schubkarre holen, oder schaffen wir es, alle Pflanzen zu tragen?«, fragte Constanze und sah sich um.

Um den Wagen herum hatten sie die Pflanzen gestellt, die sie während der Fahrt auf dem Schoß gehalten hatten. Es sah aus, als ob der zarte Lauch durch den

Asphalt gewachsen wäre, als ob roter Salbei, Zitronen-
thymian und Origanum durch Ritzen im Boden gewu-
chert wären.

»Lasst uns nehmen, was geht, den Rest stellen wir
zurück in den Wagen und holen ihn nachher mit der
Schubkarre«, bestimmte Gitta. Sie bückte sich und griff
sich die Kiste mit den Salatpflanzen. »Nehmt die Kohl-
pflänzchen, den Lauch und den Sellerie. Damit bekommen wir ein paar Reihen voll. Oder zumindest eine.«
Sie seufzte. Zu dritt machten sie sich auf den Weg.

Bildeten sie es sich nur ein, oder schauten die anderen Schrebergärtner sie merkwürdig an, wie sie mit
den vorgezogenen Pflanzen den Weg entlangeilten?

Sie ließen sich nichts anmerken, gingen hocherhobenen Kopfes auf ihr Laubengrundstück zu. Oder zumindest auf das Laubengrundstück, das sie irgendwann
als ihres bezeichnen könnten, wenn sie nicht nach dem
heutigen Tag von der Liste der potenziellen Bewerber
gestrichen würden. Weil sie zu wenige Nutzpflanzen
angebaut hatten.

Allmählich kam das Dach mit dem Giebel in Sicht, in
dem sie immer noch nicht geschlafen hatten, die ausge-
triebene Ligusterhecke – die musste heute ja auch noch
geschnitten werden, das hatten sie ja völlig vergessen!
Das durften sie nicht vergessen, die Zeit mussten sie
sich nehmen. Dann die Pforte, der Blick fiel auf das
rechte Beet, nun so üppig bepflanzt, der Blick fiel auf
das linke Beet, so leer, so schrecklich leer …

»Nein«, sagte Marit und blieb regungslos stehen.
»Das gibt's doch nicht.«

Gitta rang nach Atem und lehnte sich mitsamt der Kiste gegen das Tor. »Kneift mich«, flüsterte sie.

Constanze sagte gar nichts, aber sie hatte den Mund geöffnet, und es sah nicht so aus, als würde sie ihn in nächster Zeit wieder schließen.

Denn das linke Beet, die verräterische Brachfläche, lag nicht länger brach. Ganz im Gegenteil.

Es war komplett umgegraben und Reihe für Reihe schnurgerade bepflanzt mit Setzlingen der unterschiedlichsten Größe, Farbe und Blattstruktur. Sogar die Pflänzchen, die noch ein bisschen schlapp wirkten, waren so gesetzt, dass sie sich in einer Fluchtlinie befanden. Man ahnte, wie üppig die Sommerernte ausfallen würde.

Gitta fing sich als Erste. Sie kramte nach dem Schlüssel, schloss auf und betrat das Grundstück. Wie in Trance folgten ihr Marit und Constanze. Schlafwandlerisch stellten sie Kisten und Kräuter vor der Veranda ab, dann eilten sie zu dritt zu dem frisch bepflanzten Beet und blieben staunend stehen.

Der Abstand der Pflanzen zueinander war wie mit dem Zentimetermaßband gezogen. Präzise wie von einem Gärtner. Und war das etwa …

»Pferdemist?«, fragte Constanze und nahm eine Kugel hoch, die aus Heu und etwas anderem bestand.

Sie schnüffelte und ließ sie wieder fallen. »Was sind das für Pflanzen? Kennt ihr die?«

»Ich möchte lieber wissen, wer das war«, sagte Marit. Ihre Stimme zitterte, weil sie eine wunderbare Ahnung hatte.

»Hallo?«, erklang es da vom Weg her. Sie wandten sich um.

»Hajo!«, rief Constanze.

Er winkte. »Bereit fürs Grillen heute Abend?«, fragte er.

Die Freundinnen schauten sich an. Über die ganze Aufregung hatten sie es glatt vergessen.

»Darum kümmern wir uns nachher«, meinte Constanze. »Wenn die Gartenbegehung vorbei ist.«

»O ja.« Hajo verlagerte den großen Karton, den er auf dem Bein abgestellt hatte, von einem Bein aufs andere. Im Karton klirrte es. »Na, so wie es bei euch aussieht, winken sie euch einfach durch. Ihr seid ja praktisch der Mustergarten der Kolonie. Ein Wunder, so über Nacht. Ein Gartenwunder.« Er schaute nach links und nach rechts, ob ihnen aus den anderen Gärten jemand zuhörte. Offenbar nicht. »Das sind mächtig feine Jungs, die ihr da habt«, sagte er halblaut. »Ich bin gestern Abend erst nach zehn weggegangen, da waren sie noch in vollem Gange.« Constanze und Gitta schauten zu Marit, die unter Tränen strahlte. Hajo stellte die Kiste auf den Boden, dann richtete er sich wieder auf und spähte über die Hecke. »Was sind das eigentlich für Pflanzen?«

Die Freundinnen zuckten mit den Schultern.

»Sag du es uns«, meinte Constanze. »Du kennst dich mit Gemüsepflanzen aus.«

Hajo runzelte die Stirn, er schien die Pflanzen auch nicht zu kennen.

In diesem Moment erklang in der Ferne eine Fahrradklingel, im nächsten Moment bremste jemand scharf vor der Gartenpforte.

»Jonas!«, rief Marit. Sie eilte nach vorn, um zu öffnen. »Ihr seid ... ach, ihr seid einfach ...«

Sie warf sich ihm so heftig entgegen, dass Jonas ins Straucheln geriet und sich nur im letzten Moment am Törchen festhalten konnte, um nicht mitsamt Mutter und Fahrrad lang hinzuschlagen.

»Ist ja schon gut, Mama«, meinte er beschwichtigend und tätschelte ihr den Rücken, denn Marit war in Tränen ausgebrochen. »Hör auf zu weinen. Sonst machen wir das nie wieder.«

Das half. Marit wischte sich über die Augen.

»Wo sind denn deine Brüder?«, fragte sie, die Stimme immer noch zittrig.

»Die werden wohl noch schlafen«, antwortete er. »Sie haben ja bis in die Nacht hinein geackert. Ich habe weniger im Garten getan – dafür das hier. Hat auch ganz schön lange gedauert.«

Er gähnte eine Spur theatralisch und gab Marit einen Packen Karten, alle laminiert. Dann schob er endlich sein Fahrrad hinein und stellte es neben der Laube ab.

»Was ist das?«, fragte Marit und begann laut vorzulesen. Auf der einen Seite stand jeweils eine Bezeichnung, auf der Rückseite hatte Jonas allerlei Informationen notiert. »Blaukohl. Cardy. Tromboncino d'Albenga. Butterkohl ...« Sie sah hoch. »Was soll das, Jonas? Ich kenne keine einzige Pflanze davon!«

»Deshalb hast du ja jetzt die Karten. Oh, und das hier ist auch wichtig.« Schwungvoll nahm er seinen Rucksack vom Rücken und holte ein Bündel kleiner Stöcke heraus. Oben hatten sie einen Spalt. »Ich dachte mir das so«, begann er zu erklären. »Du steckst den Stab dort in die Erde, wo die Reihe beginnt, und schiebst die entsprechende Karte in den Spalt. Dann weißt du, was es ist und wie es gepflegt werden muss.«

»Aber woher weiß ich, wo was hinmuss?«

»Ach, Mama.« Der Bengel, der fast einen Kopf größer war als sie, der sein langes dunkelblondes Haar am liebsten in einem Zopf trug, der seinem großen, schlanken Vater so verblüffend ähnlich sah und auf dem besten Weg war, wie dieser zu einem absolut wunderbaren Mann zu werden, sah sie liebevoll an. »Deshalb bin ich doch hier. Das machen wir jetzt zusammen. Du und ich und deine Freundinnen. Wenn sie dann kommen und ihre doofe Gartenbegehung machen, schaut ihr auf die Karten und sagt zum Beispiel ganz entspannt: ›Wie, Sie kennen die chinesische Katzenkotgurke nicht? Die ist doch eine Delikatesse! Frosthart bis minus zwanzig Grad!‹«

Er zog ihr die entsprechende Karte aus der Hand, wedelte damit vor ihrem Gesicht herum und grinste.

Eine halbe Stunde später wussten sie sehr viel mehr über allerlei ungewöhnliche Gemüsesorten. So schnell wie Jonas gekommen war, radelte er mit seinem Fahrrad wieder davon.

»Wollt ihr heute Abend zum Grillen kommen?«, rief Marit ihm noch hinterher, aber da war er bereits außer Rufweite.

Gitta umarmte sie von hinten. »Du hast die besten Jungs der Welt. Bei denen hast du alles richtig gemacht. Ich frage mich nur, was wir jetzt mit den vielen Pflanzen machen, die wir gekauft haben.«

»Pflanzen natürlich«, meinte Constanze. »Überall, wo noch Platz ist.«

»Etwa im Staudenbeet?«, fragte Gitta, entsetzt über eine erneute Auflösung der durchdachten Ordnung. Bunt war ja schon schlimm genug, aber bunt UND Gemüse?

»Doch«, antworteten Marit und Constanze gleichzeitig.

»Und die Beerensträucher setzen wir zur Stachelbeere. Außerdem müssen wir noch die Hecke schneiden«, sagte Marit in dem vergeblichen Versuch, die Rührung über ihre Söhne irgendwie zu verarbeiten. »Los geht's.«

»Ich glaube, du musst ihnen Weihnachten doch eine leckere Gans braten«, meinte Constanze und hob die Kiste mit den Salatpflanzen hoch, um sie zum Staudenbeet zu bringen.

»Das hätte ich ja sowieso gemacht. Aber so ist es schöner«, antwortete Marit, und obwohl Constanze keine Kinder hatte, konnte sie die Freundin bestens verstehen.

»Donnerlüttchen«, sagte Udo Melcher, als er das Gemüsebeet sah. »Sah das gestern auch schon so aus?«

Mit einer schlanken, eleganten Dame, die mit ihrem breitkrempigen Strohhut und der Perlenkette eher wie eine englische Gartenlady als eine deutsche Gartenkameradin wirkte und ein Klemmbrett unter dem Arm trug, betrat er kurz vor drei ihre Parzelle.

Gitta war ganz sicher, dass Melcher genau wusste, dass das Beet am Tag zuvor nicht so ausgesehen hatte. Vielleicht hatte er sich sogar darauf gefreut, ihnen heute wegen nicht eingehaltener kleingärtnerischer Nutzung bedauernd zu raten, sich gar nicht erst regulär um die Parzelle zu bewerben.

Daraus wurde nun nichts.

»Ja, das sah gestern auch schon so aus«, log Gitta frech. »Damit haben wir ja gleich angefangen, nachdem uns Robert die Laube überlassen hat. Na ja, ein bisschen Unkraut gejätet haben wir natürlich noch, deshalb wirkt es wohl anders. Gepflegter. Mit den herkömmlichen Gemüsepflanzen versuchen wir, dieses Jahr einen kunterbunten Bauerngarten anzulegen. Ein paar Dahlien fehlen uns noch …« Sie zeigte hinter sich auf den frisch gekauften Kohl, den Sellerie und den Lauch, die nun zwischen dem Rittersporn und den Sommerblümchen ihren Platz hatten. »Die wirklich interessanteren Sorten ziehen wir hier. Wir wollten unbedingt, dass es unsere Tromboncino d'Albenga gut haben, deshalb haben wir Pferdemist eingebracht, von ökologisch gefütterten Pferden, versteht sich. Biomist, gewissermaßen.« Jetzt übertrieb Gitta aber. »Und der Butterkohl natürlich auch. Gerade der Butterkohl, mein Gott! Sie wissen ja, wie er ist, Herr Melcher. Ein schrecklich empfindliches Pflänzchen. Na ja, wir bekommen das schon hin.« Sie sagte es so tapfer, als wäre sie selbst ein Butterkohl in Nöten.

Marit und Constanze grinsten.

»Ja, es scheint ausreichend Gemüse angebaut zu sein«, meinte nun die Dame und machte auf ihrem Klemmbrett ein Checkzeichen. »Die Hecke ist auch okay. Wie sieht es mit dem Obst aus?«

»Das haben wir hinter dem Haus«, erwiderte Constanze und machte ein Zeichen, dass man ihr bitte folgen sollte.

»Ein bisschen mehr als der Apfel- und der Birnbaum sollte es aber schon sein.« Melcher konnte das Meckern einfach nicht lassen. Er folgte den Freundinnen zögerlich in den hinteren Teil des Gartens, während seine Begleitung munter und interessiert erschien. »Schon zu Robert habe ich immer gesagt: ›Robert, nur die beiden Obstbäume allein bringen es auch …‹ oh.«

Die Freundinnen hatten schließlich mehr als vier Stunden Zeit gehabt und sie gut genutzt.

Sie waren ein eingespieltes Team. Sie kannten sich mit missgünstigen Männern aus. Sie konnten der Versuchung einfach nicht widerstehen, einen solchen Mann vorzuführen. Als Frauen im besten Alter hatten sie einen Sinn für Dramatik und ein Gefühl dafür, wann man sie am besten einsetzte.

Und außerdem hatten Marits Jungs ihnen ordentlich Pferdemist dagelassen.

»Also«, hub Constanze an und blieb mit verschränkten Armen stehen, als hätte sie ihren Schülern etwas Wichtiges zu erzählen. »Eine innovative Obstbepflanzung war uns besonders wichtig. Wir haben hier mal etwas vorbereitet.«

Sie wies auf die brandneue Bepflanzung zum hinteren Zaun hin. »Das sind die Himbeer-, Johannisbeer- und Stachelbeersträucher. Und die stachellose Brombeere natürlich. Stachellos wegen Marits Enkelinnen. Wir wollen ja, dass sie sich hier wohlfühlen und ausgelassen spielen können.« Constanze fand, dass es höchste Zeit war, Kinder ins Spiel zu bringen.

Die Dame machte ein Checkzeichen auf dem Klemmbrett.

»Schön, aber besonders innovativ finde ich diese Sträucher nun nicht gerade«, grummelte Melcher.

Das war nicht fair, wenn man sah, was die anderen Schrebergärtner in ihren Gärten hatten: Himbeer-, Johannisbeer-, Stachelbeer- und Brombeersträucher. Die Freundinnen hatten das Blatt zur kleingärtnerischen Nutzung sorgfältig durchgelesen. Weder beim Obst- noch beim Gemüseanbau waren Sorten vorgeschrieben.

Es schien, als wäre diese Gartenbegehung längst zu Udo Melchers persönlicher Angelegenheit geworden. Und nun ging er mit seiner letzten Bemerkung prompt in die Falle. Nicht innovativ?

»Weshalb wir die chinesischen Blaugurken gepflanzt haben. Trotz ihres Namens sind sie Obst, das fanden wir spannend – und durchaus innovativ.« Constanze sah Melcher erwartungsvoll an.

»Was ist denn eigentlich der Unterschied zwischen Obst und Gemüse?«, fragte er.

Seine Begleiterin schaute von ihrem Klemmbrett hoch. »Udo, warum weißt du das denn nicht? Du warst doch früher der Gartenbeauftragte der Kolonie«, sagte sie erstaunt.

Wenn Blicke töten könnten, wäre sie vermutlich rückwärts in die stachellose Brombeere gefallen.

Constanze lächelte sie an. »Obst ist mehrjährig, Gemüse einjährig. Außer Spargel, Artischocke und Stielgemüse, weshalb wir ja, wie Sie gesehen haben, uns entschieden, Cardy anzubauen. Wir sind gespannt, wie er gebleicht schmeckt.«

Sie zeigte zu dem neuen Gemüsebeet, obwohl sie genau wusste, dass weder Melcher noch die Dame die Cardypflanzen gesehen geschweige denn erkannt hatten.

»Wie interessant ist dieser Garten geworden! Vielleicht haben wir hier die nächsten Gartenbeauftragten, Udo«, schlug die Dame vor. »Ich bin übrigens die Angelika. Von Parzelle 49/3. Kommt doch mal vorbei. Ich finde es toll, was ihr hier macht. Ich habe noch nie was von Blaugurken gehört. Muss ich gleich meinem Mann erzählen. Ich mag Blumen gern, aber Micha baut am liebsten Gemüse an. John Seymours Bücher sind seine Bibel.«

Marit strahlte. »*Selbstversorgung aus dem Garten* – ein wunderbares Buch! Der Klassiker. Ich heiße Marit.«

»Constanze.«

»Gitta. Und Angelika, kommt doch heute Abend vorbei. Du und Micha. Wir grillen mit Hajo von nebenan.«

Angelika sah sie überrascht an. »Heute passt es nicht. Aber ein anderes Mal sehr gern. Danke für die Einladung.«

Udo Melcher boten sie nicht das Du an.

Als er und Angelika den Garten verließen, klatschten sie sich gegenseitig ab.

»Eigentlich wirken die meisten Leute in dieser Kolonie nicht sehr spießig. Bis jetzt waren die meisten nett zu uns«, meinte Marit versonnen.

»Auch die Altersstruktur ist anders, als wir ursprünglich dachten«, sagte Constanze. »Jünger. Es gibt Familien. Imker. Selbstversorger. Hey, kann es sein, dass ein Schrebergarten cool ist?«

In diesem Moment kam ein kleiner blonder Junge auf einem Dreirad mit einem Anhänger um die Kurve gebogen und auf sie zugefahren.

Zu dritt standen sie am Tor und sahen auf ihn hinunter, wie er mit seinen dicken Beinchen mächtig in die Pedalen trat.

»Halt dich fest, Onkelchen!«, rief er.

In seinem Anhänger saß eine große Erdkröte, die in der Biegung an den Rand des roten Anhängers geschleudert worden war. Ihre goldenen Augen blickten verstört, wenn Erdkröten überhaupt verstört blicken konnten. Vielleicht wunderte sie sich auch nur über das helle Licht und wo die schöne feuchte Erde geblieben war, in der sie sich sonst tagsüber vergrub.

»Heißt es Kolonie Krötenglück, weil kleine Jungs mit Kröten im Anhänger herumfahren?«, wunderte sich Constanze, während der Kleine, so schnell es ging, den gepflasterten Weg zwischen den Lauben weiterstrampelte und seinem Passagier über seine Schulter immer wieder Ermutigungen zurief.

»Onkelchen sah nicht besonders glücklich aus«, erwiderte Gitta und kicherte.

An diesem Abend schien in jeder Parzelle gegrillt zu werden, wahrscheinlich, um zu feiern, dass man die lästige Gartenbegehung wieder für ein Jahr hinter sich gebracht hatte, Abmahnung hin oder her.

Ein bläulicher Dunst hing über der Kolonie, wer leise den Weg zwischen den Parzellen entlangging, konnte in den Grills die Feuer knistern hören. Würstchen wurden gewendet, brennende Steaks mit Bier gelöscht, Lachs vorsichtig auf Alufolie gelegt.

Die Freundinnen hatten reichlich beim nahen REWE-Markt eingekauft. Es war ja so einfach, Schweinefilet, Bratwurstschnecken und Thüringer aus dem Kühlregal zu angeln, Knoblauch-, Chilisoßen und Baguette in den Wagen zu legen, Zucchinischeiben zu marinieren und sich über Kräuterbutterrezepte auszutauschen. Nicht auszudenken, wie es wäre, wenn man nur grillen könnte, was man selbst angebaut, gefangen oder geschlachtet hatte.

Als Hajo über den Zaun rief, er würde jetzt seinen Grill anheizen und es sei bald so weit, packten sie alles in einen Korb und gingen nach nebenan.

Hajo war ein erstaunlich schlechter Grillmeister. Er hantierte hektisch mit gefährlich großen Gabeln herum, setzte sich fast selbst in Brand, als er das schwächliche Feuer mit Brennspiritus übergoss, und legte das Fleisch schließlich viel zu früh auf den Grill – bevor die Kohle mit weißer Asche überzogen war. Woraufhin die Bratwurstschnecke in Flammen aufging und hastig mit Rosé gelöscht werden musste.

Aber dafür reichte er zum Schweinefilet leckeren Honigsenf und hörte sich die Pläne der Freundinnen aufmerksam an, was im Grunde besser als ein Steak war, das punktgenau medium auf dem Teller landete. Außerdem erzählte er ihnen eine charmante Geschichte von der Drossel, die hoch in der Eiche hinter ihrem Grundstück sang. Besonders vor Gewittern täte sie das. Am liebsten fresse die Singdrossel Schnecken, die sie gegen einen Stein schlug, um die Schale zu entfernen, weshalb man solche Steine Drosselschmieden nenne. Sie seien manchmal von Hunderten von Schneckenschalen umgeben.

Da wussten die Freundinnen, dass sie in ihrer Parzelle eine Drosselschmiede hatten.

Es entging Marit und Gitta nicht, dass Hajo an Constanze besonders interessiert war. Das hatte sich ja schon abgezeichnet. Aber auch mit Gitta unterhielt er sich lange, hörte sich beim dritten Glas Wein alles über ihre Trennung, über Ralfs Betrug und ihre Zweifel über ihren viel zu passiven Rechtsanwalt an. Er wandte sich taktvoll ab, als ihr die Tränen über die Wangen liefen und sie von den Freundinnen getröstet werden musste, bis sie sich beruhigt hatte.

Und Marit? Satt und etwas beschwipst ging sie, als es frischer wurde, in ihren Garten hinüber, um ihre warme lilafarbene Strickjacke zu holen. Da sah sie vor der Veranda doch tatsächlich einen dicken Igel sitzen, der irgendetwas fraß. Als er sie sah, lief er gemächlich davon. Sie folgte ihm, und er verschwand hinter dem Haus in Richtung Komposthaufen. Hoffentlich verputzt er auch Nacktschnecken, dachte sie. Die gab es hier zu viele.

Hinter der Forsythienhecke hörte sie die Stimmen der Freundinnen und Hajos tiefere. Constanze lachte ein bisschen zu laut, wie man es eben manchmal tat, wenn man verliebt war, auch wenn Marit dieses schrille, aber glücklich klingende Geräusch bei Constanze bis jetzt noch nie gehört hatte.

Sie schloss hinter sich die Pforte, ging den Weg entlang und schaute dabei in den Himmel. Es war Halbmond. Die helle Seite leuchtete, aber sie konnte auch die dunkle Seite erkennen. Ein Stern direkt vor ihr funkelte besonderes hell. Sie musste Montag gleich mal in einem der Astroführer im Laden nachschauen. Vielleicht bekam sie ja heraus, was das für ein Stern war, der ihr leuchtend den Weg zur Nachbarparzelle weisen wollte.

Mit einem bisschen guten Glauben konnte man das Funkeln für ein Augenzwinkern halten. Und wenn sie schon so viel Fantasie dafür einsetzte, dann sollte es auch gleich Stefans Augenfunkeln sein. Denn dass er nach seinem Tod direkt in den Himmel gekommen war, stand für Marit außer Frage.

»Wir haben doch tolle Jungs, oder?«, fragte sie leise.

12. Kapitel

Berlin im Juli 1945

Es war heiß, die Pflanzen brauchten sehr viel Wasser. Die Sonne schien jeden Tag, in diesem Sommer regnete es kaum.

Unsere vier Wassertonnen und die Zinkwanne waren längst leer, ebenso die Badewanne, die Albert und Milan in den Trümmern eines zerbombten Hauses gefunden und in die Gärtnerei geschleppt hatten. Auch in ihr hatten wir Wasser gesammelt, mittels einer selbst konstruierten Regenrinne.

Wasser gab es nur manchmal aus der Leitung, aber immer an der Pumpe. Die Menschen bekamen Krankheiten wegen der mangelnden Hygiene und wurden aufgerufen, nur Leitungswasser zu trinken, sich die Hände zu waschen. Was nicht leicht war, wenn es nicht immer Leitungswasser gab.

Mir ging es gut, übel war mir nicht mehr. Die Schwangerschaft, von der man noch kaum was sah, machte mich dennoch müde.

Albert schimpfte, wenn ich die Zinkgießkanne bis oben hin mit Wasser füllte und die Pflanzen goss. Aber ich wollte ihn nicht alle schwere Arbeit allein machen lassen. Dann taten ihm wieder die alten Wunden weh, das Bein, die Hände.

Berlin bekam einen Viermächte-Status, ein seltsames Wort, das dennoch genau erklärte, wie es um die Stadt bestellt war: Am 1. Juli wurde sie von den Siegermächten in vier Besatzungszonen unterteilt. Die Russen erhielten im Osten der Stadt den größten Sektor, die Amerikaner den Südwesten, die Franzosen den Nordwesten und die Briten das Berliner Tortenstück dazwischen.

Eichkamp war im britischen Sektor, ich war heilfroh, dass wir nicht zum russischen Sektor gehörten.

Schon seit dem 5. Juni gab es den Alliierten Kontrollrat. Die Oberbefehlshaber der vier Siegermächte Russland, Amerika, England und Frankreich hatten die Regierungsgewalt für ganz Deutschland übernommen. Berlin wurde von der Militärkommandantur der vier Alliierten verwaltet. Kontrollrat und Kommandantur nahmen aber erst im Laufe des Sommers ihre Arbeit auf.

In der britischen Besatzungszone funktioniere auch wieder die Post, hieß es. Was immer noch bedeutete, dass die Briefe, die man von Berlin aus verschicken wollte, erst einmal irgendwie in die britische Besatzungszone gelangen mussten, die weit im Westen lag.

Mir war das nur recht. Der Brief an Marijke, der auf der Anrichte lag, war wie eine stumme Drohung. Je später er nach Holland gelangte, desto mehr Zeit blieb mir. Ich tat, als bemerkte ich ihn nicht, aber mit jedem Sommertag, der verging, wurde mir das Herz schwerer. Als ich ihn einmal hochnahm, weil ich mit einem

Lappen den Staub von der Anrichte wischte, meinte ich, darunter einen Brandfleck zu finden.

Von den russischen Soldaten sahen wir nun überhaupt nichts mehr, und dafür war ich dankbar.

Eines Tages hielt ein Jeep mit einer aufgemalten britischen Flagge vor der Gärtnerei.

Ein Mann in olivgrüner Uniform blieb im Wagen, der andere stieg aus und trat an den Zaun. Oskar bellte ihn wütend an, als er rief:

»*Hello? Anybody home?*«

Als Albert, der im Gewächshaus mit den erstaunlich schnell wachsenden Tabakpflanzen beschäftigt war, es endlich hörte, lief er zum Zaun.

Ich hatte den Soldaten vom Haus aus beobachtet, wollte nicht allein zu ihm gehen. Als der Brite etwas zu Albert sagte und Albert nichtverstehend mit den Schultern zuckte, verließ ich doch das Haus. Barfuß und mit meinem langen blonden Zopf sah ich bestimmt etwas verwegen aus. Aber er wirkte freundlich.

»*Hi, I am Lieutenant Ben Fontaine from the 4th Canadian Battalion*«, sagte er, und ich übersetzte es für Albert.

Also kein Engländer, sondern ein Kanadier! Ich übersetzte auch, was er von uns wollte, nämlich frisches Gemüse und Obst.

»*My man is going to the garden, please wait*«, erklärte ich, während Albert verschwand.

Kurz darauf kam er mit einem kleinen Salat, einer Gurke, ersten Zwiebeln und einer Tüte mit Süßkirschen zurück. Wortlos reichte er alles über den Zaun.

Im Gegenzug griff der Kanadier in seine Uniform-tasche und hielt eine Schachtel Chesterfield hoch. »*Is that okay?*«, fragte er.

Albert nickte verblüfft und nahm die Zigaretten zögernd. Er hatte wohl geglaubt, dass der Kanadier Gemüse und Obst umsonst haben wollte – mit der Selbstverständlichkeit des Siegers.

Ich freute mich, dass ich die fremde Sprache verstanden hatte, und musste an meine alte Lehrerin Fräulein Lüttich in Oderberg denken, die furchtbar streng mit den Vokabeln gewesen war und uns für jeden Fehler eins mit dem Lineal auf die Finger gegeben hatte. Wenigstens hatte der Schmerz mich die richtigen Vokabeln gelehrt.

Eine Woche später war Ben wieder da. »*Es war sehr gut. Sehr frisch, wie zu Hause auf dem Land*«, übersetzte ich, was er auf Englisch gesagt hatte. Seine Mütze saß verwegen schief auf dem Kopf. Darunter sah kurzes dunkles Haar hervor. Ben hatte sehr blasse Haut und viele Sommersprossen. Am auffälligsten waren seine dunkelblauen lachenden Augen. Er war vielleicht drei, vier Jahre älter als ich. »*Do you have more?*«

Ich nickte, dann nahm ich meinen ganzen Mut zusammen und fragte: »*Where is your home?*«

Ich wollte nicht neugierig sein, aber ich kannte so wenig von der Welt, dass mich das kurze Gespräch von der letzten Woche nicht losgelassen hatte.

»*Close to Toronto. My family has a farm.*«

Albert sah mich Hilfe suchend an, ich übersetzte

wieder, und er holte mehr Gemüse, bekam dafür Zigaretten. So entstand ein kleiner Handel. Als der Kanadier das dritte Mal kam und wieder Zigaretten über den Zaun reichen wollte, lehnte Albert ab.

»*One moment*«, sagte er und ging ins Haus.

Ich wusste nicht, warum, aber als er zurückkam, verstand ich. Er hatte den Brief in der Hand. So oft hatte ich die Anschrift gelesen, dass ich sie inzwischen auswendig kannte. Marijke Grossart, Hugo de Vrieslaan 84, Utrecht.

»Du musst mir helfen, das zu übersetzen«, bat er.

Ich nickte.

»Ben, dieser Brief muss irgendwie nach Holland, zu dieser Adresse. Es ist wichtig. Können Sie das veranlassen? Die Briten kontrollieren die Post bis zur holländischen Grenze«, sagte er.

Ich wusste nicht, was »veranlassen« auf Englisch heißt, ich sagte *arrange*, aber der Kanadier schien es zu verstehen, denn er nickte.

»*Sure*«, erwiderte er und nahm den Brief. »*I'll take care. Thanks for the veggies. See you next week.*« Weg war er, mitsamt einer Gurke aus dem Gewächshaus, einem Bündel Dill, einem kleinen Kohl und ein paar Möhren.

»Was hast du ihr geschrieben?«, fragte ich, weil ich es einfach nicht länger aushielt.

»Ich habe sie um die Scheidung gebeten, Lissa«, antwortete er. »Sie wollte damals weg von mir. Ich sehe nicht, warum wir noch verheiratet bleiben sollten. Wo wir beide jetzt ein Kleines bekommen. Das braucht einen Vater.« Sacht legte er mir die Hand auf den Bauch.

Mein Herz klopfte wie rasend. Seit ich den Brief auf der Anrichte gesehen hatte, hatte ich geglaubt, dass Albert Marijke darin bat, so schnell wie möglich zurückzukommen. Dass unsere Zeit zu Ende war und ich sehen musste, wo ich mit dem Kind blieb. Jeden Tag hatte ich daran denken müssen, hatte mich bei den vielen armen Personen gesehen, die mit ihrem Hab und Gut durch Berlin zogen, auf der Suche nach irgendeiner halbwegs menschenwürdigen Unterkunft.

»Es hat doch einen Vater«, flüsterte ich und wischte mir die Tränen an seiner Jacke ab. »Und was für einen wunderbaren Mann.«

»Wenn auch ein bisschen kriegsversehrt und ohne seine Englisch sprechende Mutter nicht sehr viel wert«, antwortete Albert und küsste mich. Mein Magen knurrte. Ich hatte um Mehl angestanden, doch es hatte keines gegeben. »Wir brauchen mehr zu essen. Du brauchst mehr. Damit das Kleine keine Mangelerscheinungen bekommt«, sagte Albert.

»Auf dem Schwarzmarkt wirst du sicher wieder etwas für die Zigaretten bekommen«, warf ich ein.

Was stimmte, denn Zigaretten waren die Einheitswährung im Gegensatz zur Reichsmark, für die man fast nichts bekam. Für ein Brot musste man siebzig Reichsmark zahlen, ein Pfund Butter kostete schon vierhundert Reichsmark. Die meisten Frauen arbeiteten zwar, aber was sie dafür bekamen, dass sie die Straßen räumten, Steine klopften und stapelten, war lachhaft. Kriegsversehrte waren vom Arbeiten ausgenommen, Schwangere ebenso – also Albert und ich.

Das Problem war nur, dass man zwar mit Zigaretten eine gängige Währung hatte, nur vorher nie genau wusste, was auf dem Schwarzmarkt erhältlich war. Beim letzten Mal hatte Albert versucht, Brot zu bekommen oder wenigstens Mehl, um daraus Brot zu backen. Alle wollten Brot.

Stattdessen hatte er zwei Büchsen Dorschleber und ganz zum Schluss endlich ein Pfund Reis und etwas Tee gegen die Zigaretten tauschen können.

Gelegentlich zog Albert auch mit einer kleinen Kanne los. In einer Seitenstraße vom Kaiserdamm gab es einen Stall, in dem zwei Kühe gehalten wurden. Mitten im zerbombten Berlin.

Die Milch zahlte Albert mit Zigaretten, und er brachte immer gemähtes Gras für die Kühe mit. Etwas Milch in den Tee, bei dem die Sahne dann obenauf schwamm, schmeckte wunderbar. Das war Luxus in jener Zeit, Fett und Butter waren fast nicht zu bekommen.

Das Problem bei all dem war, dass sich das Essen so schnell verbrauchte. Kaum waren wir satt, mussten wir schon wieder sehen, wo wir das nächste herbekamen. Waren gegen Waren, hieß es. Bettwäsche, Instrumente, Goldkettchen, Pelzmäntel, Schuhe und sogar Galoschen wurden unter Lebensgefahr aus den ausgebombten Wohnungen geholt und gegen etwas zu essen eingetauscht.

Solche Werte besaßen wir nicht. Dafür hatten wir Obst und Gemüse, das es nun in der Gärtnerei reichlich gab. Aber wir sahen uns auch vor, nicht zu viel wegzugeben. Wir wollten unbedingt Vorräte anlegen, weil wir nicht wussten, wann sich die Lebensmittelsituation entspannen würde. Es war ein Drahtseilakt der Versorgung.

Eines Nachmittags rief wieder jemand am Tor. Dieses Mal auf Deutsch: Es war die Mutter der von den Russen erschossenen Zwillinge Jochen und Jürgen. Sie trug ein schwarzes Kleid, das ihr viel zu weit war, sie sah aus, als wäre sie mit ihrer Kraft am Ende. Blass war sie trotz des Sommerwetters, sehr dünn, das Haar unter dem verwaschenen Kopftuch war fahl und struppig. Aber am schlimmsten waren ihre Augen. Sie lagen tief in den Höhlen wie bei einer Schwerkranken. Ich glaubte, dass sie nicht krank war, sondern fast wahnsinnig vor Trauer um ihre beiden Söhne, die in den letzten Kriegstagen so überflüssig gestorben waren.

Wir baten sie in unsere Stube, und ich machte ihr einen starken Tee aus unseren kostbaren Vorräten, mit Milch und einem großen Löffel Honig. Sie tat mir leid, wie sie so apathisch trank, als ob sie den Tee gar nicht schmeckte.

Als sie fertig war, griff sie in die Tasche ihres Kleides und zog etwas hervor, das sie auf den Tisch legte. Es waren zwei Armbanduhren. »Sie gehörten meinen Jungs«, sagte sie ausdruckslos. »Wir haben sie ihnen zur Kommunion geschenkt. Wir waren ja früher katholisch. Jetzt brauchen meine Kinder die Uhren nicht mehr. Könnt ihr mir dafür etwas zu essen geben? Irgendetwas aus der Gärtnerei? Ich habe nicht die Kraft, auf dem Schwarzmarkt zu feilschen.«

Wir sahen uns an. Als Schwarzmarkthändler, die die Wertgegenstände von Menschen nahmen, hatten wir uns bis jetzt noch nicht verstanden.

Albert stand auf. »Ich hol dir was aus dem Garten«, sagte er.

Wir Frauen blieben schweigend am Tisch sitzen. »Was soll das nur für ein Gott sein, der so etwas zulässt? Der mir meine Kinder nimmt«, meinte sie schließlich verbittert.

Mehr nicht, aber ich glaubte, dass sie sich diese Frage in den letzten Monaten wieder und wieder gestellt hatte. Deshalb hatte sie wohl gesagt, wir *waren* katholisch. Über diese Frage musste sie ihren Glauben verloren haben.

Als Albert zurückkam, hatte er ein paar Kartoffeln für sie ausgegraben, die ersten in diesem Jahr. Auch eine kleine Schale mit Himbeeren hatte er. In der Himbeerhecke hinter dem Haus fanden sich immer noch vereinzelt Früchte, ein großes Bund Möhren und Petersilie hatte er ebenfalls.

»Nimm. Und lass es dir schmecken.« Er reichte ihr alles, und sie stand auf, packte Obst und Gemüse wortlos in einen Beutel, den sie dabeigehabt hatte. Sie wandte sich zum Gehen und ließ die beiden Uhren auf dem Tisch zurück, aber Albert nahm sie und steckte sie zurück in die Tasche ihres Kleides.

»Die gehören doch Jochen und Jürgen. Und jetzt dir«, sagte er.

So ein Mann war Albert.

Allmählich sah man ein bisschen, dass ich ein Kind erwartete.

Milan, der in diesen Sommerwochen abends fast immer vorbeikam und Albert bei den schwereren Arbeiten in der Gärtnerei half, bemerkte es, als ich ein paar Möhren für das Abendbrot herausriss.

Ich trug noch die Kleidung von Marijke, hatte mir ein Kleid etwas enger gemacht. Zum Ernten beugte ich mich vor, aber als ich mich, die Hand voller frischer Möhren, aufrichtete, blieb Milans Blick an meinem Bauch hängen. Da, wo das Kleid etwas spannte.

»Oh«, sagte er, irgendwo zwischen begeistert, respektvoll und amüsiert, »ihr bekommt ein Kindchen. Ich freu mich für euch.«

Er klopfte Albert, der neben ihm stand und etwas verlegen aussah, auf den Rücken. Dann fuhr er sich durch die wilden Locken, wie er es immer machte, wenn er etwas ratlos war, und sah uns abwechselnd an. Die Geste kannte ich schon an ihm, umso höher rechnete ich es ihm an, dass er die Frage, die er hatte, nicht stellte.

»Milan, kannst du nachher bei Lissa bleiben?«, fragte Albert. »Ich möchte zu Max.«

»Wer ist das?«, fragte ich.

»Der Förster im Grunewald.«

»Milan muss nicht auf mich aufpassen«, protestierte ich.

»Ich fühle mich sicherer, wenn du abends nicht allein bist«, gab er eine Spur zu scharf zurück.

Vielleicht hatte er ja recht. Noch immer zogen Menschen durch Berlin, die Not und Hunger litten und einfach nicht mehr die Wahl hatten, anständig zu bleiben. Da war ein Zaun, selbst wenn er so verstärkt war wie unserer, kein großes Hindernis.

Es war ein so warmer Sommerabend, dass Milan und ich draußen sitzen blieben. Wir redeten nicht viel, und das Schweigen gab den nächtlichen Tieren die Gelegenheit, es mit ihren eigenen Geräuschen zu füllen. Wir beobachteten einen Igel, der auf der Wiese etwas zu fressen suchte. Oskar winselte, aber blieb, wo er war. Ich fragte mich, ob er bereits Bekanntschaft mit seinen Stacheln gemacht hatte. Eine Nachtigall sang laut und wunderschön in einer nahen Hecke.

»Es fühlt sich so gut an zu leben, ohne Angst haben zu müssen«, sagte Milan leise.

Ich streichelte meinen Bauch.

Als ich Albert endlich das Tor aufschließen hörte, war ich sehr erleichtert. Für mich war die Dunkelheit immer noch wie ein Feind, der Menschen und Häuser verschlucken konnte, sie mit einem schwarzen Tuch verhängte, hinter dem man sie nie wiederfand.

Albert trug einen Jutebeutel. Er ging gebeugt, weil der Beutel so schwer war. Zuerst dachte ich, er hätte etwas für die Gärtnerei darin, vielleicht ein paar Pflanzen.

Oskar, der unter meinem Stuhl gesessen hatte, stand auf, gähnte, streckte sich und schnüffelte. Dann rannte er zu Albert und stupste mit der Schnauze gegen den Beutel, bis Albert ihn wegschob und den Beutel höher nahm.

»Habt ihr Hunger?«, fragte er.

Es war schon spät, aber ja. Ich hatte Hunger. Und Milan brauchte man das eigentlich nie zu fragen. Er hatte immer Hunger. Er musste arbeiten, bekam dafür seinen mageren Lohn in Reichsmark ausgezahlt und stand wie viele umsonst wegen Lebensmitteln an. Er hatte Hunger nach Leben, Hunger nach einem Neuanfang, Hunger nach vernünftiger Arbeit – aber eben auch Hunger nach Nahrung.

Also nickten wir beide.

Albert hob den Sack höher. »Ich habe Fleisch vom Förster bekommen. Wir könnten noch etwas braten.«

»Hier draußen über einem offenen Feuer«, schlug Milan vor.

Albert schüttelte den Kopf. »Ich will nicht, dass Fett ins Feuer tropft. Das wäre schade, wir müssen es aufbewahren. Und außerdem riecht man es dann in der ganzen Umgebung. Wir wollen nicht auf uns aufmerksam machen. Wenn das rauskommt, wäre es auch für Max sehr gefährlich.«

Das verstanden wir. Also gingen wir rein, trotz der späten Stunde heizte ich den Ofen mit Holz an. Der Duft von geschmortem Fleisch breitete sich in der Stube aus, wie früher, wenn Mutti einen Sonntagsbraten gemacht hatte. Ich gab noch ein paar Zwiebeln und zwei Möhren in den Topf.

Es wurde ein Festmahl mitten in der Nacht, vielleicht das beste in meinem bisherigen Leben. Das zarte Wildschwein, die Soße, das weiche Gemüse – die Knochen, die wir abgenagt hatten, brachte ich Oskar nach draußen. Ganz vorsichtig nahm er sie mir aus der Hand und sah mich dabei an, als wäre ich eine Göttin. Als ich ins Haus zurückging, hörte ich, wie er sie krachend zerbiss.

»Wie hat Max das Wildschwein erlegt?«, fragte Milan kauend. Etwas Fett tropfte ihm aufs Kinn, er wischte es mit dem Finger weg und leckte ihn ab. »Man darf doch keine Waffen haben.«

Unmittelbar nach Kriegsende hatten die Deutschen ihre Waffen abgeben müssen, um die Soldaten der Siegermächte nicht zu gefährden. Sogar scharfe Messer waren eingezogen worden.

»Er hat eine Falle gegraben«, sagte Albert leise, als ob die Wände Ohren hätten. »Es gibt sowieso viele Wildschweine im Grunewald, zu viele. Ein Überläufer ist in die Falle gestürzt, Max hat ihn mit einer Saufeder getötet. Die hat er versteckt.« Albert nahm sich noch ein Stück.

»Was ist ein Überläufer? Und was eine Saufeder?«, fragte ich und legte das Besteck hin. Zum ersten Mal seit langer Zeit fühlte ich mich richtig satt. Das Gemüse, das wir sonst aßen, hielt nie lange vor.

»Ein Überläufer ist ein junges Wildschwein, eine Saufeder ein Spieß.«

Ich mochte mir nicht vorstellen, wie der Förster am Rand der Grube gestanden und auf das Wildschwein eingestochen hatte, das vermutlich geschrien hatte, wie nur ein Schwein schreien kann. Es stimmte schon, was Albert immer sagte. Erst kommt das Fressen, dann kommt die Moral.

»Ich muss morgen noch mal zu Max«, sagte Albert.

»Warum? Hat er noch mehr Fleisch für uns?«

»Nein. Glaubst du, er hat uns das Fleisch geschenkt? Ich habe ihm im Gegenzug dafür Kartoffeln versprechen müssen.«

Natürlich. Nichts war umsonst in unserer Zeit. Alles wurde getauscht.

»Lissa, kannst du das Fleisch einmachen? Im Schuppen sind Dosen, Deckel und eine Dosenverschlussmaschine. Weißt du, wie das geht?«, fragte Albert.

»In Oderberg haben wir das früher gemacht«, sagte ich zögernd. »Es ist lange her. Ich hoffe, ich bekomme das hin.«

»Gut. Es wäre schade, wenn das Fleisch verdirbt. Das hält sich bei dieser Wärme höchstens zwei Tage.«

Ich nickte.

Am nächsten Tag machte ich mich an die blutigen Fleischstücke, die Albert in eine Emaillieschale gelegt hatte. Ich wusch sie, löste jedes noch so kleine Stück Fleisch von den Knochen, schnitt alles klein, kochte es mit viel Salz und Majoran. Dann machte ich mich auf die Suche nach der Dosenverschlussmaschine.

Ich fand sie im Schuppen unter dem Regal verstaut. Sie war mit einem Tuch abgedeckt, weshalb die Russen sie nicht entdeckt hatten: rot lackiert, nagelneu, Metalldosen und Deckel in ordentlichen Stapeln daneben.

»Wir haben sie von Marijkes Eltern zur Hochzeit bekommen«, sagte Albert, der mich in den Schuppen hatte gehen sehen und dazugekommen war.

Immer wieder schwebte Marijke wie ein Geist über mir, und jetzt, wo Albert auf eine Antwort auf seinen Brief wartete, noch mehr.

»Habt ihr nicht oft Fleisch in Dosen eingemacht?«, fragte ich und fuhr mit dem Zeigefinger über das lackierte Metall.

»Nie.«

Warum nicht?, wollte ich fragen. Was war sie für eine Frau? Hast du damals kein Wildfleisch von Max, dem Förster, bekommen? War sie eine gute Gärtnerin? Hat sie sich gefreut, wenn im Frühjahr die ersten Ringelblumen aufgingen? Hat sie die orangefarbenen Blüten mit Schmalz und Honig gekocht, um für das ganze Jahr eine Wundsalbe zu haben, so wie wir es in Oderberg gemacht haben? Hat sie für euch aus Schwarzem Rettich und Kandis Hustensaft gemacht? Hat sie sich in diesem kleinen, einfachen Haus am Rande des Grunewalds so wohlgefühlt wie ich? Oder hat sie Heimweh gehabt? Wann habt ihr euch kennengelernt und wo? Warum habt ihr keine Kinder? Und warum hat sie dich verlassen, in Gottes Namen?

Aber ich sagte nichts. Irgendwann würde ich es tun, nur noch nicht jetzt.

Ich nahm das Gerät, die Dosen und die Deckel. »Ich gehe rein.«

Ich würde das Fleisch in die Dosen füllen, die Deckel mit der Maschine fest verschließen und es in dem großen Topf, in dem wir auch Wasser für Wäsche und uns selbst heiß machten, eine Stunde kochen lassen. So hatten wir es in Oderberg gemacht.

Als ich mich in der Tür noch einmal umdrehte, stand Albert mit hängenden Armen vor dem Regal und schaute auf den Platz, den die fehlende Maschine hinterlassen hatte.

Ein halbes Jahr mit jemandem zusammenzuleben war nicht lange genug, um zu wissen, was er dachte. Welche Erinnerungen er mit ihr hatte. Ob er die Tage zählte, bis sie auf seinen Brief antwortete, hoffentlich mit der Bestätigung, dass sie sich scheiden lassen wollte. Am schlimmsten wäre es, wenn sie gar nicht schrieb, sondern zurück nach Berlin käme, um die Scheidung zu vermeiden. Weil sie in der Ferne verstanden hatte, was sie an Albert hatte.

Auf der anderen Seite: Vielleicht wusste man nie genau, was man an dem Partner hatte, egal, wie lange man mit jemandem zusammen war. Man lebte einfach miteinander und hoffte, dass dieses Leben besser war als eines allein. Dass die Gemeinsamkeiten, die man hatte, groß genug waren. Zum Beispiel ein Kind.

Wenn das Liebe war, dann gut. Wenn nicht, dann war das eben so. Manchmal konnte man es sich nicht aussuchen. Krieg war das Gegenteil von Romantik.

13. Kapitel

Berlin im Juli, Gegenwart

Dass ausgerechnet sie, die inoffiziellen Schrebergärtnerinnen auf der Warteliste, die harten Bedingungen der kleingärtnerischen Nutzung mit einem ungewöhnlich breit gefächerten Gemüseanbau bravourös bestanden hatten, und zwar quadratmetergerecht, verbreitete sich in der Kolonie Krötenglück schnell.

Die Freundinnen waren, wenn auch noch nicht in der Gemeinschaft aufgenommen, so doch plötzlich geachtet. Sie durften wieder hoffen.

Immer häufiger blieben Leute an der Hecke stehen, spähten herüber und spekulierten laut, was da nun eigentlich wuchs. Wenn eine der Freundinnen in der Nähe war, hackte, Unkraut jätete, Kräuter pflückte oder einfach nur auf einem der alten Gartenstühle, die dringend gestrichen werden mussten, unter dem Pfaffenhütchen saß und einen Kaffee trank, dauerte es nicht lange, bis sie in ein Gespräch verwickelt wurde.

Und weil manche der Pflanzen, die Marits Jungs gesetzt hatten, beängstigend schnell wuchsen, gruben sie gelegentlich eine aus und reichten sie über den Zaun. Die Gartenmelde zum Beispiel, nachdem sie den anderen Schrebergärtnern erklärt hatten, dass es kein Unkraut war, auch wenn es so aussah, und dass es gut schmeckte.

Sie hofften, dass das als Zeichen gesehen wurde, wie gern sie den Garten behalten würden. Denn diese Entscheidung war immer noch nicht gefallen, Robert hatte noch nicht gekündigt.

Nur etwas war merkwürdig: Sie alle drei konnten sich nicht die Namen der Leute merken, mit denen sie sich über die Hecke hinweg unterhielten. Zwar stellten die Laubenpieper sich vor, und die Freundinnen nannten im Gegenzug ebenfalls ihre Namen. Aber kaum waren sie weg, blieb da statt ihres Namens – ein Nichts.

Sie hatten den Verdacht, dass es daran lag, dass sie bisher nichts von den Leuten erfahren hatten, nichts, das sie mit ihnen verbanden. Sie kannten auch nicht deren Gärten, konnten sich keine blöden Eselsbrücken bauen wie »Jasmin ist die, bei der der Jasmin gut blüht«. Sie sahen die körperlosen, sprechenden Köpfe hinter der Hecke und vergaßen sie.

Dass sie alle Schrebergärten hatten, war wie ein sozialer Gleichmacher. Die Gespräche drehten sich um das, was sie gemeinsam hatten: ihre Gärten, ihre Pflanzen, Vorschriften im Verein, das Wetter mit dem mangelnden Regen und dem hohen Wassergeld, die zu erwartende Ernte, den Fuchs, der wieder durch die Kolonie strich, die Wildschweine, die man auf gar keinen Fall auf dem Gelände haben wollte. Die Gespräche drehten sich niemals um das, was jeden Zaunkieker individuell ausmachte. Viele waren Senioren, da war

Rentner der Sammelbegriff. Aber auch die Jüngeren, die mal allein, mal zu zweit, mal mit Kindern die Wege entlanggingen, schienen seltsam berufslos.

Die Freundinnen konnten nicht sagen: »Ah, da ist ja die Ärztin, der Rechtsanwalt, die Lehrerin, der Elektriker«, weil Derartiges in den Zaungesprächen nicht erwähnt wurde.

Obwohl Marit in der Buchhandlung eigentlich daran gewöhnt war, sich Kundennamen zu merken, und Constanze stolz darauf war, dass sie grundsätzlich in der ersten Woche nach Schulanfang die Namen ihrer neuen Schüler kannte, waren die Namen der Gartenfreunde in der Kolonie wie Schall und Rauch. Mit Ausnahme von Hajo, Udo Melcher, Angelika, den Ergels und Liane.

Bis zum Sommerfest, das am 14. Juli, dem Nationalfeiertag der Franzosen, stattfand. Was ein Zufall war. Denn die Kolonie feierte nicht Frankreich, sondern den Schrebergeist, die Gartenlust, den Sommer und sich selbst.

»Sommerfest? Was soll ich denn da? Ich gehe doch nicht zum Sommerfest«, sagte Gitta, als Constanze sie fragte. Schon seit einiger Zeit hing der Hinweis auf das Fest in dem Mitteilungskasten am Eingangstor. AUSSCHANK IM VEREINSHAUS AM FESTPLATZ. KUCHENSPENDEN ERWÜNSCHT! GRILL, TANZ.

»Geht's noch?«, meinte auch Marit. »Wir kennen doch fast niemanden.«

»Tssss, seid ihr arrogant. So ändert sich das sicher

nicht. Außerdem kennen wir inzwischen sehr wohl einige. Wir wissen bloß nicht, wie sie heißen«, beschwerte sich Constanze. »Ich gehe jedenfalls um sechs hin. Hajo auch. Wir sind zum Tanzen verabredet.«

»Na dann, vertritt uns gut«, murmelte Gitta.

»Und deshalb muss ich jetzt nach Hause. Kuchen backen. Das gehört zum Sommerfest dazu. Aber ihr kommt morgen trotzdem in den Garten, oder?«

»Na klar.« Marit konnte sich nicht vorstellen, an einem schönen Sommertag zu Hause zu sitzen.

»Dann bis morgen.« Constanze schwang sich auf ihr Fahrrad. Weg war sie.

Zuerst lief alles wie geplant.

Constanze kam, beladen mit einem Blech Aprikosenkuchen, hübsch gemacht in einem luftigen Sommerkleid, einem bunten Tuch im dunkelroten Haar und mit halbhohen Sandaletten, die praktisch »Ich will mit Hajo tanzen, und zwar sofort« schrien. Sie stellte das Blech in die Laube. Da war es vor dem Fuchs sicher. Und vor Wespen und Bienen, die es in diesem Sommer zahlreich gab. Kaum aß man draußen, kamen sie angeschwirrt und forderten ihren Teil.

Die anderen Schrebergärtner entlang des Tulpenweges und in den Nebenwegen hatten ihre Zäune und Hecken mit Fähnchengirlanden, kleinen Lämpchen und Luftballons geschmückt. Daran hatten die Freundinnen nicht gedacht – wie auch, sie hatten ja nicht mal gewusst, dass man für diesen Anlass die Lauben schmückte. Es war schließlich ihr erstes Sommerfest.

Constanze pflückte rasch einige Zinnien, Kornblumen, Margeriten und Ringelblumen von ihrem Sommerblumenbeet, steckte die Blüten in die Hecke – fertig war das gärtnerische Gesamtkunstwerk, garantiert biologisch abbaubar.

Kurz nach ihr trudelten Marit und Gitta ein. Man sah auf den ersten Blick, dass sie nicht zum Sommerfest wollten: Marit trug einen weiten, etwas zu kurzen Jeansrock, dazu eine hochgekrempelte karierte Bluse und Flipflops, was ihr, klein und rund, wie sie war, eine definitiv zylinderartige Gestalt gab.

Gitta war in ihrer üblichen Gartenkluft erschienen: khakifarbene Bermuda und khakifarbenes T-Shirt mit Knopfleiste. Shirt und Hose hatten eine Farbe, auf der man Erde praktisch nicht ausmachen konnte, was sie Gittas Meinung nach zur perfekten Gartenkleidung machte. Dazu trug sie ihre Garten-Birkenstocks, plump, aber praktisch und bequem. Die zwei hatten auf Makeup komplett verzichtet, während Constanze dunkelroten Lippenstift (passend zu Haar, Tuch und Kleid) trug und die Wimpern dick getuscht hatte.

So unterschiedlich waren sie in den letzten Monaten nicht in der Laube erschienen. So unterschiedlich waren sie überhaupt noch nie aufgetreten, sah man mal von Gittas *breakdown* in der Königlichen Gartenakademie im Februar ab. Aber das schien sehr lange her zu sein.

»Und … was macht ihr heute?«, fragte Constanze, spähte aber gleichzeitig abgelenkt über die Forsythienhecke. Von Hajo war noch keine Spur zu sehen.

»Wir legen uns in die Liegestühle, trinken Eistee,

lesen die *Zeit*, den *Tagesspiegel* und die Neuerscheinungen, die Marit mitgebracht hat. Und wenn wir es vor Faulheit nicht mehr aushalten, harken wir das Gemüsebeet. Aber das ist eher unwahrscheinlich«, sagte Gitta gut gelaunt.

»Falls wir ganz großen Hunger haben, kommen wir vorbei und schauen mal, was der Mann am Grill für uns hat«, ergänzte Marit.

»Woher wisst ihr denn, dass ein Mann grillt?«, wollte Constanze wissen.

»Es grillt immer ein Mann. Schon seit der Steinzeit. Ob er es kann oder nicht«, behauptete Marit, und Gitta schmunzelte.

In diesem Moment erklang vom Festplatz laute Musik. Es schien noch ein Probelauf zu sein, denn sie verstummte gleich, um dann noch lauter aufzuspielen.

»Oh, es geht los«, sagte Constanze nervös. »Sicher, dass ihr nicht mitwollt?«

»Absolut. Geh tanzen und hab viel Spaß.«

Gitta schnappte sich zwei Liegestühle aus dem Geräteschuppen. Sie klappte sie beide unter den Apfelbaum auf, ohne sich die Finger zu klemmen, und ließ sich genüsslich seufzend in einen hineingleiten. Marit nahm noch zwei Kissen mit, von denen sie eins großzügig Gitta abgab, und sank in den anderen Liegestuhl.

Constanze eilte ins Haus, um den Aprikosenkuchen zu holen. »Also, wenn ihr mich braucht, ich bin nur auf dem Festplatz … Ihr könnt mich jederzeit holen … wenn irgendwas ist …«

Marit schaute von dem Buch auf, in dem sie geblättert hatte. *Der goldene Grubber.* »Constanze, was soll denn sein? Nun verschwinde schon.«

In diesem Moment plärrte die Musik richtig los. »*Ich wünsch dir Liebe ohne Leiden*«, erklang der uralte Udo-Jürgens-Song.

»Ja, das wünschen wir dir auch, Constanze. Liebe ohne Leiden. Am besten gleich heute Abend«, sagte Gitta. Dann konzentrierte sie sich wieder auf den Artikel, den sie gerade las.

Was wird aus den Schrebergärten?

152 Lauben gab es früher in der Kolonie Oeynhausen, samt Festplatz und Vereinshaus. Damit war Schluss, als ein Investor zuschlug. Die Schrebergärtner wurden abgefunden, aber ein paar Tausend Euro mehr auf dem Konto können nicht die Freude am Gärtnern ersetzen. Nun entsteht auf dem 45 000-Quadratmeter-Gelände ein Luxusquartier. Von fast 1000 Wohnungen sind gerade mal 50 für Einkommensschwache bestimmt. Doch gerade für sie werden bezahlbare Wohnungen benötigt ...

Sie ließ die Zeitung sinken und sah Marit fragend an. »Meinst du, unsere Kolonie wird auch irgendwann abgerissen? Die armen Leute in der Kolonie Oeynhausen. Die kannten ja jede Pflanze persönlich, das ist, als ob die ganze Familie niedergemäht würde. Das ist wie Krieg, der jede persönliche Bindung zerstört. Die Investoren sind die Kriegsgewinnler.« Sie schüttelte angewidert den Kopf.

»Berlin braucht mehr preiswerte Wohnungen, das ist leider wahr. Aber die Laubenkolonien plattmachen, um dann schicke Neubauten hinzusetzen? Für sozial Schwächere? Wer's glaubt …«, erwiderte Marit.

»Ich finde, sie machen einen ökologischen Fehler, wenn sie die Laubenkolonien vernichten. Sie amputieren Berlins grüne Lunge«, sagte Constanze. »Das sind Grünflächen, die gepflegter sind, als es jede städtische Anlage jemals sein kann. Wenn die Sommer immer heißer werden, verdorren in den Parks die Bäume und Pflanzen. Hier dagegen – alles schön grün, weil die Schrebergärtner gießen. Eine Menge Wassergeld zahlen. Und für die Öffentlichkeit sind die Kolonien doch auch zugängig.«

»Neulich stand in der Zeitung, dass die Kleingärten in Berlin bis 2030 vor dem Abriss sicher sind«, erwiderte Marit. »Stell dir mal vor, wie alt wir dann sind.«

»Ich werde gärtnern, bis ich nicht mehr kriechen kann. Und das kann ich in zehn Jahren bestimmt noch. Selbst wenn sie die Kolonie abreißen. So einfach gehen wir Laubenpieper nicht!«

In diesem Moment fiel nebenan die Gartenpforte ins Schloss. »Constanzes Tänzer macht sich vom Acker«, raunte Marit. »Hoffen wir mal, dass er zum Festplatz geht und sich nicht drückt.«

Einen Augenblick später dröhnte *Atemlos durch die Nacht* über die Gärten hinweg.

»Hoffen wir mal, dass sie jetzt schon tanzen«, ergänzte Gitta und las weiter. »Je eher sie anfangen, desto früher hören sie auf.«

Drei deutsche Songs zum Mitsingen später – *Verdammt, ich lieb dich, ich lieb dich nicht, Ja, ich will* und *Die Gespenster der Nacht* – hörten sie plötzlich jemanden an der Pforte rufen. »Marit, Gitta!«

Marit sprang auf. »Was ist denn jetzt? Warte, ich gehe.« Sie ging ums Haus, und da stand Hajo. »Constanze ist was passiert. Kommt mal zum Festplatz!«

»Was denn?«, fragte Marit erschrocken, aber da war er schon den Weg entlang zurückgejoggt. Marit rannte mit klatschenden Flipflops zurück zu Gitta. »Irgendwas ist mit Constanze!«

Auch Gitta rappelte sich hoch, und zusammen eilten sie zum Festplatz. Lichterketten mit bunten Glühbirnen leuchteten über dem Eingang des Vereinshauses, obwohl es noch gar nicht dunkel war.

Im Vereinshaus befand sich offenbar die Bar. Gitta rannte hinein: Mr. Kleingärtnerische Nutzung alias Udo Melcher stand hinter dem Tresen und zapfte, was das Fass hergab.

Als er Gitta sah, rief er »Bienenstich!« und zeigte wild fuchtelnd nach draußen, was Gitta überhaupt nicht verstand.

Denn das imposante Kuchenbüfett befand sich ebenfalls im Vereinshaus, mindestens zwanzig verschiedene Kuchen, jeder bestimmt nach dem Lieblingsrezept der jeweiligen Schreberbäckerin gebacken. Und ja, es gab auch ein Tablett mit köstlichem Bienenstich, aber dachte Udo Melcher im Ernst, sie würden jetzt Kuchen essen, wo sie ihre verletzte Freundin suchten?

Gitta rannte kopfschüttelnd wieder raus zu Marit, die vor dem Festplatz stand, die Hand über den Augen gegen die Helligkeit wie ein Seemann auf dem Meer, und nach Constanze suchte. Wo steckte sie?

Am Grill stand ein rothaariger junger Mann in Schürze mit der Aufschrift BRATORT und wendete Würstchen und Nackensteaks, daneben war ein Tisch mit Plastiktellern, Plastikbesteck, Grillsoßen und zwei großen Plastikschüsseln mit Kartoffel- und Nudelsalat, alles so unökologisch wie nur möglich.

An Tischen, die mit Efeu und Sommerblumen geschmückt waren, saßen junge Leute, alte Leute, grauhaarige Leute, Leute mit Locken, Mützen und Glatzen. Sie aßen, redeten, lachten und tranken. Auf einem Tisch war eine Tombola aufgebaut, eine grauhaarige Frau ging von Tisch zu Tisch und verkaufte Lose.

Neben der Tanzfläche fummelte ein junges Mädchen an einer Musikanlage herum und drückte die Tonregler hoch und runter. Und schon erklang *Heute Nacht für immer*.

Mehrere Pärchen schwoften auf dem gepflasterten Steinplatz, einige Frauen tanzten allein, schwangen die Hüften auffordernd in Richtung mehrerer älterer Männer, die an den nahen Tischen saßen, vorsichtshalber die Frauen ignorierten und lieber nacheinander Schnapsrunden ausgaben.

Die Freundinnen spähten umher. Überall feiernde Gärtner, Musik, Gespräche, beschwipstes Lachen. Aber wo war denn nun Constanze?

Dann sahen sie endlich Hajo. Er winkte ihnen heftig vom anderen Ende des Festplatzes zu. Constanze lag neben ihm in einem Liegestuhl, blass und mit geschlossenen Augen.

Marit und Gitta gingen rasch zu ihr hin.

»Was hast du denn, Constanze? Brauchst du einen Arzt? Hattest du einen Unfall?«, fragte Marit besorgt und kniete sich neben den Liegestuhl. »Was ist denn … meine Güte, was hast du denn im Mund?« Etwas Langes, Rötlichgraues, Hartes quoll zwischen den Lippen der Freundin hervor.

Constanze öffnete die Augen und zog sich den Gegenstand mit spitzen Fingern aus dem Mund.

Sie nuschelte etwas, das man nicht verstand, dann schob sie das rotgraue Teil wieder zurück.

»Was ist passiert?«, fragte nun auch Gitta alarmiert.

»Es war der Bienenstich«, erklärte Hajo und tätschelte Constanzes Hand. »Aber jetzt geht es ihr schon wieder besser.«

»Warum denn Bienenstich? Sie hat doch Aprikosenkuchen gebacken«, sagte Gitta und ließ Constanze nicht aus den Augen.

»Sie wurde von einer Biene gestochen. Die saß wahrscheinlich auf dem Kuchen, den sie gegessen hat«, erwiderte Hajo.

»O Gott, hoffentlich nicht in die Luftröhre! Nicht dass sie erstickt«, meinte Marit erschrocken.

Hajo schüttelte den Kopf. »Nein, die Biene hat sie am vorderen Teil des Gaumens gestochen, nicht am hinteren. Sie hat die Biene ausgespuckt. Aber es tut wohl ganz schön weh. Die Biene muss Todesangst gehabt haben. Sonst hätte sie niemals gestochen. Nun ist sie tot, die Arme. Nur Königinnen können mehrmals stechen.«

Er seufzte, und Gitta fand es empörend, dass sein Mitgefühl der Biene galt und nicht Constanze. Bienen hatte er pro Stock schließlich zwanzigtausend, aber sie hatten nur eine Constanze.

»Was hat sie denn im Mund?« Es sah eklig aus, fand Gitta.

»Der alte Hotz lässt sich jedes Jahr ein halbes Wildschwein vom Förster im Grunewald kommen. Das zerlegt er, dann kochen er und seine Frau es in der Laube ein. Ein paar Fleischstücke friert er ein. Als Constanze wegen des Stichs im Gaumen plötzlich losschrie, hat er aus seinem Tiefkühlschrank ein kleines Stück Wildschwein geholt. Zum Kühlen«, erklärte Hajo, und endlich verstanden die Freundinnen, was das rotgraue, harte Teil in Constanzes Mund war – ein gefrorenes Wildschweinteil. Hoffentlich kein Ohr.

»Sollen wir dich ins Krankenhaus bringen?«, fragte Gitta. »In die Notaufnahme?«

Constanze schüttelte nur schwach den Kopf, und einen Moment lang hatte Gitta den Verdacht, dass sie es genoss, die Schwache zu sein und Hajo machen zu lassen.

»Willst du mit uns in den Garten zurückgehen?«,

wollte Marit wissen, aber wieder schüttelte Constanze den Kopf.

In diesem Moment klopfte Marit jemand auf die Schulter. Sie drehte sich um: Vor ihr stand Laubenvorstand Udo Melcher.

Er trug ein Tablett, auf dem fünf kleine, volle Gläser standen, der Farbe nach Cognac oder Whiskey.

»Geht's wieder? Auf den Schreck lasst uns erst mal einen trinken«, sagte er und reichte das erste Glas Constanze. Dann bekamen Marit, Hajo und Gitta ein Gläschen in die Hand gedrückt.

»Das hilft gegen alles, auch gegen Bienenstich. Desinfiziert«, erklärte Melcher feierlich und kippte sein Glas in einem Zug.

»Danke«, murmelten die Freundinnen und tranken ebenfalls, erstaunt über Melchers unerwartete Freundlichkeit.

Melcher fuhr sich über das schüttere Haar und wandte sich an Marit. »Sag mal, kannst du mir mal kurz hinter dem Tresen helfen? Meine Tochter war mit mir eingeteilt, aber die hat heute noch was vor.«

»Seh ich aus wie jemand, der Bier zapfen kann?«, fragte Marit ungläubig.

Melcher ließ seinen Blick über ihre Bluse, ihren Jeansrock, ihre Flipflops gleiten und zu dem wild gelockten grauen Haar. »Ja, genau so«, erwiderte er und zwinkerte ihr zu.

»Na gut«, sagte Marit verdutzt. »Dann bin ich mal weg.« Sie folgte Udo Melcher ins Vereinshaus.

Zuerst ging alles ganz gut. In den nächsten Minuten bekam sie mehr Informationen über die anderen Schrebergärtner als in den letzten Monaten (»Das ist der Molli, der trinkt nur Alkoholfreies, der hatte mal ein Problem mit Suff, hol mal von hinten eine Flasche Jever Fun aus der Kiste.« »Bei der Rosi müssen wir aufpassen. In fünf Minuten ist die wieder da.« »Der Horst achtet darauf, dass sein Glas genau bis zum Eichstrich gefüllt ist« …). Dann allerdings fing Udo an, Marit ebenfalls einzuschenken. »Ist dir kalt? Hier, das wärmste Jäckchen ist das Cognäckchen.«

Marit verdrehte die Augen – und trank.

Kaum war ihr Glas leer, füllte er nach. »Wo früher meine Leber war, ist heute eine Minibar.«

Marit kicherte, verdrehte die Augen – und trank.

Kurz darauf erklärte er: »Das Schönste am Gärtnern ist immer noch das Gießen.«

Marit lachte laut – und trank. Weil sie genau in diesem Moment einen Schluckauf bekam, stieß sie aus Versehen das Bierglas um, das sie gerade gezapft hatte. Außerdem schienen da plötzlich zwei Biergläser zu stehen, sie hatte wahrscheinlich nach dem falschen gegriffen. Und so ging es weiter.

Gitta saß neben Constanze, die immer noch redeunwillig den Stich kühlte, und unterhielt sich mit Hajo. Nein, eigentlich befragte sie ihn zu den Leuten, die an den Tischen saßen, und er erzählte ihr viel, weil er schon dreiundzwanzig Jahre in der Kolonie einen Garten besaß, dreiundzwanzig Sommerfeste, dreiundzwanzig Erntedankfeste und unendlich viele Grillabende erlebt hatte.

Ab und zu kam jemand auf sie zu, wechselte ein paar Worte, und allmählich bekamen die Gesichter Namen, die sie behalten konnte.

Als ein alter Mann seinen Rollator vorsichtig auf den Rasen des Festplatzes schob und zwei Tische weiter Platz nahm, verfolgte Gitta seine steifen und zugleich wackligen Bewegungen besorgt.

»Ist das etwa auch ein Gartenbesitzer?«, fragte sie. Der Mann wirkte, als ob das Leben es gesundheitlich nicht immer gut mit ihm gemeint hätte.

»Das ist der alte Gunther Polaschki«, sagte Hajo. »Er ist am längsten in unserer Kolonie. Seine Eltern gehörten zu den Ersten, die einen Garten hier hatten, da war er noch ein Lütter.«

»Kann er denn überhaupt noch gärtnern?«

»Die Nachbarn helfen ihm bei den schweren Arbeiten.«

»Das ist nett.«

Hajo sah sie an. »Das ist normal. Wenn man seine Parzelle kündigen muss, nachdem man sie sein ganzes Leben hatte, bleibt nicht mehr viel von einem übrig. Diesen Moment wollen alle hinauszögern. Gunther lässt sich gern helfen, aber wehe, ihm geht jemand bei der Kartoffelernte zur Hand. Das lässt er nie und nimmer zu.«

»Warum nicht?«, fragte Gitta und beobachtete, wie eine junge Frau zum Grillmaster ging. Kurz darauf kam sie mit einem Teller mit Rostbratwürstchen und Kartoffelsalat zurück und stellte ihn Polaschki hin.

»Guten Appetit, Gunther«, sagte sie.

»Er ist ein Kriegskind. Da ließ man niemanden an die Kartoffeln ran. Es ist sehr spannend, was er aus der Anfangszeit der Kolonie erzählt. Es war damals das große Los, wenn man eine Parzelle bekam. Ihr müsst euch mal mit ihm unterhalten.«

»Vielleicht weiß er ja was über unseren Garten und die Laube«, überlegte Gitta laut.

»Ganz sicher weiß er etwas. Er mag gebrechlich sein, aber sein Kopf funktioniert noch bestens. Bis vor zwei Jahren war er Kassenprüfer.«

»Ein großes Los ist so ein Schrebergarten heute doch auch noch. Mehr denn je, sonst wäre die Warteliste nicht so lang«, nuschelte Constanze.

Das Wildschweinstück lag inzwischen aufgetaut neben ihrem Liegestuhl, bereit für den nächsten Schreberhund, der vorbeikam und es entdeckte.

»Ja, aber heute ist es ein Vergnügen, damals war es eine Lebensnotwendigkeit. Jede Kartoffel half, wenn man Hunger hatte«, meinte Hajo.

»Für mich ist es auch eine Notwendigkeit«, sagte Gitta und strich sich das Haar hinters Ohr. Ihr war bewusst, dass sie sich zum ersten Mal richtig mit Hajo unterhielt. »Quasi lebensnotwendig. Wenn ich nicht in der Erde wühlen kann, fühl ich mich krank.«

Hajo sah sie nachdenklich an. »Du hast deinen schönen Garten sehr geliebt, was?«

»Ja, das habe ich. Manchmal denke ich, mehr als meinen Mann.«

»Das ist ja nicht ungewöhnlich, dass sich Ehepaare entfremden. Aber genau deshalb gibt es Unterhalt und

Rentensplitting und all das: Damit beide halbwegs so weiterleben können wie bisher, damit eine Trennung fair vonstattengeht. Damit zu dem seelischen Schmerz nicht noch die materielle Unsicherheit kommt.«

»Das sag mal meinem Rechtsanwalt. Er ist so ein ...«

»Bist du nicht mit ihm zufrieden?«

»Überhaupt nicht.«

»Möchtest du tanzen?«

Unvermittelt stand ein Mann vor Gitta und schaute auf sie hinunter, wie sie da mit angezogenen Beinen neben dem Liegestuhl saß und mit einem Fremden über ihre anstehende Scheidung sprach.

Kahl rasiert, breit in den Schultern und auch breit im Bauch sah der Fragende aus wie jemand, mit dem sie normalerweise nicht getanzt, sich nicht mal unterhalten hätte. Aber die kleine DJane hatte gerade *It's Raining Men* aufgelegt. Und davon wollte Gitta auch ein paar Nieseltropfen abbekommen, anstatt mit Hajo weiter über ihren unfähigen Rechtsanwalt zu plaudern. Also reichte sie dem Fremden die Hand.

»Warum nicht?«, erwiderte sie, er zog sie hoch, und zusammen gingen sie zur Tanzfläche.

Ihre Garten-Birkenstocks ließ sie neben Constanzes Liegestuhl stehen und tanzte los. Nur gelegentlich trat sie auf einen kleinen Stein, während der Mann – ein Philipp? – sie im Takt herumwirbelte. Dann hüpfte sie vor Schmerz etwas höher.

Ihm folgten ein Gerhard, ein Ingo und ein Alex, bevor sie im Eichkamper Freestyle mit einer Uschi und einer ziemlich ausgelassenen Claudia herumhüpfte.

Claudia ließ sich sogar zu Boden fallen und tat so, als spielte sie Luftgitarre, Zuschauer klatschten, und sicher musterte auch der eine oder andere Gitta, die mit wehendem Haar um Claudia herumtanzte und mit hocherhobenen Händen den Rhythmus klatschte.

Falls einer der Tänzer oder Tänzerinnen in der nächsten Zeit mal über die Hecke schauen sollte – Gitta war sich sicher, dass sie dann die Namen wusste: der dicke Philipp, der so gut führen konnte, Alex, der heftig nach Schweiß roch, Gerhard, der bei jedem Lied leise mitsang, und Ingo, der kein Wort sagte. Daran würde sie sich erinnern können. An Claudia und Uschi sowieso.

Seit langer Zeit fühlte sie sich mal wieder so richtig ausgelassen und glücklich, tanzte ihre Tränen und ihre schlechten Erinnerungen einfach weg.

Ihr fielen Schritte ein, die sie jahrzehntelang nicht mehr gemacht hatte, tanzte Swing und Discofox und Rock 'n' Roll und sogar Tango, sie bekam von fremden Männern Komplimente und dachte den ganzen Abend nicht ein einziges Mal an *ihn*.

Gegen eins, als der Mond schon hoch über dem Festplatz stand, als von den bunten Glühbirnen bereits drei kaputtgegangen waren (eine grüne, eine gelbe und eine orangefarbene, nur die roten waren noch vollständig), als die Grillkohlen erkalteten und nur noch ein harter Kern von Feiernden auf dem Festplatz war, als die junge DJane gähnte und leisere Songs spielte, konnte auch Gitta nicht mehr.

Sie entschied, dass sie mit niemandem in der Kolonie

den Kuschelblues *Nights in White Satin* tanzen wollte, und machte sich auf die Suche nach den Freundinnen.

Zuerst fand sie Constanze, die immer noch regungslos und mit geschlossenen Augen in dem Liegestuhl lag. Erschrocken hielt Gitta den Atem an: Hatte die Gaumenschwellung nun doch das Schlimmste bewirkt? War der Freundin unbemerkt von allen die Luft weggeblieben?

Aber als sie sich über Constanze beugte, sah sie, dass die Freundin ruhig atmete. Sie schlief tief und fest, den Kopf etwas zur Seite gedreht, den Mund ein bisschen geöffnet, ein klitzekleiner Spuckefaden zog sich durch ihren Mundwinkel, und zugedeckt mit einer Männerjacke, die sich im Takt ihres Atems langsam hob und senkte – Hajos Jacke, wie Gitta vermutete, auch wenn ihr Imkernachbar nirgends zu sehen war.

Ausgesprochen friedlich lag Constanze da, den Song der Moody Blues als Nachtlied, umgeben von Menschen, die sie kaum kannte, bot sie ein Bild des Urvertrauens.

Gitta rüttelte sanft an ihrer Schulter. »Hey, Dornröschen. Die Party ist vorbei!«

Constanze schreckte hoch, blickte einen Moment verwirrt um sich, bevor sie begriff, wo sie war. Sie tätschelte die Jacke so liebevoll, als wäre sie ein Mensch, dann gähnte sie, fuhr dabei prüfend mit der Zunge über den Gaumen und nickte zufrieden.

»Die Neumanns haben mir noch zwei Eis am Stiel zum Kühlen gebracht. Es juckt nur noch ein bisschen.«

»Wer sind denn die Neumanns?«

»Die kennst du doch. Das nette ältere Paar, das immer über unsere Hecke schaut.«

Was ja zu allen älteren Paaren in der Kolonie passte, fand Gitta. Aber umso besser. Dann kannten sie nun neben Alex, Claudia, Gerhard, Ingo, Philipp, den Ergels, Udo, Hajo, Angelika, Liane und Gunther Polaschki auch noch die Neumanns.

»Tut mir ja leid, dass du nicht mit Hajo getanzt hast«, sagte sie.

»Das macht fast gar nichts. Wir haben uns die ganze Zeit unterhalten. Also, er hat geredet, und ich hab bienenbedingt geröchelt.«

Sie stand auf und machte ein paar gymnastische Übungen, um sich wieder in Bewegung zu bringen, wobei die halbhohen Absätze ihrer ungenutzten Tanzschuhe in das weiche Festplatzgras einsanken.

»Es war trotzdem ein interessanter Abend. Er ist geschieden und hat zwei erwachsene Töchter, mit denen er sich bestens versteht. Er will, dass ich sie kennenlerne, wenn sie ihn das nächste Mal im Garten besuchen. Oh, und seine Ferien verbringt er am liebsten in Indonesien. Da würde ich auch gern mal hin. Nach Bali. Wir haben noch weitere Pläne.« Sie sah sich um. »Wo ist denn Marit?«

»Gute Frage. Das letzte Mal, dass ich sie gesehen habe, wurde sie von Melcher zum Ausschankdienst schanghait. Komm, wir schauen mal, was im Vereinshaus los ist.«

Nur über der Bar brannten zwei Hängelampen mit kupfernem Schirm, der Rest des Raumes war in Schummerlicht getaucht. Er war leer. Bis auf zwei Leute, die sich am Kuchenbüfett gegenübersaßen, eine überdimensionale Flasche Asbach Uralt zwischen sich.

Die eine Person war der Vereinsvorstand Udo Melcher. Er schenkte sich gerade aus der großen Flasche nach – erstaunlich, dass er zu so später Stunde die dicke Flaschenöffnung so präzise auf das kleine Glas richten konnte und dass es hinterher tatsächlich gefüllt war.

Die Person ihm gegenüber schlief. Sie hatte den Kopf auf die verschränkten Arme gelegt, ihre wirren grauen Locken lagen auf einem Teller mit Bienenstich. Der linke Ellenbogen der Person ruhte in einem Schokoladenkuchen, der mit bunten Herzchen verziert war. Einige Herzchen klebten an ihrer Bluse.

»Marit!«, rief Constanze entsetzt. »Was machst du denn da? Wach auf!«

Udo Melcher sah hoch, die Augen etwas gerötet – der Kolonievorstand, atemlos durch die Nacht. Er winkte ab, obwohl sie ihn gar nicht angesprochen hatten.

»Also mal ehrlich«, sagte er undeutlich. »Das ist mal eine tolle neue Gärtnerin in unserer Kolonie, die Marit. Schade, dass ihr nicht auch so seid.«

Bei der Nennung ihres Namens wachte Marit auf. Sie riss den Kopf hoch. »Autsch«, rief sie, als sie die Freundinnen vor sich stehen sah. »Schaut mich nicht so vorwurfsvoll an. Ich weiß, das war zu viel.« Sie rutschte die bunt bezogene Bank entlang, bis sie sich durch eine Lücke zwischen zwei Tischen herauswinden konnte. Die Freundinnen nahmen sie in Empfang.

Mit einem munteren »Nacht, Udo« verabschiedete sie sich und tätschelte ihm sachte die Glatze. Er ließ es geschehen.

»Willst du nicht im Vergnügungsausschuss mitmachen?«, fragte er. »Dann können wir auf jeder Feier zusammen zapfen.«

Marit lachte nur, schüttelte den Kopf und ging.

Udo schaute ihr andächtig hinterher, dieser energischen, kompakten Person in dem etwas zu kurzen Minijeansrock. Er sah aus wie jemand, dem lange nicht mehr der Kopf getätschelt worden war.

Gitta hakte Marit unter, die ein bisschen wacklig ging. Vielleicht lag es ja auch nur an den Flipflops. Constanze schlenderte neben ihnen her, Hajos Jacke locker über die Schulter geworfen.

»Udo wollte mich echt abfüllen. Immerzu hat er Trinksprüche rausgehauen, und zu jedem sollte ich ein Glas heben«, sagte sie kichernd. »Ich frag mich, warum. Was er wohl mit mir gemacht hätte, wenn ihr mich nicht eingesammelt hättet?«

»Das will ich gar nicht wissen«, bemerkte Gitta.

»Weiter so, Marit. Saufen für den Pachtvertrag«, sagte Constanze trocken. »Er steht auf dich. Noch so ein paar Abende wie heute, und wir haben das Ding in der Tasche.«

Sie kamen an Hajos Garten vorbei. Licht schimmerte durch ein Laubenfenster, der Strahl reichte genau bis zu dem Bogen, an dem die Rosen geradezu ausgelassen blühten. Ihr Weiß schimmerte, als hätte der Mond eine Stippvisite auf der Erde gemacht und wäre ausgerechnet in der Kolonie Krötenglück gelandet, in Nachbar Hajos Garten.

Constanze blieb stehen.

»Nein, du kratzt nicht an seiner Tür«, erklärte Gitta.

»Oh, ich muss nicht kratzen. Ich bin eingeladen. Das ist einer unserer weiteren Pläne«, erklärte sie.

Die Freundinnen sahen sie erstaunt an.

»Du gehst jetzt zu Hajo?«, fragte Marit.

»Ja. Er hat gesagt, er lässt für mich das Licht an. Und schaut, wie hübsch es brennt.« Sie stieß die Gartenpforte auf und schlüpfte in Nachbars Garten. »Gute Nacht, ihr beiden, schlaft schön.«

Marit und Constanze sahen ihr hinterher.

»Donnerwetter. Das wird ja richtig ernst«, meinte Constanze.

Kopfschüttelnd gingen sie ein Grundstück weiter. »Mir ist noch ein Trinkspruch eingefallen«, sagte da Marit und öffnete die Pforte. »Ein guter! ›Auf die Männer, die wir lieben, und die Penner, die wir kriegen!‹«

Sie lachten beide, dann waren sie auch schon in ihrer Laube und machten sich daran, zum ersten Mal auf dem Dachboden zu schlafen, der viel zu niedrig zum Stehen war, aber genau richtig, wenn man eine lange Nacht auf dem Festplatz hinter sich hatte und auf keinen Fall nach Hause fahren wollte.

Schon zu Beginn des Sommers hatten sie hier Decken und Kopfkissen deponiert. Auf einer der großen Matratzen von Robert fanden sie Platz, und kaum hatten sie sich hingelegt, hatten sich gegenseitig eine gute Nacht gewünscht, schliefen sie auch schon.

Gitta träumte, dass sie am Bahnhof stand und mit einem kleinen Taschentuch à la Anna Karenina der fauchenden und rauchenden Dampflok hinterherwinkte. Sie wusste, dass *er* in der Lokomotive saß und dass die Eisenbahn die Garden Route in Südafrika entlangfuhr. Es würde lange dauern, bis sie ihn wiedersah, wenn überhaupt. Haie, Löwen, Giftschlangen – alles war möglich. Ihr Abschiedsschmerz war eine Mischung aus Neid, dass ausgerechnet *er* die Garden Route nahm, zauberhafte Gärten mit exotischen Pflanzen sehen würde, und Erleichterung, dass er endlich weg war. Der Stress, den sie mit *ihm* hatte, verfolgte sie bis in ihre Nacht.

Marit träumte, dass sie zu Hause in ihrem Bett lag, neben ihr Stefan. Er hielt ihre Hand, und sie erzählte ihm, was ihre Jungs in den letzten fünf Jahren gemacht hatten, wie sie zu Männern geworden waren, während er nicht da gewesen war.

Marit fürchtete die Träume, die sie immer mal wieder hatte. Denn sie waren so real. In den Träumen dachte sie, sie hätte sich Stefans Tod nur eingebildet. Sie spürte eine unglaubliche Dankbarkeit darüber, dass sein Tod nur ein schrecklicher Irrtum gewesen war. Denn hier war er doch, direkt neben ihr! Bis sie am nächsten Morgen erwachte, desorientiert neben sich griff und verstand, dass er nicht zurückgekommen war. Da war die Trauer doppelt so stark.

Doch als Marit am nächsten Morgen neben Gitta aufwachte, hatte sie den Traum glücklicherweise schon vergessen. Gitta schnarchte leise, und sie erhob sich vorsichtig, kletterte die Leiter hinunter, machte sich einen starken Kaffee gegen den Kopfschmerz und ging, barfuß und nur in ihrer Bluse, in den Garten.

Es war früh. Die Kolonie lag ruhig da, auch vom nahen Tennisplatz war keines der sonst allgegenwärtigen Ballgeräusche zu hören. Die Sonne stand niedrig, der Himmel war klar. Der Morgen wirkte wie frisch geputzt.

Marit war glücklich. Sie, die immer nur einen Balkon gehabt hatte, hatte einen Garten!

Sie schlenderte zwischen dem Apfelbaum und dem Birnenbaum durch das taunasse Gras und trank dabei ihren Kaffee. Langsam ging sie um die Laube herum und schaute der Natur beim Erwachen zu. Die Vögel zwitscherten, Blumen und Gemüse waren über Nacht gewachsen. Das taten sie ja immer.

Bei den drei Kartoffeln, die sie und Constanze gegen Gittas Widerstand im Blumenbeet gepflanzt hatten (viel zu spät, aus reiner Neugier darüber, was passieren würde, und nur, weil Marit zu Hause Kartoffeln im Kühlschrank hatte, die ausgekeimt gewesen waren), blieb sie stehen. Das Grün war inzwischen handbreit hoch gewachsen.

Sie beugte sich vor, als sie etwas Orange-Schwarzes auf den Blättern krabbeln sah. War das etwa ein Kartoffelkäfer? Wie hatte er ihre Kartoffelpflanzen hier im Staudenbeet gefunden? Unfassbar. Solche Käfer hatte sie zuletzt in ihrer Kindheit gesehen. Colorados hatte ihre Oma sie genannt, weil man annahm, dass sie von den Amerikanern über der DDR abgeworfen worden waren – kapitalistische Schädlinge, darauf aus, den sozialistischen Grundgedanken und vor allem die Versorgung des Arbeiter- und Bauernstaates perfide zu zerstören.

Aber Marit dachte gar nicht daran, den Käfer abzuklauben und zu töten. Sie richtete sich wieder auf. Da kam ein Rotkehlchen angeflogen, landete vor ihr und schaute sie mit schräg gelegtem Köpfchen an. Auch als sie einen Schritt auf den kleinen Vogel zuging, flog er nicht fort. Er blieb, wo er war, beobachtete sie, trippelte von einem Beinchen aufs andere, hüpfte unentschlossen auf sie zu und dann wieder zurück. Er wirkte, als hätte er eine dringende Nachricht für sie.

Unvermittelt überlief sie ein Schauer, als hätte ihr jemand ins Ohr geflüstert, wie schön das Leben war und dass man es unbedingt genießen sollte. Solange man es eben hatte.

Im nächsten Moment hüpfte das Rotkehlchen zu der Kartoffelpflanze, schaute sich den Käfer an und schwups – weg war der Colorado.

14. Kapitel

Berlin im August 1945

Nachdem irgendwer eines Nachts über den Zaun ge-
klettert war und einen Teil unserer reifen Süßkirschen
gepflückt hatte, beschloss Albert, das Grundstück zu
bewachen. Er, Milan und ich wechselten uns ab, wobei
immer einer der Männer die »Hundewache« zwischen
zwei und sechs übernahm. Der echte Hund schlief in
dieser Zeit tief und fest.

Alberts Hauptsorge galt den Kartoffeln. Sie sollten
uns nicht nur über den Winter bringen, sondern waren
auch auf dem Schwarzmarkt sehr beliebt. Aber seit das
Laub hoch gewachsen war, kämpften wir mit Kartoffel-
käfern. Jeden Tag gingen wir durch die Reihen und
sammelten die orange-schwarz gestreiften Käfer ab,
entfernten die Blätter, auf denen bereits Eier abgelegt
worden waren, kleine, längliche blass orangefarbene
Gelege. Die Raupen durften nicht schlüpfen. Mit ihrem
maßlosen Appetit würden sie das Laub wegfressen, bis
die Pflanze keine Kraft mehr hatte, die Kartoffeln aus-
zubilden.

Auch in Oderberg hatten wir, in Schulklassen organisiert, jedes Jahr die Kartoffelkäfer auf den Äckern

absammeln müssen. Dafür brachten wir von zu Hause Flaschen mit, in denen die Lehrer Petroleum gaben, sodass die Käfer starben.

Zuerst hatte man uns gesagt, die Franzosen steckten hinter den Schädlingen: Sie hatten die Kartoffelkäfer im Ersten Weltkrieg nach Deutschland gebracht. Später hatten wir dann gelernt, dass die Engländer die Käfer von ihren Flugzeugen aus über Deutschland abgeworfen hatten.

Mir schien, die Kartoffelkäfer wurden je nach Krieg genutzt, um Stimmung gegen den Feind zu machen. So ähnlich wie das Franzosenkraut, dieses Unkraut, das sich überall breitmachte, dem Namen nach ebenso eine Feindespflanze.

Aber nun gab es keine Feinde mehr, nur Sieger und Besiegte, und sowohl Franzosenkraut als auch Käfer waren immer noch da. Das Franzosenkraut konnte man ähnlich wie Brennnesseln essen, die Kartoffelkäfer mussten dagegen weg, und deshalb sammelten wir sie jeden Tag morgens und abends ab.

Als Albert und ich eines Abends mal wieder mit gebeugten Rücken durch die Reihen gingen – Milan kam immer erst zu Beginn seiner Wache, wechselte mit uns ein paar Worte und setzte sich danach schweigend auf den Stuhl unterm Apfelbaum –, hielt ein offener Jeep, auf dessen Seite die britische Flagge aufgemalt war, vor der Gärtnerei. Ich winkte von meiner halb abgesammelten Kartoffelreihe aus, weil ich annahm, dass es Ben war. Aber dann ließ ich den Arm sinken. Es war ein Fremder, der ausstieg.

Albert warf mir einen Blick zu, dann ging er zu dem Mann in Uniform. Im Gegensatz zu Ben, der seine Jacke häufig offen trug, dem mit seinem stets schiefen Käppi etwas Verwegenes anhaftete und dessen normaler Gesichtsausdruck ein breites Grinsen war, wirkte dieser Mann streng. Er nahm sein Käppi ab – es war ein warmer Abend – und fuhr sich durch sein eisgraues kurzes Haar. Furcht stieg in mir auf.

Albert trat zu ihm, weshalb ich nicht sah, was weiter vor sich ging. Aber nur einen Moment später stieg der Mann wieder in den Jeep, wendete und fuhr die Harbigstraße zurück.

Albert ging ins Haus.

Ich hielt es nicht aus und folgte ihm.

»Was ist?«, fragte ich. »Was wollte der Engländer?«

So viel war denkbar: eine Überprüfung, vielleicht die Schließung der Gärtnerei, deren Zaun an den Grunewald grenzte, wo der Außenbereich der Organisation Todt gewesen war, Einquartierung von Fremden. Oder hatte es etwas mit mir zu tun? Vielleicht sollte ich wieder zurück nach Oderberg?

Albert saß am Tisch in der Stube. Er hatte ein beschriebenes Blatt Papier vor sich, das er las. Als er mich hörte, sah er auf.

»Marijke hat geantwortet. Sie schreibt, dass sie sich niemals scheiden lassen wird«, sagte er, und eine kalte Faust griff nach meinem Herzen, weil ich nicht wusste, was das für uns, für unser Kind bedeutete. »Aber sie schreibt auch, dass sie nicht zu mir zurückkommt. Sie will in Holland bleiben, kann nicht mit sich vereinbaren, mit einem Deutschen in Deutschland zusammen zu sein.« Er sah mich ratlos an. »Warum macht sie das?«

Ich kannte sie nicht und verstand nicht, was das bedeutete. Das sagte ich ihm.

»Dann ist es eben so«, sagte er. »Du gehörst trotzdem zu mir.«

Er meinte es ernst, das wusste ich. Trotzdem machte ich mir Sorgen. Nicht darüber, was die Leute redeten. So viele Frauen hatten ihre Kinder allein bekommen, weil die Männer im Krieg geblieben waren, so viele Frauen mussten ihre Kinder allein großziehen. So viele Halbwaisen gab es, die ihre Väter niemals kennenlernen würden. So wäre es mit unserem Kind nicht.

Trotzdem hatte ich Angst vor Willkür und vor Not in dieser unruhigen Zeit, vor Hunger und Heimatlosigkeit und davor, dass niemand rechtlich für mein Kind einstehen würde, wenn etwas mit mir passierte.

»Ja, dann ist es wohl so«, antwortete ich bedrückt.

Milan erschien um zehn Uhr abends und ging wie immer zu seinem Platz unterm Apfelbaum. Er spürte, dass etwas vorgefallen war, und als ich ins Bett ging, kam Albert nicht wie sonst mit, sondern blieb draußen. Ich hörte, wie sie sich unterhielten, nur nicht, worüber. Ihr Murmeln drang durch das geöffnete Fenster ins Schlafzimmer, und ich hätte es tröstlich gefunden, wäre ich nicht so unruhig gewesen.

Ich fiel in einen unruhigen Schlaf, aber als Albert ins Bett schlüpfte, wachte ich auf. Er rückte auf meine Seite und nahm mich in den Arm. »Lissa, Milan und ich haben eine Idee. Wir bauen ein zweites Haus auf dem Gelände für dich.«

»Soll ich da allein einziehen?«, fragte ich.

»Natürlich nicht. Du musst es überhaupt nicht nutzen, solange wir hier wohnen, aber falls du jemals allein dastehen solltest, hast du zumindest ein Dach über dem Kopf. Nicht zu groß, damit dich niemand zwingen kann, Leute aufzunehmen, dennoch groß genug, um mit dem Kind darin zu wohnen. Ich kann Marijke nicht enterben, aber das neue Häuschen auf deinen Namen eintragen lassen. Was meinst du? Mir wäre das eine Beruhigung.«

Ich spürte in seinen Worten die Sorge, dass Marijke doch zurückkommen und mich aus dem Haus treiben könnte. Er hatte nie gesagt, dass er mich liebte, diese Idee verriet es mir jedoch. Ich streckte mich neben ihm aus, spürte seine Hand auf meinem Bauch.

»Das wäre wunderbar, Albert«, flüsterte ich. »Aber woher nehmen wir, was wir für den Bau eines Hauses brauchen? Das viele Geld?«

Da lachte er schallend. »Lissa, die ganze Stadt ist ein riesiger Haufen Baumaterial. Es kostet nichts, außer sehr viel Arbeit, Kraft und Zeit.«

Am nächsten Morgen sprachen wir nicht über den Entschluss der Nacht. Ich stand zuerst auf, weil Albert die Hundewache übernommen hatte, pflückte Löwenzahn für die Kaninchen, las mehrere Kläräpfel auf, die ersten Äpfel im Jahr, die so herrlich dufteten und die so schnell braun und matschig wurden. Dem armen

Oskar gab ich gekochtes, kaltes Gemüse, das er gierig fraß, machte Wasser auf dem Ofen für einen Kräutertee heiß und kochte von Haferflocken, die Albert neulich auf dem Schwarzmarkt erstanden hatte, einen Brei. Zusammen mit den Äpfeln und etwas Honig war das ein gutes Frühstück, auch wenn wir keine Milch hatten.

Als Albert bereits angezogen aus dem Schlafzimmer kam, sah er mich in der Küche hantieren und lächelte. »Wie gut war es doch, dass ich damals an den Zaun gekommen bin. Sonst müsste ich jetzt mein Frühstück selbst machen«, bemerkte er und setzte sich. »Lissa, im Schrank ganz unten ist ein Ordner mit alten Rechnungen. Kannst du mir den mal bringen?«

»Wofür brauchst du den?«, fragte ich, als ich den Ordner auf den Tisch legte. Er drehte ihn um und schlug ihn auf. »Deshalb.«

Die Rechnungspapiere waren gelblich und holzig, aber die Rückseiten der Rechnungen waren leer. Ein ungeheurer Luxus, wenn ich daran dachte, wie mein Vater von der Front zwischen die Schriftzeilen von Mutters Briefen seine Antworten an uns geschrieben hatte. Und hier nun – leeres Papier.

Albert nahm einen Zimmermannstift, spitzte ihn mit dem Küchenmesser und sah mich an.

»Wie soll dein Haus aussehen?«, wollte er wissen.

Und endlich verstand ich, worum es ging. Es war der Anschluss an unser nächtliches Gespräch.

»Es muss einen Keller haben«, sagte ich. »Mindestens so groß wie deiner, damit ich mich zur Not darin verstecken kann. Tief genug, um darin frostfrei

Gemüse zu lagern. Einen Giebel soll es haben, so wie in dem Haus, in dem Milan überlebt hat. Und einen Dachboden, auf dem man schlafen kann. Ein kleines, kleines Bad mit einem richtigen Klo und mit fließendem Wasser. Und ...«

Mir fiel etwas ein, und ich ging in das Kaninchenzimmer. Hinz und Kunz trommelten aufgeregt mit den Hinterläufen, als sie mich sahen, wahrscheinlich hofften sie auf Löwenzahn.

Ich holte, woran ich hatte denken müssen, und legte es vor Albert auf den Tisch.

»Dieses kleine Fenster muss eingebaut werden. Das ist das Letzte, was mir von Tante Martha geblieben ist.« Sacht strich ich mit dem Zeigefinger über das dicke Glas mit den Lufteinschlüssen, den Rahmen, den klitzekleinen Messinggriff, mit dem man es verschließen konnte. Vielleicht war es einzig zu dem Zweck heil geblieben, woanders einen Lichtblick von drinnen nach draußen zu gewähren. »Ja, das gehört wohl auch in mein Haus.«

»Du redest nicht von Zimmern, nicht, wo du leben und kochen willst. Wo eine Wiege stehen könnte«, gab Albert zu bedenken und machte probehalber einen Strich auf dem Papier, gerade und grau. »Du redest nur von den Ecken im Haus, in denen du dich sicher fühlen kannst, und von den Gegenständen, die dich an früher erinnern.«

»Geht es nicht darum, wenn man sein Zuhause plant?«, erwiderte ich.

Albert schaute in seinen Kräutertee, als ob er darin

die Zukunft lesen konnte. Dann riss er eine Rechnung aus dem Ordner und begann, etwas auf die leere Rückseite zu schreiben. Zwischendurch sah er hoch, überlegte einen Moment, schrieb weiter. Schließlich setzte er seinen Namen darunter und das Datum: 31. August 1945. Er legte den groben Stift weg, faltete das Blatt und hielt es mir hin.

»Hier, Lissa. Das ist für dich. Heb es gut auf.«

Ich nahm das Blatt Papier, um es ins Schlafzimmer zu bringen, wo ich meine wichtigsten Sachen aufbewahrte – immer noch in Vatis Rucksack. Aber zuerst faltete ich das Blatt auseinander: *Testament von Albert Grossart* las ich, und darunter stand alles, was er in der Nacht gesagt hatte: Im Fall seines Ablebens vermachte er mir ein kleines Haus auf seinem Grundstück, ein Haus, das es jetzt noch nicht gab.

15. Kapitel

Berlin im Juli, Gegenwart

Nach dem Sommerfest kehrte wieder Ruhe in der Kolonie ein. Die Freundinnen trafen sich weiter regelmäßig nachmittags, abends oder an den Wochenenden in ihrer Parzelle, gelegentlich war eine von ihnen auch allein da, sie gossen, jäteten, ernteten. Auch Marits Söhne tauchten immer mal wieder auf, warfen den Grill an und tranken ein, zwei, drei Bier. Kamen Luzie und Mathilda mit Nils und Leonie, ermutigte Marit sie geradezu, laut und lebhaft zu spielen. Sollten doch alle mitbekommen, wie der Garten von ihren Enkelinnen genutzt wurde!

Schon längst hatten die Zwillinge die Fenster beim Ehepaar Ergel repariert. Immer mal wieder fanden die Freundinnen im Briefkasten (der leer war, seit die Meisen geschlüpft waren) Anfragen, ob Falk und Friedo nicht weitere kleine Bauarbeiten übernehmen könnten.

Hajo war inzwischen ein fester nachbarschaftlicher Bestandteil für sie alle drei, jemand, der ihnen bei schrebergärtnerischen Zwischenmenschlichkeiten in der Kolonie auf die Sprünge half (»Er hat mal für den Vorstand kandidiert, aber dann kam die Sache mit dem Zaun und den Spenden und den Wildschweinen und den Eicheln, und danach wurde er nicht mehr gewählt ...«). Er wusste mehr als die Freundinnen über Gemüse und sehr viel mehr über Bienen. Dafür schafften sie es im Gegensatz zu ihm zu grillen, ohne Fleisch und Gemüse zu verbrennen. Zuerst war er etwas beleidigt, dass die Freundinnen diese Männerdomäne erobert hatten, dann nahm er es sportlich und nutzte die Zeit, um Eisbergsalat oder Chinasalat zuzubereiten, was immer er gerade ernten konnte.

Für Constanze, ihre überzeugte Singlefreundin, war Hajo mehr als ein Nachbar, was Gitta und Marit erstaunlich fanden, ihr aber von Herzen gönnten. Constanze hatte ihn zum Schuljahresende als Gast in ihre Bienen-AG eingeladen, ihre Schüler und Schülerinnen waren begeistert gewesen.

Zu Marits Geburtstag, zu dem sie ihre vier Söhne samt Partnerinnen, die Enkelinnen und ihre Lieblingskunden aus der Buchhandlung eingeladen hatte, war Udo erschienen – mit einer Riesenpackung Mon Chérie. Hajo war ebenfalls gekommen und hatte ihr zwei Gläser Honig geschenkt. Durch Hajo änderte sich zum Glück wenig an ihrer Freundschaft.

»Männer kommen und gehen«, sagte Gitta und erntete dafür von Constanze böse Blicke.

Zum Essen waren sie häufig eine Person mehr, in den seltenen Nächten, in denen die Freundinnen in der Laube schliefen, eine Person weniger. Wo, wer und wann in welcher Wohnung mit wem schlief, behandelten sie diskret.

Hajo brachte ihnen Doppelkopf bei, und obwohl

Gitta und Constanze den letzten Platz beim Turnier belegten, kannten sie danach noch mehr Leute aus der Gartenkolonie.

Marit spielte mit Udo in einem Team. Sie verpassten den Hauptgewinn – eine tiefgefrorene Ente – nur ganz knapp. Für den zweiten Platz gab es eine Flasche Schnaps. Udo war sauer, aber Marit flüsterte ihm zu: »Eine neue Leber ist wie ein neues Leben«, worauf er einen Klaren kippte und sich zufriedengab.

Sie hatten sich beim Gartenverband angemeldet und fragten sich, wann Robert wohl kündigte und was dann passieren würde.

Ihre WhatsApp-Gruppe hieß Glückliche Kröten, und kein Tag verging, an dem nicht eine von ihnen etwas postete.

Das Gemüsebeet sah inzwischen etwas gelichtet aus, Salat war geerntet und nicht neu gepflanzt worden, Stachelbeeren, Johannisbeeren und Himbeeren waren längst gepflückt, gefuttert und zu Roter Grütze verarbeitet worden.

Der Blaukohl, den Marits Jungs gepflanzt hatten, hatte sich als relativ normaler Rotkohl herausgestellt. Zwei der vier Setzlinge waren von den Raupen des Kohlweißlings angefressen worden, die sich durch die roten Blattschichten gebohrt hatten. Bei den anderen waren die Freundinnen schneller als die Schädlinge gewesen, sie hatten sie gerettet. Diese beiden gediehen so gut, dass Marit davon träumte, zu Weihnachten Rotkohl zur Gans zu machen.

Überhaupt fand in ihrem Kleingarten, der ja so klein

gar nicht war, ein permanenter Krieg gegen die Schädlinge und Unkraut statt. Manchmal waren sie Siegerin-
nen, manchmal Besiegte. Und manchmal ekelten sie
sich vor ihren eigenen Siegen, zum Beispiel vor den
Bierfallen, in denen die Nacktschnecken ein beschwipstes Ende fanden.

Den Giersch, der immer noch ungehindert von
Hajo zu ihnen herüberwuchs, pflückten sie und machten zusammen mit dem Franzosenkraut, dem Löwenzahn und der wilden Rauke, die überall aufging, Salat.
Darüber streuten sie Gänseblümchen. Nur die Brennnesseln, die in der Forsythienhecke wuchsen, mochten sie nicht. Die piekten im Mund. Das Wildkraut,
wie Falk nachdrücklich bei jedem Besuch sagte, sei ein
Stück Natur, man müsse nur sehen, dass es nicht über-
handnahm. Der Kampf dagegen war eine immerwäh-
rende Gartengymnastik.

Umso mehr empörte es sie, was sie eines Abends beobachteten. Es war schon fast dunkel, als sie in Richtung Parkplatz gingen. Im Dämmerlicht spritzte ein
Gärtner mit einem gelben Kanister auf dem Rücken em-
sig die Steinwege und den Rasen. Als er sie bemerkte,
nahm er den Kanister hastig ab.

»Jede Wette, dass das nicht Brennnesseljauche ist«,
murmelte Marit.

»Was gibt's denn da zu glotzen?«, blaffte der Laubenpieper die Freundinnen über den Zaun hinweg an.
»Sonst werd ich den Löwenzahn doch nie los. Wenn die
Landwirtschaft Glyphosat einsetzen darf, werd ich es
wohl auch dürfen. Ist ja harmlos, sagt die Regierung.«

»Das sag ich Hajo. Die armen Bienen!« Constanze war empört.

»Von wegen harmlos. Er hat ein schlechtes Gewissen. Deshalb macht er es im Dunkeln«, stellte Marit fest.

»Mein Onkel hat immer Streusalz gestreut«, sagte Gitta, als sie weitergingen.

»Nicht schön, aber bei Glatteis vielleicht ganz praktisch«, antwortete Marit.

»Im Sommer. Auf das Unkraut«, erwiderte Gitta.

Ihre Lieblingsgemüsepflanze war die Kletterzucchini. Sie hatte lange, geschlungene hellgrüne Früchte, die nicht nur witzig aussahen und gut schmeckten, sondern auch lustig zu schneiden waren. Man tanzte mit der Klinge um sie herum, bis man sie in halbwegs gleichmäßige Scheiben zerlegt hatte.

Auf Hajos Kompost wuchs der Hokkaido rasant, beseelt von so vielen Nährstoffen. Schließlich kroch die Kürbispflanze durch die Forsythien zu den Freundinnen, als wollte sie ihnen einen guten Tag wünschen.

Äpfel und Birnen waren zwar noch nicht reif, aber lange würde es nicht mehr dauern. Es versprach, eine üppige Ernte zu werden. Was sie mit so viel Äpfeln und Birnen machen würden, wussten sie noch nicht. Verschenken? Eher nicht. Die anderen Schrebergärtner hatten schließlich genauso viel. In Körben vor die Parzelle auf den Weg stellen, damit Spaziergänger sich etwas mitnahmen – das machten Ergels. Sie könnten auch gut ein paar Kisten zur Tafel bringen. Aber der

Rest des Fallobstes würde auf dem Kompost landen. So war das eben, wenn es Obst und Gemüse im Überfluss gab.

An einem schönen sonnigen Tag Ende Juli pflückten sie von den zwei Tomatenpflanzen, die in großen Töpfen unter dem Überdach der Laube wuchsen, erste Tomaten. Nicht genug, um davon satt zu werden, aber sie hatten Mozzarella und Basilikum und Baguette, und das reichte ihnen völlig, um den Geschmack des Sommers auszukosten.

Constanze zündete eine Kerze an. Sie flackerte im lauen Abendwind, auch wenn es eigentlich noch zu hell war, um den Kerzenschein zu erkennen. Aber trotz der warmen Temperaturen war da eine leise Ahnung, dass auch dieser lange, warme Sommer irgendwann zu Ende gehen würde. Die Nächte waren bereits deutlich länger.

Marit und Constanze setzten sich und lehnten sich entspannt zurück.

Nicht so Gitta. Sie wirkte fahrig, ließ einmal die Flasche mit dem Olivenöl krachend auf den Tisch fallen, hatte aus Versehen eine grüne Tomate gepflückt und vergessen, Kieselsteine auf die Servietten zu legen. Ein Windstoß ließ sie wie Papiervögel über die Beete segeln. Gitta sprang auf und sammelte sie wieder ein: eine aus dem Rittersporn, eine aus einer Fetten Henne und die dritte aus der Gartenmelde.

»Was ist denn los, Gitta?«, fragte Marit.

»Frau Meerkatz hat mir ein Angebot gemacht«, sagte Gitta, als sie sich wieder hinsetzte und die windzerzausten Servietten zurück auf den Tisch legte. Frau Meerkatz gehörte der Einrichtungsladen, in dem Gitta arbeitete. »Sie hat mich gefragt, ob ich im Laden nicht eine Ecke für Gartenmöbel und -design einrichten und sie selbst verwalten möchte.«

Constanze klatschte in die Hände. »Das ist doch fantastisch! Pass mal auf, das wird dein neues Standbein, und zwar eins, auf dem du ganz allein stehst. Vielleicht machst du irgendwann der Königlichen Gartenakademie Konkurrenz.«

Gitta sah weiterhin so aus, als wäre sie mit den Gedanken ganz woanders.

Marit sah sie prüfend an. »Und, Gitta?«

Gitta legte die Gabel, mit der sie in einer Tomatenscheibe gestochert hatte, hin. »Ich habe die edlen Gartenzeitschriften durchblättert, die bei uns ausliegen, um mich inspirieren zu lassen für eine Bestellung beim Großhandel. Ihr wisst schon: Teakbänke, Gartenschürzen aus Leinen, ein paar Edelstahlwerkzeuge …«

Die beiden Freundinnen nickten.

Gitta seufzte. »Dann konnte ich der Versuchung nicht widerstehen und hab mal wieder in der *Home & Eden* geblättert. In der damals ein Bericht über meinen Garten erschienen ist. Eigentlich vermeide ich das, weil es mich traurig macht, aber ich dachte, ich schaff das.« Die Freundinnen nickten erneut. »Und da war mein Garten wieder. Also mein Exgarten. So wunderschöne Frühlingsfotos. Mit *ihm* und … mit seiner Neuen.« Gitta fing an zu weinen. »Strahlend! Sie in der Schubkarre, er hält die Schubkarre, sie wedelt mit den Füßen wie ein Filmsternchen aus den Fünfzigern. So was von ... bescheuert!« Sie schluchzte, und Marit reichte ihr mitfühlend eine Papierserviette.

»Oh Gitta, das tut mir schrecklich leid.«

Gitta putzte sich die Nase, trocknete sich die Tränen. Aber sie flossen weiter. »Stellt euch vor, sie ist die Chefredakteurin von *Home & Eden*. Sie stammt aus Hamburg, wo er das neue Verlagsgebäude gebaut hat. Dabei haben sie sich kennengelernt, stand im Artikel. Und was erdreistet sich diese Schlampe zu sagen? *Er* sei nicht nur ihre neue große Liebe, *er* habe auch den schönsten Garten in Berlin, der auf sie als seine Königin gewartet habe.« (Hier machte Gitta Würggeräusche.) »Als sie den paradiesischen Garten zum ersten Mal betrat, wusste sie sofort, dass sie hier ihr persönliches Eden gefunden hatte. Sie führen eine Fernbeziehung zwischen Hamburg und Berlin, aber wenn sie bei ihm ist, dann ist jeder Tag wie ein Sonntag. Oh, wie ich sie hasse, wie ich *ihn* hasse. Ich wünschte, meine Funkien hätten Reißzähne und würden die beiden beißen! Meine wunderschönen Funkien!«

Gittas letzte Worte waren kaum noch zu verstehen. Sie schlug die Hände vors Gesicht und lehnte sich weinend an Marit, die sie ganz fest umarmte.

»Was für eine Backpfeife«, sagte Marit.

»Sch, sch, sch«, versuchte Constanze Gitta zu trösten. Sie streichelte ihr über das Haar. »Damit kommt sie nicht durch. Wir denken uns was aus.«

»Was denn? Rechtlich geht nichts, sagt mein Anwalt.«

Constanze schaute von Gittas aschblondem Pagen-kopf hoch in Richtung Forsythienhecke.

»Sag mal, hast du eigentlich noch deinen Schlüssel zur Villa?«, fragte sie nachdenklich.

»Zur Villa nicht. Den hat *er* mir abgenommen. Nur den zur Einfahrt hinterm Haus, den hab ich behalten.«

»Soso«, meinte Constanze gedankenverloren. »Soso. Das ist ja interessant. Das müssen wir uns merken.«

In diesem Moment sahen sie Udo Melcher an der Gartenpforte. Er patrouillierte häufig in den Abend-stunden durch die Anlage. Als er Marit sah, lächelte er, stieß mit größter Selbstverständlichkeit die Pforte auf und kam über den Steinplattenweg auf sie zu. »Ich wollte euch nur sagen, dass Robert gekündigt hat.«

»Und? Was bedeutet das für uns?«, fragte Constanze, während sich Gitta abwandte und die Augen trocknete. Sie hatte keine Lust, in ihrer Trauer von dem Vorsitzen-den beobachtet zu werden.

»Das bedeutet …«, antwortete Udo, und man hörte genau, wie sehr ihm dieser dramatische Auftritt gefiel, »… dass der Vorstand der Kolonie Krötenglück sich entschieden hat.«

Die Freundinnen hielten die Luft an.

»Wir schließen mit euch den Pachtvertrag für die Parzelle ab. Herzlichen Glückwunsch und herzlich willkommen.« Gitta gab einen Laut zwischen Jubel und Schluchzen von sich, Constanze atmete langsam aus, Marit strahlte. Udos Blick blieb an Marit hängen. »Allerdings gibt es eine Bedingung, an deren Erfüllung der Pachtvertrag geknüpft ist.«

»Welche denn?«

»Ihr müsst den Schuppen hinten abreißen. Es gibt zu viel bebaute, versiegelte Fläche auf diesem Grundstück.«

»Warum denn? Der stört doch nicht. Und wir haben unser ganzes Gartenwerkzeug darin«, versuchte Marit zu handeln.

Aber Udo ließ nicht mit sich reden. »So sind die Bestimmungen. Bei einem Pächterwechsel wird verkleinert. Mehr als vierundzwanzig Quadratmeter sind nicht erlaubt, das wisst ihr doch. Das Grundstück hat sowieso Übergröße, ihr könnt von Glück sagen, dass nicht die Veranda dran glauben muss. Immerhin baut ihr genügend Gemüse an.« Er räusperte sich. »Das Haus ist übrigens auch dann noch zu groß, wenn ihr den Schuppen abreißt. Ihr werdet deshalb weiter jeden Monat extra zahlen müssen. Wenn ihr die Parzelle irgendwann aufgebt, muss der nächste wieder was abreißen. Mit dem Geld, das ihr angespart habt.«

»Und von Robert bekommen wir jetzt das Geld für den Schuppenabriss? Wir haben ihm ja seit März zwanzig Euro im Monat dafür gegeben, die für eine eventuelle Gebäudeverkleinerung gedacht waren.«

Udo sah aus, als ob ihm unbehaglich zumute wäre. »Nein, das hat er nicht. Ich habe ihn jedes Jahr daran erinnert, dass er daran vertraglich gebunden ist. Er hat es versprochen, aber nicht gemacht. Hajo hat sich den Fall angeschaut, dieses Jahr hätten wir gegen Robert geklagt, nun hat er ja zum Glück gekündigt.«

»Ich kenne Robert nicht, aber er scheint ein schrecklicher Typ zu sein«, murmelte Gitta. »Wir können ihn verklagen. Er hat das Geld unterschlagen.«

»Rechne doch mal, Gitta«, erwiderte Marit. »Fünf Monate zu zwanzig Euro. Er schuldet uns hundert Euro. Das ist die Mühe nicht wert.«

»Ich sag's Erika. Und wenn wir uns weigern, den Schuppen abzubauen?«, fragte Constanze kämpferisch.

»Wir schließen mit euch einen vorläufigen Pachtvertrag, der erst entfristet wird, wenn der Schuppen weg ist. Macht ihr es nicht, ist der Pachtvertrag hinfällig. Dann reißen wir auf Koloniekosten das ganze Gebäude ab und teilen das Grundstück. Also, was sagt ihr? Entscheidet euch.«

Er verschränkte die Arme und sah die Freundinnen abwartend an. Obwohl er ihre Antwort natürlich längst kannte.

16. Kapitel

Berlin im September 1945

Hätte es das Rad nicht schon seit Urzeiten gegeben, hätte man es wohl in diesen Nachkriegsmonaten erfunden. Berlins Straßen waren voll von Gefährten, und die wenigsten von ihnen waren motorisiert.

Kompakte Karren mit vier Speichenrädern aus Holz, so groß und schwer, dass einer ziehen und ein zweiter schieben musste, mit einer Deichsel, an die auch ein Pferd angeschirrt werden konnte. Leichtere Handwagen, die Seiten aus Leitergestellen, sodass alles, was nicht größer war als die Lücken dazwischen, wieder herausfiel. Zweirädrige Hamsterwagen mit Aluminiumrädern und abnehmbarer Deichsel, mit denen die Leute ins Umland fuhren, um etwas bei den Bauern zu ergattern.

Schwere Schubkarren aus Holz, leichtere Schubkarren aus Zinkblech, Schubkarren, die nur aus großen Brettern, zwei Griffen und einem groben Holzrad bestanden, eingedellte Anhänger für Fahrräder – es schien, als ob alle Menschen in Berlin mit rollenden Gefährten unterwegs wären. Sie zogen und schoben darin ihr Hab und Gut, Waren, Holz, Kohlen, Sand und Steine, manchmal auch Kleinkinder.

Bloß wir hatten kein Gefährt.

»Gib mir die Zigaretten von Ben, und ich besorg uns einen Handwagen«, sagte Milan.

Albert hatte ihm die Zeichnungen von dem Häuschen gezeigt. Ganz hinten auf dem Grundstück sollte es entstehen, bei den zwei Obstbäumen, die Albert letztes Jahr dort gepflanzt hatte – einen Apfel- und einen Birnbaum, die in diesem Jahr aber noch keine Früchte trugen. Das würde noch Zeit brauchen.

Milan brannte darauf zu beginnen. Sie würden viel Material brauchen und zum Transport ein Gefährt.

Albert ging zum Schrank und holte drei Schachteln Chesterfield heraus, die Ben uns gegeben hatte, als er das letzte Mal zu uns gekommen war. Unser Kanadier hatte zwar nicht mehr Gemüse als sonst gewollt und glücklicherweise keine Kartoffeln, aber er hatte gesehen, dass ich schwanger war, und mir zugezwinkert. »*For the little one*«, hatte er gesagt, das dritte Päckchen auf das zweite gelegt und sich das Käppi verwegen in den Nacken geschoben. Kurz darauf war er mit einer Lebensmittelkarte für mich aufgetaucht.

»Wo willst du einen Wagen hernehmen?«, fragte Albert. Er reichte Milan die drei Schachteln, der sie sorgfältig in seinen Jackentaschen verstaute.

»Ich versuch's auf dem Schwarzmarkt, am Zoo und am Winterfeldplatz. Wenn es dort keinen Wagen gibt – mal sehen.« Er ging.

Wir machten uns an die Tabakernte. Es war warm und trocken, das richtige Wetter dafür. Wir pflückten die Blätter, die mittig an den Pflanzen wuchsen, und legten sie in eine Kiste, später würden wir sie zum Trocknen auffädeln. Dasselbe hatten wir mit den unteren Blättern, die man zuerst erntete, getan. Die Schnüre zogen sich wie merkwürdige Girlanden durch unsere Stube, jeden Tag wurden die Blätter trockener und brauner. Wenn wir morgens lüfteten, schwangen sie hin und her und raschelten im Wind.

Wir schwiegen beim Ernten, vielleicht, weil wir uns fragten, ob Milan sich in Gefahr begab oder ob er mehr versprochen hatte, als er halten konnte, weil es nicht wahrscheinlich schien, dass irgendwer seinen Wagen freiwillig abgab oder gar einen übrig hatte. Vielleicht schwiegen wir aber auch nur, weil jeder von uns der Erste sein wollte, der das Geräusch der Holzräder vor der Gärtnerei hörte.

Es wurde schon dunkel, als Oskar bellte. Er hatte zwei Arten zu bellen: eine böse und eine freundliche.

Jetzt bellte er freundlich.

Und dann stand Milan vor dem Zaun und pfiff wie so oft. Wir sprangen auf.

»Er hat keinen Wagen bekommen«, sagte Albert. »Das hätten wir gehört.«

Aber als wir an den Zaun traten, sahen wir, dass wir uns getäuscht hatten. Milan strahlte – und hatte einen Handwagen dabei.

Albert schloss auf, und Milan zog den Wagen aufs Grundstück. »Na?«, rief er stolz. »Na?«

Der Handwagen war so neu, dass die Holzwände im Abendlicht rötlich schimmerten. Wir hatten das Klappern der Räder auf dem Pflaster nicht gehört, weil sie mit Gummi beschlagen waren. Die Deichsel ließ sich leicht hin- und herbewegen, Albert versuchte es sofort.

Er war ein Prachtstück, für unsere Zwecke perfekt. Ich stellte mir vor, wie man ein kleines Kind darin durch den Grunewald ziehen konnte.

»Woher hast du den, Milan?«, fragte ich.

»Auf dem Winterfeldplatz habe ich gehört, dass es am Alexanderplatz jemanden gibt, der Handwagen verkauft. Dort hat mir ein Tischler dieses Prachtstück verkauft. Er hat im Umland von Berlin eine Werkstatt.«

»Für drei Schachteln Chesterfield?« Albert war skeptisch, und Milan sah plötzlich aus, als wäre ihm unbehaglich zumute. »Er hat ein bisschen mehr gekostet ...«, gab er zu.

»Wie viel mehr?«, fragte Albert scharf.

Er war jemand, der gern schenkte, sich aber nichts schenken ließ.

»Lilo hat etwas dazugegeben«, sagte Milan.

»Was?«

»Geld. Und sie hatte noch einen Füller, den sie nicht mehr brauchte.«

»Wie viel Geld? Was für einen Füller?«

Milan räusperte sich. »Achthundert Reichsmark. Und ihren Montblanc.«

Albert schwieg. Dann sagte er: »Ich kenne Lilos Füller. Sie hat ihn jeden einzelnen Tag in der Schule benutzt, ihn immer am Tintenfass im Lehrerpult gefüllt. Hat sie ihn nicht von ihrem Vater geschenkt bekommen? Ich kann das nicht annehmen. Sie muss ihn zurückbekommen. Und achthundert Reichsmark sind auch viel zu viel.«

Milan verschränkte die Arme. »Doch, Albert, du kannst es annehmen. Lilo wusste, dass dir das nicht gefällt, aber sie lässt dir ausrichten, sie hat den Füller gern und freiwillig gegeben. Du hast uns beiden in den vergangenen Jahren so viel aus deiner Gärtnerei gebracht. Diese Zeit ist nun vorbei, jetzt will sie es wiedergutmachen. Nimm es als Geschenk, Albert. Alles andere ergibt keinen Sinn. Du würdest sie verletzen.« Er sah auf den Handwagen. »Er ist gut gearbeitet, aus Esche. Er wird schweres Material fahren müssen.«

Ich stand neben dem Wagen und streichelte das Holz. Glatt fühlte es sich unter meinen Fingern an, sorgfältig poliert, nicht wie das Holz vieler anderer Wagen, an denen man sich Splitter holte. Nein, der hier war wie ein stummes Versprechen, dass ich mit seiner Hilfe auch dann noch ein Zuhause haben würde, wenn die Gärtnerei für mich verloren wäre.

Ich sollte nicht so denken, sollte hoffen, dass Albert und ich für immer hier zusammenleben würden. Aber was wäre ich für ein Mensch gewesen, wenn ich diese Zeit ohne Unsicherheit überstanden hätte?

»Also gut. Ich nehme ihn«, sagte Albert und sah Milan zum ersten Mal an diesem Tag direkt ins Gesicht. »Hast du Hunger?«

Milan erwiderte den Blick offen. »Ja. Zum Alexanderplatz hin habe ich die S-Bahn erwischt. Zurück fuhr sie nicht mehr. Stromsperre. Ich musste laufen.«

Auf einmal hatte Albert Tränen in den Augen. »Das sind bestimmt zwölf Kilometer, Milan.«

»Ja, ich weiß. Hat eine Weile gedauert. Deshalb bin ich ja so spät. Es war das erste Mal, dass ich in der Gegend vom Reichstag war. Da steht nichts mehr. Was für eine Ruinenstadt Berlin doch geworden ist. Es stinkt überall nach Leichen. Und der Tiergarten … Es gibt keine Bäume mehr, nur noch ein riesiges Brachland. Panzer und Granaten haben ihn regelrecht umgepflügt, durch die Schützengräben sind die Grünflächen zerstört. Ich habe Kreuze gesehen, ich glaube, sie haben dort Tote begraben. Ich weiß noch, wie gern wir früher im Tiergarten spazieren waren.« Milan reckte seine langen Arme, sein gelockter Kopf wirkte wie eine wilde Silhouette gegen das blaue Abendlicht. »Was sollte ich denn machen, Albert? Ich musste doch laufen. Ich wollte zurück zu euch.«

Am nächsten Tag begannen die Männer damit, in der hinteren Ecke des Grundstücks ein Loch auszuschachten, in der Nähe der Bienenstöcke, dort, wo die kleinen Obstbäume wuchsen. Zur Straße führte ein direkter Weg, bestimmt hundert Meter lang. Falls die Gärtnerei eines Tages irgendwem anders als Albert gehören würde, könnte ich am Rand des Geländes zur Straße gehen, ohne direkt am Haus vorbeizumüssen.

Oskar verstand nicht, was die Männer taten. Er rannte bellend um die Grube herum, wühlte in dem ständig höher werdenden Berg des sandigen Aushubs. Albert bemühte sich, aber es war Milan, der die Schaufel unablässig schwang. Wohlgemerkt erst, wenn er von seinem Einsatz auf der Straße zu uns kam.

Das war der Plan: erst der Keller, gesichert mit Steinen und Balken. Danach das Fundament. Angebaut an das Häuschen ein Schuppen, wo sich auch der Einstieg zum Keller unterm Haus befand. Ich wollte nicht, dass man die Luke sofort sah. Schließlich das große Zimmer mit einer Kochgelegenheit, ein kleineres Zimmer, ein kleiner Vorraum mit großen Fenstern, ein Bad, egal wie winzig. Noch würde es nur eine Pumpe geben, aber irgendwann hoffentlich fließendes Wasser. Darüber dann der gegiebelte Dachboden, auf dem man schlafen konnte.

Milan lachte, als er den Entwurf der einzelnen Etagen sah, für den Albert mehrere ausgeblichene Rechnungen verwendet hatte. »Wenn die Nazis wieder an die Macht kommen, kann ich mich zur Abwechslung auf deinem Dachboden verstecken, Lissa«, sagte er mit echtem Galgenhumor.

»Hör auf. Das wird niemals passieren. Die Menschen werden ja wohl daraus gelernt haben«, antwortete ich und legte schützend die Hand auf meinen Bauch.

Vielleicht würden wir einen kleinen Jungen bekommen. Er sollte nicht in den Krieg ziehen müssen wie Martin, Jochen, Jürgen, Vati und die vielen, vielen anderen Männer. Und dort sterben.

Die Zeit, in der man mit vorgehaltener Hand an der Pumpe am Maikäferpfad unbestätigte Neuigkeiten und Gerüchte ausgetauscht hatte, war vorbei.

Es gab wieder Zeitungen, mit Artikeln, die keine nationalsozialistische Propaganda waren, sondern sich damit auseinandersetzten, was wirklich geschehen war und in Zukunft geschehen sollte.

Wir lasen nicht mehr die Zeitungen aus dem russischen Sektor, sondern die aus den Westsektoren – den *Berliner*, der von den Briten die Lizenz zum Drucken bekommen hatte, und die *Allgemeine Zeitung* aus dem amerikanischen Sektor. Sie waren immer sehr schnell ausverkauft, die Auflage war noch bescheiden, weil es nicht genügend Papier zum Drucken gab.

Wir waren alle ausgehungert nach Nachrichten und Meldungen, nach politischen Einschätzungen, die zu äußern nicht mehr verboten waren.

Ab September erschien der *Tagesspiegel*, zunächst dreimal in der Woche, ebenfalls mit amerikanischer Lizenz. Er wurde unser geistiges Zuhause, ihn kauften wir immer, lasen uns gegenseitig vor und waren glücklich und zutiefst entsetzt zugleich. Glücklich, weil es eben keine gleichgeschaltete Meinung mehr gab, weil wir internationale Informationen erhielten, die uns dabei halfen, unsere Lage überhaupt erst zu verstehen. Was hatten wir von der Konferenz in Jalta im Februar gewusst, wo bereits die Vierteilung Deutschlands nach der Kapitulation beschlossen worden war? Nichts. Sogar ein kleines Feuilleton gab es im *Tagesspiegel*, denn in Berlin lebte das kulturelle Leben mit einer Macht auf, als wollte es das Versäumte nachholen. Am Deutschen Theater wurde *Nathan der Weise* gespielt. Die Weltreligionen gleichberechtigt gegenüberzustellen erschien uns so weise, wie uns nie zuvor etwas erschienen war.

Was uns dagegen zutiefst entsetzte, waren die Gräueltaten der Nazis, die mit jeder Publikation mehr ans Licht kamen. Wir weinten, als wir darüber lasen. Vernichtungslager, unaussprechlich grausame medizinische Versuche an Kindern, Millionen Juden, die vergast worden waren: Unsere schlimmsten Vermutungen waren tausendmal übertroffen worden.

Wir konnten Milan kaum ins Gesicht schauen, als er abends kam, um zu helfen. Er hatte Familie in Ungarn. Wenn er sie noch hatte.

»Du hast es immer gewusst, mein Freund. Deshalb habt ihr mich doch versteckt«, sagte er zu Albert.

»Nicht gewusst. Aber wohl geahnt«, antwortete Albert. »Und nichts getan.«

»Doch. Mich versorgt, Lilo beschützt.«

Das Loch für den Keller wurde größer und tiefer, und die Brombeeren, die am Zaun zum Grunewald wuchsen, waren reif, manche sogar überreif. Ich pflückte eine große Schale und kochte davon Marmelade, große, schwere Gläser voll. Ich stellte sie auf den Kopf, sodass die Schraubdeckel luftdicht abschlossen. So würden sie lange halten. Jedes Glas beschriftete ich sorgfältig. Die Marmelade war mir besonders wichtig, weil sie mich an Oderberg erinnerte. Wie ich da den Herd mit Holz aus dem Grunewald befeuerte, die Brombeeren putzte, um sie mit Zucker vom Schwarzmarkt aufzukochen, bewies ich mir, dass es irgendwie weitergehen würde.

Es wurde nun schon früher dunkel, was bedeutete, dass die Männer nicht mehr so lange arbeiten konnten. Wenn Milan durch die Straßen ging, achtete er immer auf Baumaterial. Sah er etwas, das sie nutzen konnten, holten die Männer es noch am selben Abend mit dem Handwagen.

Eines Tages fuhren drei britische Laster die Harbig-straße entlang. Kurz vor der Waldschulallee, an einem großen freien Platz, blieben sie stehen. Hinter ihnen hielt ein Jeep mit quietschenden Reifen, bevor er noch mal durchstartete und rückwärts fuhr, bis er vor der Gärtnerei anhielt.

Es war ungewohnt, Ben tagsüber zu sehen. Normalerweise hatten seine Abendbesuche etwas Verschwiegenes. Es war den Soldaten der Alliierten nicht erlaubt, mit Deutschen Kontakt zu haben, und es war wohl Kontakt, wenn man zusammen an lauen Sommerabenden unter dem Apfelbaum saß, sich in diesem englisch-deutschen Kauderwelsch unterhielt, Schokolade aß und regelmäßig Gemüse und Obst gegen Zigaretten tauschte. Ben musste um zehn Uhr zurück in den Mackenzie King Barracks in Schmargendorf sein, die Kaserne der kanadischen Einheiten, aber diese Anordnung schien ihm nicht allzu wichtig zu sein.

Einige Tage zuvor hatte er mir ein großes Stück Fallschirmseide mitgebracht, in einem fröhlichen Sonnengelb. Wortlos hatte er es mir überreicht. Es hatte mich überrascht, dass er überhaupt einen Gedanken an mich außerhalb der Gärtnerei verschwendete, aber auch sehr gefreut. Ich wollte mir daraus für den kommenden Sommer ein Kleid nähen, in dem ich wohl wie eine Sonnenblume aussehen würde. Hoffentlich hatte ich bis dahin meine alte Figur zurück.

Dieses Mal wirkte Ben offiziell.

»Albert, Lissa«, sagte er und tippte sich an sein Käppi. »*I'd like to inform you that we are building Nissen huts for bombed out Berliners and refugees from East Prussia right here.*«

Nissenhütten – abfällig hatte ich in Oderberg ältere Männer über diese schnell errichteten, halbrunden Wellblechhütten reden hören, in denen im und nach dem Ersten Weltkrieg Soldaten untergebracht worden waren. Sie hatten erzählt, wie primitiv diese Unterkünfte gewesen waren, dass das Kondenswasser die nicht isolierten Wände heruntergetropft war und dass man im Winter trotz des Ofens im Hauptraum und der Herdstelle in der Küche gnadenlos gefroren hatte.

»Nennt man sie Nissenhütten, weil Nissen Läuseeier sind?«, fragte ich Ben auf Englisch.

Das hatte ich immer angenommen. Wer so arm war, dass er in einer Nissenhütte leben musste – nur eine Sanitärbaracke kam auf zehn Behausungen –, hatte wahrscheinlich auch Läuse.

Ben lachte. »Nein, Nissen war der Ingenieur, der die Hütten entworfen hat. Peter Nissen, ein Kanadier. Wie ich.«

Für uns war es ein Glücksfall, dass in ein und derselben Straße gleich zwei Bauvorhaben starteten. Ben überließ uns Materialreste, für das die Briten keine Verwendung hatten – die Rohre für die Öfen in den Nissenhütten wurden zum Beispiel abgeschnitten –, und Milan frohlockte.

In der freien Zeit, die ihm zwischen den verlangten Straßenräumarbeiten und den Bauarbeiten in der Gärtnerei blieb, war er in seiner Werkstatt in der Danckelmannstraße. Er hatte erzählt, dass er an einem Ofen baute. Jedes Rohrende konnte er dafür gut nutzen.

Noch etwas war gut. Oskar hatte endlich verstanden, was wir von ihm wollten, nämlich seinen Einsatz als Wachhund. Albert war, erschöpft von den langen, mühseligen Tagen des Bauens, eines Nachts während seiner Wache eingeschlafen. Wütendes Gebell und Knurren hatten ihn geweckt, und er war gerade zur rechten Zeit gekommen, als ein Fremder, gejagt von unserem Vierbeiner, den Zaun zum Wald erreichte und hinübersprang. Eine kleine Schaufel hatte neben dem Kartoffelacker gelegen.

Schwanzwedelnd war Oskar zu Albert gekommen, der ihm ein blutiges Stück Stoff aus dem Maul genommen und die Schaufel inspiziert hatte. Jedes Werkzeug war uns recht.

Hoffentlich sprach sich herum, dass die Gärtnerei von einem bissigen Hund bewacht wurde. Viel zu oft mussten wir Leute wegschicken, die mit Reichsmark in der Hand am Zaun standen und Gemüse kaufen wollten. Wir hatten gerade genug für uns, für Milan und Lilo, für unsere Wintervorräte, aber nicht für alle.

Inzwischen war die Grube für den Keller fertig ausgeschachtet und mit Steinen ausgelegt worden. Die

Männer hatten begonnen, die Sandwände mit Brettern zu verkleiden. Balken hatten sie mit dem Handwagen herangeschafft, Steine und Bauholz und sogar eine schwere Außentür, wenn auch angekokelt. Aber es fehlte noch so viel anderes, das auf dem Schwarzmarkt getauscht oder aus den Trümmern geholt werden musste.

»Wir müssen in den Grunewald«, meinte Albert, als er über eine grob zusammengeschweißte Eisenleiter aus dem Keller kletterte.

»Was willst du denn im Grunewald?«, fragte Milan. »Kienäpfel suchen?«

Ich dagegen verstand. »Die Wehrtechnische Fakultät«, sagte ich leise. »Der erste Stock.«

»Da war ich noch nie«, sagte Milan. Wir vergaßen immer, dass er sieben Jahre auf Lilos Dachboden gefangen gewesen war.

Während der Bauarbeiten an den Nissenhütten stellte Ben seinen Jeep vor der Gärtnerei ab, was ein gewisser Schutz war. Wir beschlossen, Oskar in der Gärtnerei zu lassen, und wagten uns zu dritt in den Grunewald.

Es war derselbe Weg wie damals, aber alles andere hatte sich verändert. Die Zäune zum Lager der Organisation Todt waren niedergerissen, die Baracken lagen verlassen da. Wir mussten nicht vorsichtig gehen und flüstern, sondern konnten es selbstbewusst und aufrecht tun, ohne Angst um uns oder um die Menschen hinter dem Zaun. Ohne Angst vor bewaffneten Wachen. Es war herrlich.

Als wir endlich die riesige Bauruine erreichten, sah Milan aus, als würde ihm schlecht.

»Ich frage mich, was die Alliierten mit diesem Rohbau machen werden. Niemand will doch bei einem friedlichen Spaziergang an die Nazis erinnert werden, an die steinerne Ausgeburt ihrer Höllenmaschinerie. Wo sie ihre Schergen zum Töten abgerichtet hätten«, sagte er.

Seit April waren die Birken gewachsen, und die wilden Brombeerhecken trugen schwer an den Früchten. Ich beschloss, beim nächsten Mal ein Gefäß mitzunehmen. Brombeermarmelade konnte man nicht genug haben.

»Hoffentlich sprengen sie das Gebäude. Dann ist dieses Monstrum wenigstens zerstört«, meinte Milan, während er den Handwagen die Rampe hoch in den ersten Stock zog. »Sie könnten die Reste mit Berliner Geröll zuschütten.«

»Haha«, machte Albert nur. »Das glaubst du doch selbst nicht.«

»Schau hier, Milan«, sagte ich. Das heimliche Lager war noch da, die Baumaterialien waren trocken aufbewahrt, die Säcke mit Zement und Kalk ein Geschenk, das niemals für uns gedacht gewesen war. Milan strahlte und machte sich daran, sie auf den Handwagen zu laden.

»Das reicht für das halbe Haus«, sagte er.

»Wir kommen wieder«, versprach Albert, weil das, was wir dieses Mal mitnahmen, natürlich nicht für das halbe Haus reichte. Ich schaute zu den vier Kisten und überlegte, wofür wir die Mosaiksteine nutzen könnten.

Auf dem Rückweg wählten wir den Weg über die gepflasterte Teufelsseechaussee und die Nebenstraßen hinter dem S-Bahnhof Heerstraße, vorbei an einem Toilettenhäuschen, das Albert grinsend Olympiaklo nannte. Denn zur Olympiade 1936 war es errichtet worden.

Das Olympiastadion war von hier nicht weit, ganz in der Nähe hatte die »Kraft durch Freude«-Stadt gestanden, Holzhallen, in denen die Besucher der XI. Olympiade hatten wohnen, essen und feiern können. Zumindest die Deutschen, die willkommen gewesen waren.

Als Vierundzwanzigjähriger hatte Albert gesehen, wie Jesse Owens weiter als Luz Long gesprungen war, erzählte Albert. Der Sieg des Dunkelhäutigen über den sächsischen Leichtathleten war für den Führer ein Affront gewesen, aber Owens und Long waren Freunde, bis Luz Long starb. 1943 berichteten die Zeitungen über seinen Tod bei einem Flakeinsatz in Süditalien.

Ein Teil des Holzes der KdF-Stadt hätten wir gern zum Bauen gehabt. Aber die Hallen waren schon bald nach der Olympiade abgerissen und das Material abtransportiert worden.

Wir mussten den viel längeren Rückweg nehmen, um unseren Handwagen über die gepflasterten Straßen zu ziehen. Er war mit Steinen und Säcken so schwer beladen, dass er auf den sandigen Waldwegen unweigerlich steckengeblieben wäre. Aber die Mühe hatte sich gelohnt.

17. Kapitel

Berlin im August, Gegenwart

Sie entschieden sich dagegen, Marits Jungs den Abriss des Schuppens machen zu lassen, auch wenn die beiden sicher mit Freude dabei gewesen wären. Lieber beauftragten sie eine Firma, die ihnen ein Angebot für tausend Euro gemacht hatte. Sie nahmen es zwar an, es ärgerte sie trotzdem. Das hätte eigentlich Robert zahlen müssen.

Gitta hatte sich bereit erklärt, den Schuppen auszuräumen. Den Großteil des Werkzeugs hatte sie im Haus untergebracht, den Rasenmäher allerdings draußen neben Kompost und Zinkwanne geparkt. Nun wartete sie mit dem Schlüssel am Haupttor, bis ein Lastwagen mit drei kräftigen Arbeitern in die Anlage gerumpelt kam. Ein Laubenpieper schaute misstrauisch über seinen Zaun, um zu prüfen, ob die Reifen den Rasen auf dem Hauptweg vor seiner Parzelle auch nicht beschädigten, was sie wirklich nicht taten. Der Fahrer fuhr zentimetergenau auf den Rasensteinen des Kolonieweges.

Vor der Parzelle luden die drei einen Container ab und machten sich dann hurtig an die Arbeit. Bahnen alter Dachpappe wurden auf den Rasen geworfen, die

Balkenkonstruktion des Dachs wurde aufgehebelt, Brett für Brett rissen sie die Seitenwände ab. Einer von ihnen war nur damit beschäftigt, alles, was die anderen demontierten, mithilfe einer Schubkarre zum Container zu bringen. Er konnte kaum so schnell hin- und herfahren, wie seine Kollegen den Schuppen auseinandernahmen.

Um dreizehn Uhr servierte Gitta ein Chili con Carne, das die drei mit ernster Miene löffelten. Zum Schluss machten die Männer sich an den gemauerten Teil. Immer wieder trieben sie den Schlaghammer in das Ziegelwerk. Roter Staub waberte in Wolken durch den Garten, legte sich auf Gras, Äpfel, Birnen und die Obststräucher.

»Bodensteine liegen bleiben?«, fragte einer der Männer mit dem stärksten polnischen Akzent, den Gitta jemals gehört hatte, als das Mauerwerk verschwunden war.

»Nein, bitte nehmen Sie die auch mit«, bat Gitta und rüttelte am Blaugurkenstrauch. Ziegelroter Staub rieselte herab.

»Und Metallplatte, Madam?«

»Welche Metallplatte?« Gitta drehte sich um und sah, wie einer der Männer an einer Metallplatte zog, die offenbar zwischen oder unter den Bodensteinen gelegen hatte. Es knarrte, dann stand die Platte senkrecht, und die Arbeiter beugten sich über eine Öffnung.

»Ist Keller«, meinte einer von ihnen. »Du wissen?«

Gitta trat näher und beugte sich ebenfalls vor. Eine Leiter führte in die Dunkelheit.

»Nein«, sagte sie erstaunt. »Davon hatten wir keine Ahnung. Bitte machen Sie sie wieder zu.«

Der Mann schloss die Metallplatte über dem Loch, sie sammelten noch den Rest der kaputten Ziegelsteine ein. Punkt fünf Uhr unterzeichnete Gitta den Arbeitszettel, dann waren sie fertig.

Der Container wurde aufgeladen, und der Wagen rumpelte wieder den Hauptgang entlang. Gitta folgte ihm langsam, um sicherzugehen, dass die Männer das Tor hinter sich schlossen. (Die Wildschweine, die Wildschweine!)

Während sie zurück zur Parzelle ging, schrieb sie eine Nachricht in ihre WhatsApp-Gruppe.

Beim Schuppenabriss haben wir einen Keller gefunden! Kommt, wenn's geht.

Wollte ich sowieso. (Marit)

Bin schon da. Wo steckst du? (Constanze)

Constanze, die mit dem Fahrrad stets durch das zweite Tor in die Kolonie radelte, stand an der Gartenpforte und winkte, und zusammen gingen sie sofort nach hinten. Nur ein paar kahle Quadratmeter Boden direkt neben der Terrasse waren von dem Geräteschuppen geblieben.

Gitta betrachtete die Fläche. Mit ein bisschen Bodenverbesserung wäre das ein perfektes Beet für Funkien, im Halbschatten, von der Terrasse aus gut zu sehen. Ihre wunderschönen Funkien, sicher blühten sie jetzt in blassem Rosa und Weiß, die Blätter ein prächtiges Blaugrün oder Grünweiß oder lichtes Grün. Ihre Lieblingsfunkie war ein riesiges Exemplar mit Blättern so groß wie die von Rhabarber. Es war ihre erste Funkie gewesen, um die tat es ihr besonders leid. Was würde sie dafür geben, wenn sie diese dekorative Staude hier, an dieser Stelle, einpflanzen könnte. Aber nun war da diese andere Frau, die so tat, als wäre sie die Mutter ihrer Lieblingsfunkie…

»Warum seufzt du?«, fragte Constanze.

»Ach, nichts. Schau mal, hier ist der Kellereinstieg.«

Gitta bückte sich und strich über die rostige Metallplatte, in deren Oberfläche ein Rautenmuster geprägt war. Sie hatte einen Griff und war bündig in den Grund eingelassen.

»Wartet auf mich!«, beschwerte sich Marit, die gerade um die Ecke bog. Sie stellte ihr Fahrrad neben Constanzes gegen die Hauswand, dann eilte sie zu den beiden anderen.

»Da geht es rein?«

Gitta zog kräftig an dem Griff. Die Platte ließ sich erstaunlich leicht anheben, wie von einem unsichtbaren Mechanismus bewegt.

Sie beugten sich zu dritt vor, aber sie sahen nicht mehr, als Gitta vorher schon gesehen hatte: eine schmale Metallleiter, die ins Dunkle führte.

Constanze leuchtete mit dem Handy in die Öffnung.

»Ich mach's«, bot Gitta sich an. »Ich bin kleiner als du, Constanze. Du musst dich sonst ganz schön zusammenfalten. Und Marit …« … bleibt drin stecken, wollte sie schon sagen, verschluckte die Bemerkung aber gerade noch. Tatsächlich war das Einstiegsloch höchstens achtzig mal achtzig Zentimeter groß.

»Ja, gern. Mach du. Außerdem sind da bestimmt eine Menge Spinnen drin.« Constanze schüttelte sich. »Hier.« Sie gab Gitta das Handy.

Rückwärts trat Gitta mit einem Fuß auf die erste Stufe, dann ertastete sie mit dem anderen Fuß die zweite. Constanze und Marit hielten sie fest, aber richtig sicher fühlte sie sich erst, als sie selbst die Leiterholme aus grobem Eisen greifen konnte.

Ein paar Stufen weiter stand sie auf festem Grund.

»Bin unten«, sagte sie zu den Freundinnen, die von oben auf sie herabschauten und den Keller noch mehr verdunkelten. »Geht mal ein Stückchen zur Seite«, bat sie, und sofort wurde es wieder heller.

Gitta drehte sich langsam um die eigene Achse und leuchtete den Kellerraum aus, den sie auf acht Quadratmeter schätzte. Er musste ungefähr bis zur Mitte des Raumes mit der Küchenzeile reichen. Kalt und klamm war es hier unten, es roch muffig und ein bisschen nach Verdorbenem.

Der Lichtstrahl fiel auf den Boden. Er bestand aus losen Ziegeln, dazwischen sah man Sand. Die Wände waren mit Brettern verschalt, die Decke bestand aus dicken aneinandergelegten Bohlen, wahrscheinlich der Fußboden des Zimmers.

Gitta schätzte den Raum auf zwei Meter Höhe. Er war fast leer. Nur in einer Ecke lag etwas Unrat. Und auf der gegenüberliegenden Seite von der Leiter stand ein Regal. Im Licht des Handys trat sie näher. Es war aus Brettern und Ziegelsteinen gebaut. Das unterste Brett war leer. Auf dem obersten Regalbrett standen vier große Schraubgläser mit Etiketten. Eine dunkle Masse befand sich darin. Auf dem Brett darunter lag ein Stapel vergilbtes Papier, daneben entdeckte sie einen merkwürdigen Apparat aus Metall mit einem Arm, zwei Platten, wie um etwas dazwischen einzuspannen, und einer Schraub- oder Drehvorrichtung. Der Apparat war rot lackiert, rostig dort, wo der Lack abgesprungen war. Ebenfalls verrostet war eine Dose mit Deckel.

Gitta hob die Dose an, stellte sie wieder zurück, nahm ein Glas vom Regal, schnappte sich einige Blätter Papier und trat den Rückzug an.

»Ich hab die Hände voll. Nehmt mal an«, sagte sie zu den Freundinnen, die wieder durch die Luke nach unten schauten.

Sie stieg auf die zweite Stufe, reichte Glas und Papier nach oben. »Hier!«

Marit nahm alles entgegen, aufatmend stieg Gitta nun flink die Leiter hoch, und dann stand sie endlich wieder in der Augustsonne. Sie schüttelte sich. Die Dunkelheit und die Kühle da unten erinnerten sie an ein Grab.

Gitta nahm das Glas, behutsam strich sie mit dem Zeigefinger über das verblichene Etikett und entzifferte langsam die Schrift in Sütterlin: »*Brombeer.*«

Fragend schaute sie zu den Freundinnen. »Ob das Brombeermarmelade ist? Die kann doch nicht mehr gut sein, oder? Da unten stehen noch mehr Gläser, ein seltsamer Apparat und eine verrostete Dose.«

»Voll oder leer?«, wollte Constanze wissen.

»Voll, denke ich. Sie war schwer.« Sie drehte das Glas um, aber die dunkle Masse blieb, wo sie war.

»Was ist das für ein Kellerloch?«, fragte Marit.

»Eigentlich kein Loch. Es ist ein relativ großer Raum«, berichtete Gitta.

»Wofür bloß? Und warum der versteckte Eingang?«, wunderte sich Marit.

»Wie ein unterirdisches Versteck«, überlegte Gitta laut. »Vielleicht war es auch nur ein Kartoffelkeller.«

»Man hätte Vorräte doch im Schuppen aufbewahren können«, warf Marit ein.

»Da unten ist es aber frostsicher.«

Constanze hockte sich hin und las, was auf den vergilbten Papierbögen stand, die Marit ihr gereicht hatte. Es war eine Zeitung. »*Tagesspiegel vom 27. September 1945*«, las sie vor. »Hört mal, die Schlagzeilen. *Drei süddeutsche Staaten!* Darunter *Proklamation Eisenhowers.*« Sie rappelte sich hoch. »Ist der Keller etwa aus dieser Zeit? Oder etwa noch aus der davor? Und vor allem: Die Brombeermarmelade ist dann wohl auch mindestens von 1945. Mein Gott! Wir sind die Hüterinnen der ältesten Marmelade der Welt.« Sie lachte. »War noch mehr da unten?«

Gitta überlegte. »Du meinst außer den Marmeladengläsern und der Dose und dem seltsamen Apparat? Viele Spinnweben. Und in einer Ecke lag noch irgendwas … Vielleicht vergammeltes oder vertrocknetes Gemüse. Jetzt, wo ich es sage, fällt mir ein: Es hat auch ein kleines bisschen so gerochen wie faule Kartoffeln. Muffig, aber wirklich nur ganz schwach.«

»Trotzdem verstehe ich nicht, warum diese Zeitung da unten lag«, meinte Marit nachdenklich. »Erika hat doch erzählt, dass es diese Laubenkolonie erst seit 1946 gibt. Wie kann die Zeitung hier denn dann von 1945 sein?«

»Vielleicht hat jemand Zeitungen gesammelt und sie später dorthin gelegt«, schlug Constanze vor, aber Marit blieb skeptisch. Sie schaute zur Terrasse, als sähe sie sie zum ersten Mal. »Es muss doch wen in dieser Laubenkolonie geben, der uns was von den Anfängen erzählt, meint ihr nicht?«

»Der alte Polaschki«, sagten Marit und Gitta.

Constanze lief zur Forsythienhecke. »Hey, Hajo«, rief sie.

»Ja, meine Zuckerbiene?«, schallte es von jenseits der Nachbarlaube zurück.

Gitta und Marit grinsten.

»In welcher Laube finden wir den alten Polaschki?«

18. Kapitel

Berlin im Oktober und November 1945

Die dicken Holzbohlen lagen über dem Keller und verbargen ihn. Milan hatte eine Metallplatte für das Einstiegsloch gefunden, das außerhalb des Hauses liegen würde. Aber bevor er sie montierte, stieg ich noch einmal die Leiter hinunter. Wegen meines Bauches musste ich mich vorsehen, so groß war das Loch nicht. Die Männer hatten bereits begonnen, einen kleinen Schuppen darüber zu errichten. Zwischen dessen Bodensteinen war das Einstiegsloch gut getarnt.

Im Keller drehte ich mich langsam im Kreis. Hier würden wir sicher sein, was immer passierte, selbst bei einem Bombenalarm könnten Albert, das Kind und ich uns hier hineinflüchten. Würde die Lage jemals bedrohlich werden – der Keller war frostfrei. Ich wollte ein Regal, auf dem ich die Vorräte lagern konnte, Gläser mit Brombeermarmelade, eingemachtes Wildfleisch, Kerzen, Streichhölzer, Eimer mit Wasser, wenn ich mich länger verbergen musste. Man wusste ja nie.

Auch die Russen würden mich hier nicht finden, sollten sie jemals zurückkommen.

Die Kartoffeln hatten wir inzwischen geerntet, das

Kartoffelkraut auf den Kompost entsorgt, die Ernte war gut ausgefallen. Albert schätzte sie auf ungefähr zwei Zentner, die wir in seinem Keller untergebracht hatten. Auch Eicheln lasen wir auf, immer nur die ohne Löcher. Wir wässerten, trockneten, schälten sie und mahlten sie dann in der Kaffeemühle, um daraus Ersatzkaffee zu machen.

Er schmeckte nicht schlecht, aber mir war der Thymiantee lieber. Den Thymian hatten wir geerntet und in Büscheln zum Trocknen aufgehängt. Aus den Zwiebeln hatte ich Zöpfe geflochten. Mehrere Gläser mit Brombeermarmelade standen nun neben den Gläsern mit Bohnen in Alberts Keller. Rote Beete, Möhren und Lauch ernteten wir nach Bedarf.

Mitte Oktober hatten wir das erste Mal Frost. Morgens gingen wir über die Wiese, das gefrorene Gras knirschte unter unseren Schritten. Mittags schien die Sonne wieder warm und trocknete die Feuchtigkeit.

»Jetzt könnten wir den Grünkohl ernten«, sagte Albert.

»Lieber erst zu Weihnachten«, antwortete ich. »Und Rotkohl.«

Wir hatten von dem Förster einen Raff- und Leseschein bekommen, den wir brauchten, um Holz aus dem Grunewald zu holen. Nur heruntergefallene Äste, Zweige, Kienäpfel waren erlaubt. Aber jetzt, wo es auf den Winter zuging, hielten sich viele Berliner nicht daran. Immer größer wurden die Kahlflächen entlang der Teufelsseechaussee, wie uns auffiel, wenn wir wieder mal unseren Handwagen zur Ruine der Wehrtechnischen Fakultät zogen. Ganze Bäume verschwanden über Nacht. Wer mit Holz heizte, musste viel nachlegen, es hatte nicht die Brennkraft der Kohlen. Und Kohlen gab es nicht. Also hielten auch wir uns nicht an die Vorschriften, denn wir sorgten uns um unseren Holzvorrat genauso sehr wie alle anderen. So manche Nacht brachten Milan und Albert einen Stamm aus dem Grunewald in die Gärtnerei, hackten und stapelten das Holz.

Während das zerstörte Berlin kalt und grau aussah, die Hammerschläge der Trümmerfrauen durch die Straßen klangen, die quälend langsam manch wilde Ruine in ein geordnetes Steinfeld verwandelten, gingen die Bauarbeiten an meinem kleinen Haus hinten auf dem Gelände der Gärtnerei voran.

Der Handwagen, der längst nicht mehr so neu aussah, hatte inzwischen unzählige Fuhren hinter sich. Wie ein tapferes Pony trug er die Lasten, die Milan ihm täglich zumutete: Steine, Holz, Fensterrahmen, Sand, Metallgriffe, ein Emaillebecken. Eines Tages standen ein WC und ein kleines Waschbecken vor der Gärtnerei, einfach so wie zwei merkwürdige Blumenvasen. Mit dem Handwagen brachten wir sie schnell aufs Grundstück.

Als Ben abends mit dem Jeep vorbeifuhr, hupte er. Da wussten wir, wem wir das zu verdanken hatten.

Das Fundament stand. Das Suchen nach Steinen war eine Sache, das Herstellen von Mörtel eine andere. Es war ein mühseliges Unterfangen, mit einem Spaten

Sand, Wasser, Kalk und Zement in einem Eimer zu mischen.

Bis Milan in einer zerstörten Bäckerei in Charlottenburg eine alte Teigmischmaschine entdeckte, in einer Ruine, die man eigentlich nur unter Lebensgefahr betreten konnte. Sie war nicht elektrisch, per Hand rührte man an einer großen Kurbel den Teig in der metallenen Form. Milan lud sie auf den Handwagen und beförderte sie in die Gärtnerei. So stellten wir Mörtel her.

Anfang November waren die Wände hoch genug, um mit dem Dachstuhl und dem Giebelbau zu beginnen. In dem Teil, der die Küche werden sollte, hatte ich aus den Glassteinen ein Mosaik an die Wand geklebt. Sehr viele weiße Steine hatte ich genommen und einzelne rote, schwarze und goldene, aber ohne Form. Nichts sollte an den Reichsadler mit dem Hakenkreuz erinnern.

»Ich kenne einen Bautischler«, sagte Milan, als wir durch das dachlose Häuschen gingen, über uns der bedeckte Novemberhimmel. »Vielleicht hilft er uns, aber sicher nicht umsonst.«

»Was wird er wollen? Zigaretten? Reichsmark?«, fragte Albert.

Ich dachte an Vatis goldene Uhr, die wir immer noch hatten, als ob wir sie für etwas besonders Wichtiges aufhoben. Wie zum Beispiel ein Dach.

»Nein. Er wird etwas Gutes zu essen wollen. Er hat eine Frau und drei Kinder, die er irgendwie satt kriegen muss.«

»Dann soll er etwas Gutes bekommen«, versprach Albert, und Milan nickte.

Zwei Tage später kam Milan in Begleitung eines kleinen, schmächtigen Mannes. Die Kleidung schlackerte an ihm, als gehörte sie einer viel größeren, kräftigeren Person, und er hatte Hände, die wie die einer Puppe aussahen. Er trug die traditionelle Kopfbedeckung eines Berliners, eine Schiffermütze. Als er sie abnahm, sah man, dass er eine spiegelblanke Glatze hatte, was ihn älter wirken ließ. Wahrscheinlich war er noch nicht mal vierzig.

»Das ist Herbert Kahmann. Ab sofort unser Dachkonstrukteur«, stellte Milan ihn vor, bevor er unsere Namen nannte.

Ich fragte mich, wie ein so hagerer Mann mit schweren Balken hantieren sollte. Aber genau das tat er. Er arbeitete mit einer kalkulierten Geschwindigkeit, die etwas Einschüchterndes hatte, ganz anders als Albert, der alles mit Bedacht tat, und auch anders als Milan, bei dessen Bewegungen ich immer an einen Vulkan denken musste, der kurz vor dem Ausbruch stand.

Herbert war von der Organisation Todt an der Westfront eingesetzt gewesen, als Leiter im Brückenbau, was ihm wahrscheinlich das Leben gerettet hatte. Ich fragte mich, welche Kolonnen er befehligt hatte. Bereits im August war er nach kurzer britischer Gefangenschaft nach Berlin zurückgekehrt. Er war überzeugter Sozialdemokrat, daher kannte er auch Milan, und war sofort nach seiner Rückkehr in die SPD eingetreten, die im Juni neu gegründet worden war.

Und nun arbeitete er, um seine Familie durchzubekommen. Arbeit gab es in Berlin wahrlich genug. Bloß mit der Bezahlung sah es nicht so gut aus.

Albert bot ihm Kartoffeln an, aber er schüttelte abwägend den Kopf.

»Kartoffeln sind gut. Und ich brauche für meine Kinder auch Fleisch«, sagte er. »Habt ihr Fleisch?«

Albert nickte. »Komm mal mit«, erwiderte er statt einer Antwort, und sie gingen ins Haus.

Ich dachte an die Wildschweinkonserven in der Küche, von denen wir uns nur sehr selten eine gönnten. Wenn Lilo und Milan da waren, öffneten wir gelegentlich eine Dose. Für vier Personen war es eigentlich sehr wenig, jeder bekam nur ein, zwei Stückchen und etwas Soße, aber wir aßen nicht Fleisch, um satt zu werden, sondern um dem Gemüse und den Kartoffeln mehr Geschmack zu geben.

Wie viele Dosen würde das Dach wohl kosten? Herbert sah jedenfalls zufrieden aus, als sie zurückkamen.

Zehn Tage brauchten die drei Männer, um den Dachstuhl und die Dachsparren zu richten und das Häuschen mit alten, oft angeschlagenen Schindeln zu belegen, die sie aus den Trümmerbergen zusammengesucht hatten. Herbert hatte seine Quellen für das Material, hackte, hobelte und sägte die Balken, bis sie passten. Jeden einzelnen beschaffte er zusammen mit Milan. Er brachte sein Werkzeug mit, kam, wenn es hell wurde und ging, wenn es dunkel wurde. Wenn ich kochte, aß er immer mit.

Und gerade, als es zum ersten Mal im Grunewald leicht zu schneien begann, war es vollbracht. Das Dach war fertig.

Noch zog es durch die leeren Fensteröffnungen im Giebel, im großen und im kleinen Zimmer, im Vorbau, durch die Türöffnung. Nur Tante Marthas Fenster war im kleinen Badezimmer bereits eingesetzt, darauf hatte ich bestanden.

Und über uns sah man nun den Himmel nicht mehr. Die Decke war fertig, eine Leiter führte auf den Dachboden. Gebückt konnte man dort oben stehen, und darüber war das Dach, stabil und dicht.

»Das ist unser Richtfest«, sagte Milan zufrieden, als wir in dem größeren der beiden Räume standen, umgeben von unverputzten Ziegelwänden.

In drei kleine Gläser schenkte er einen Fingerbreit Whisky – Ben hatte bei seinem letzten Treffen eine Flasche dabeigehabt und uns den Rest überlassen. Ben war großzügig, Alkohol war wertvoll. Wenn auch nicht für mich.

Albert hob sein Glas. »Die Hauptarbeit ist getan. Als Nächstes bauen wir Fenster und Türen ein, dann brauchen wir nur noch einen Ofen. Auf Lissas Haus.« Er trank, die anderen taten es ihm gleich.

»Es muss ein kleiner Ofen sein«, sagte Milan. »Wenn ihr einen großen nehmt, ist die Bude zu voll.«

»Ein Allesbrenner wäre gut. Wenn wir einen finden«, meinte Albert. »Vermutlich gibt es nicht mehr sehr viele heile Öfen in der Stadt.«

»Das lass mal meine Sorge sein«, sagte unser bester Freund, der Ofenbauer.

»Ich hätte jetzt gern meine Bezahlung.« Herbert nahm seine Schiffermütze ab, fuhr sich mit der schmächtigen

Hand über die Glatze und sah Albert erwartungsvoll an.

Albert warf mir einen raschen Blick zu. Dann nickte er und verließ mit Herbert mein Haus. Ich sammelte die Gläser ein und folgte ihnen.

Als ich das Haus erreichte, kamen sie gerade heraus. Herbert trug den Sack, in dem Albert damals das Wildschwein vom Förster gebracht hatte. Der Sack war offensichtlich schwer, und etwas bewegte sich darin so heftig, dass er hin- und herschaukelte. Herbert musste mit der zweiten Hand zugreifen, um das wilde Zucken zu bändigen.

»Tschüss dann«, sagte er und verließ uns.

Ich sah ihm hinterher, und mein Herz schmerzte.

Denn jetzt wusste ich, was der Preis für das Dach gewesen war: Hinz und Kunz, die Kaninchen, die ich seit dem Frühling jeden Tag mit Löwenzahn gefüttert und deren Ställe ich ausgemistet hatte, die ich auf dem Arm gehalten hatte, deren Nasen so weich gewesen waren, die laut und freudig mit ihren Pfoten getrommelt hatten, wenn ich in das Zimmer gekommen war.

»Wie konntest du nur?«, fragte ich Albert weinend. »Sie gehörten doch zu uns.«

»Herbert wollte sie unbedingt haben. Ich hatte die Wahl: die Kaninchen oder kein Dach«, entgegnete er schulterzuckend, als ob es ihm nichts ausmachte. »Wir hätten sie sowieso bald geschlachtet, spätestens zu Weihnachten. Sei nicht so empfindlich, Lissa.«

»Du hättest es mir sagen müssen. Ich hätte mich von ihnen verabschiedet.«

»Das hätte nichts geändert.«

Ich weiß, es war dumm und sentimental und ungerecht von mir, ausgerechnet jetzt, wo das Haus fast fertig war. Aber ich fühlte mich, als hätte ich Albert plötzlich von einer ganz anderen, kalten Seite kennengelernt.

Ende November wurde ich vierundzwanzig.

Beim Frühstück gratulierte Albert mir.

»Mach dich hübsch«, sagte er dann.

»Wie denn?«, fragte ich und zeigte auf meinen dicken Bauch. »Und warum?«

»Wir gehen heute Abend aus.« Er schmunzelte, und mehr war aus ihm nicht herauszubekommen. »Ben holt uns ab. Um sieben.«

Ben? Noch immer tauchte er regelmäßig auf, brachte stets etwas für uns mit, auch wenn es längst kein frisches Obst und Gemüse in der Gärtnerei mehr für ihn gab. Meistens unterhielten wir beide uns, und Albert saß daneben. Ich hatte mich daran gewöhnt und freute mich, wenn Ben kam. Aber dass er uns abends abholte, war neu.

Nun war es eigentlich ein Ding der Unmöglichkeit, sich hübsch zu machen, wenn man nichts Vernünftiges zum Anziehen hat, nur Kleidung, in der man gärtnerte, und dazu noch hochschwanger war. Ich beschloss, zu Lilo zu gehen. Vielleicht wusste sie Rat.

Sie legte die wenige Kleidung, die sie besaß, auf ihre Liege, dann hielten wir die Stücke an. Ich war schmaler als sie, bis auf den Bauch.

Zum Schluss entschied ich mich für ein schwarzes ärmelloses Kleid. Es war so weit geschnitten, dass ich hineinpasste. Dazu gab sie mir eine lilafarbene Strickjacke von einem Twinset. Zum Schluss kramte sie noch aus der hintersten Ecke ihres Kleiderschranks ein Paar schwarze Schuhe mit Blockabsatz und Riemchen um die Fesseln hervor.

Es waren Sommerschuhe, die nagelneu aussahen, fast ein bisschen frivol, und sie waren mir eine Nummer zu groß. Insgeheim wunderte ich mich, für welche Gelegenheit sie sie einmal gekauft hatte, aber ich wollte ihr ihre Geheimnisse lassen.

Als ich in die Schuhe schlüpfte, fühlte ich mich nicht nur größer, sondern plötzlich wunderschön.

»Lass die Haare offen«, sagte Lilo zum Abschied. »Heute mach dir keinen Zopf. Wenn man dein Haar sieht, ist es egal, was du trägst. Und viel Vergnügen, mein Kind.«

Dass sie mich Kind nannte, machte mich noch glücklicher als ihre Schuhe.

Ich war nervös, saß am Tisch und zog mir mit einem abgebrannten Streichholz meine blassen Augenbrauen nach. Als Lippenstift hatte ich eine Rote Bete angeschnitten, mit der ich mir über die Lippen fuhr. Es war wenig genug.

Dass ich nicht wusste, wohin wir gehen würden, machte alles nicht leichter. Wegen der Novemberkälte trug ich graue Strümpfe, die Falten an dem Knöchelriemen warfen und Lilos schönen Schuhen etwas Bäuerliches gaben. Mein Haar fiel über meine Schultern nach vorn. Es war wirklich inzwischen sehr lang, ich war dankbar, dass ich mich dahinter verstecken konnte.

Albert zupfte am Kragen seines weißen, etwas vergilbten Hemdes, und ich spürte, dass er auch nervös war.

Punkt sieben hupte es vor der Gärtnerei.

»Na dann, gehen wir«, sagte Albert.

Ich kicherte, weil er mir wie ein vornehmer Herr den Arm bot. Kurz zog er mich an sich und küsste mich auf den Scheitel. Das war selten, Albert war kein Mann großer Gefühle.

Wir liefen zum Wagen, Ben saß hinter dem Lenkrad und strahlte uns an. »*Happy birthday, beautiful. Let's have a party tonight*«, sagte er und küsste mich ebenfalls. Allerdings auf die Wange.

Wir feierten im British Officers' Club, keine zehn Minuten von der Gärtnerei entfernt, in Westend.

Es war eine andere Welt, in die Ben uns einen Abend lang entführte. Er hatte einen Tisch für uns reserviert, es gab Roastbeef, Bratkartoffeln und grüne Erbsen. Ich trank einen Orangensaft, der wie frisch gepresst schmeckte und es auch wahrscheinlich war. Noch nie hatte ich so etwas Köstliches getrunken.

Es war warm, wir aßen mit schwerem silbernem Besteck und wurden von einem Kellner bedient, der nur Englisch sprach. Ich versuchte, mich begreiflich zu machen, weil ich nicht noch mehr Bratkartoffeln wollte, und er verstand mich sogar. Was mich mit geradezu lachhaftem Stolz erfüllte.

Gerade als wir anfingen zu essen, betraten vier ältere Männer in olivgrünen Uniformen, aber mit deutlich mehr Abzeichen als Ben, den Raum. Der Kellner geleitete sie an unseren Nebentisch, und ich meinte ein leises Raunen unter den Gästen zu hören. Ben warf einen flüchtigen Blick zum Nachbartisch, dann nahm er, obwohl er saß, Haltung an.

»Wer ist das?«, fragte ich neugierig. Ich hatte bis jetzt noch nicht erlebt, dass Ben vor irgendjemandem Respekt hatte.

»Commandant Eric Nares«, antwortete er.

»*Commandant of what?*«

»*Of the British sector of Berlin.*«

Der Mann, von dem alle Entscheidungen abhingen, die uns im britischen Sektor betrafen, saß direkt neben uns! Ich spürte, wie sich etwas in mir zusammenkrampfte. Ich hatte noch nicht gelernt, dass die Macht der Uniform nicht unbedingt missbraucht werden müsste.

Nach dem Essen gingen wir in einen Salon nebenan. Ledersofas standen hier, Stehlampen auf Beistelltischen verströmten gemütliches Licht, an der Wand hingen mehrere silbern gerahmte Fotos des englischen Königshauses: ein Porträt von König George VI. und eins, das ihn zusammen mit seiner Frau und seinen beiden Töchtern zeigte, Elisabeth und Margaret.

Alles wirkte so gediegen, so elegant – es verunsicherte mich zutiefst.

Vorsichtig nahm ich Platz, spürte das weiche Leder unter mir, genoss es und fühlte, dass ich nicht hierhergehörte. Es war wunderbar und falsch zugleich.

Ben und Albert rauchten, alle rauchten, eine Wolke Zigarettenqualm umgab uns. Als ich einen Tritt des Kindes spürte, legte ich die Hand auf meinen Bauch.

Auf den ersten Blick erkannte ich, welche Frauen in diesem eleganten Raum Deutsche waren. Sie hatten sich hinten auf die nackten Beine Striche gemalt, sodass es aussah, als trügen sie Nahtstrumpfhosen, weil sie wahrscheinlich nur genauso hässliche Wollstrümpfe hatten wie ich und lieber froren. Die meisten waren geschminkt, hatten hellroten Lippenstift aufgetragen und die Augen dramatisch umrandet. Sie waren zu grell aufgemacht, zu überzogen. Aber das war nicht der Grund, dass ich sie als Deutsche erkannte.

Nein, bei den Männern und Frauen in den englischen und auch amerikanischen Uniformen lagen Selbstbewusstsein und fröhliche Zuversicht im Blick, die uns fehlten. Die wir erst wiederfinden mussten. Ich war kurz davor, aufzuspringen und zu flüchten.

Und dann erklang aus einem der Räume Musik. Alle standen auf und strömten dorthin. Wir ebenso. Ben ging voran, Albert folgte mir.

»Heute spielt das Wellington Swing Orchester«, erklärte Ben. »Ich dachte, das gefällt euch.«

Musik, die nicht knarrend aus dem Radio erklang!

Wir kamen in ein geräumiges Hinterzimmer. An einer der Wände hing der Union Jack, es gab eine Bühne, auf der Musiker in schwarzen Anzügen und roten Seidenhemden probehalber auf ihren Instrumenten spielten, eine Kapelle mit Klavier, zwei Trompeten, einer Gitarre und verschiedenen Trommeln. Davor war eine Tanzfläche, und ringsherum standen bestimmt zwanzig kleine, runde Tische.

An einen von ihnen setzten wir uns. Es war warm, ich zog meine Strickjacke aus und war froh, dass mein dicker Bauch von dem Tisch verdeckt wurde. Ich fuhr durch mein langes hellblondes Haar und ordnete es über meinen Schultern. Als ich aufschaute, sah ich direkt in Bens Augen. Ich meinte darin etwas wie Sehnsucht zu lesen, aber da schaute er weg, und ich war sicher, dass ich es mir nur eingebildet hatte.

Schon wieder kam ein Kellner. Diesmal bestellte Ben für sich und Albert einen Bourbon, ich wollte nichts. Aus einem plötzlichen Bedürfnis heraus griff ich über den Tisch hinweg nach Bens Hand. Er sah mich erstaunt an.

»Danke«, sagte ich auf Englisch, »das ist mein bester Geburtstag jemals.«

»Wirklich?«, fragte er.

»Ja. Weil wir in Frieden feiern und Freunde sind, nicht Feinde.«

Er drückte meine Hand kurz und ließ sie wieder los. Albert schaute auf die Bühne. Er hatte an diesem Abend noch kaum ein Wort gesagt.

Und dann sprachen wir nicht mehr, denn die Musiker begannen zu spielen, es wurde laut und schnell und ausgelassen. Paare strömten auf die Tanzfläche, Männer in Uniformen und Frauen in Kleidern. Sie tanzten schnell, es war Swing, wie Ben sagte. Ich hatte von diesem Tanz gehört, aber er war bei uns verboten gewesen. Es war ja auch kein Mann da gewesen, mit dem man hätte tanzen

können, und Feste hatte es in den Kriegsjahren kaum gegeben.

Der Rhythmus ging mir in die Beine, eines Tages,
so schwor ich mir, würde ich Swing tanzen. Mit diesen schnellen, kessen Tanzschritten, die ich noch nie
zuvor gemacht hatte, die so ganz anders waren als die
Tänze, die ich damals in Oderberg gelernt hatte – langsamer Walzer und Foxtrott. Ich würde Swing lernen,
wenn auch nicht heute. Irgendwann und irgendwo.
Mit irgendwem.

19. Kapitel

»Herr Polaschki?«, rief Gitta über die Hecke hinweg.

Auf der Terrasse vor einem grau gestrichenen Holz-häuschen lag ein alter Mann im Liegestuhl und sonnte sich. Die Augen hatte er geschlossen und die Brille auf die Stirn geschoben. Neben dem Liegestuhl stand sein Rollator. Der Alte trug eine graue Jacke und eine graue Hose, dazu Sandalen mit grauen Socken. Er wirkte wie ein graues Chamäleon vor seiner Gartenlaube.

Nur eins leuchtete und schimmerte: Auf dem Schoß hatte er eine silbern glänzende Tafel, wahrscheinlich ein mit Alufolie beklebtes Stück Pappe. Er hielt sie so, dass das Sonnenlicht, jetzt zum Ende des Sommers schon schwächer, reflektiert wurde und direkt in sein verwittertes, aber sehr braunes Gesicht fiel. Offenbar arbeitete er unablässig an seiner Bräune.

Als er die Stimme hörte, rappelte er sich hoch. Der Reflektor fiel zu Boden.

»Ja bitte?«, fragte er.

»Wir sind von Parzelle 73/5«, erklärte Gitta über den Zaun hinweg. »Das ist die älteste Parzelle in der Kolonie, hat Udo Melcher uns erzählt. Die Laube von

Robert, neben Hajo Müllers. Hajo meinte, Sie könnten uns vielleicht etwas über die Anfänge der Kolonie erzählen. Wir haben da ein paar Fragen. Aber wir wollen Sie nicht stören. Wenn wir ein anderes Mal wiederkommen sollen ...«

»Nein, nein, das passt schon.« Er griff nach seinem Rollator und zog sich an den Griffen hoch. Dann kam er langsam zum Zaun und linste hinüber.

»Ihr seid die, denen jetzt Roberts Parzelle gehört? Das ist gut. Der hat sie nicht genutzt. An den war der gute Boden verschwendet. Hoffentlich habt ihr ordentlich Kartoffeln angebaut. Kartoffeln und Bohnen, das ist es, was man in Hungerzeiten im Krieg haben muss.«

»Wir haben viel Gemüse. Aber zum Glück keinen Krieg«, meinte Marit.

»Noch nicht, wie ich immer sage. Wenn die so weitermachen, leg ich meine Hand nicht für Frieden ins Feuer. Na, ich lebe dann sowieso nicht mehr. Nur eins ist sicher: Erst wenn uns die Raketen um die Ohren fliegen, werden die Berliner verstehen, wie wichtig es ist, sich nicht auf Aldi zu verlassen. Da sind die Regale dann nämlich leer. Außerdem schmeckt Gemüse viel besser, wenn man es selbst anbaut. Besonders Kartoffeln und Bohnen. Das weiß jeder richtige Laubenpieper.«

»Die nächsten Raketen sind Atomraketen. Wenn die aufschlagen, schaffen wir es sowieso nicht mehr zu Aldi«, erwiderte Constanze.

»Ja, also, wir wollten Sie eigentlich etwas fragen«, versuchte Marit das Gespräch in eine andere Richtung zu lenken, weg von Krieg und Kartoffeln. »Wissen Sie noch, wer die ersten Pächter unserer Laube waren? Wie entstand diese Kolonie? Wie war das damals?«

Er sah sie einen Moment grübelnd an, dann ging er langsam zur Gartenpforte und öffnete sie.

»Kommt rein. Wenn ich in meinen Erinnerungen kramen soll, muss ich mich hinsetzen. Das dauert ein bisschen länger.« Er schob den Rollator zur Terrasse zurück. »Es sind die Hüftgelenke, wisst ihr? Aber ich will mich nicht operieren lassen. Obwohl es eine Schande ist, dass ich nicht mehr gut gärtnern kann. Setzt euch, setzt euch.«

Er zeigte auf ein paar Stühle, die um einen Tisch herum standen. Die Tischdecke war aus durchbrochenem weichem Schaumstoff, um Gläsern darauf festen Halt zu geben, und, nicht ganz überraschend, ebenfalls grau.

»Möchtet ihr einen Schnaps?«

»Oh, bitte nicht«, sagte Marit.

Seit dem Sommerfest bekam sie beim Gedanken an Schnaps Gänsehaut. Wein ging, alles andere auf keinen Fall.

Er nickte und nahm etwas umständlich Platz.

»Also, über die Kolonie wollt ihr was wissen?« Er schloss die Augen, als ob er im Dunkeln den Weg zurück in die Vergangenheit besser erkennen könnte. »Meine Eltern haben die Parzelle hier 1946 bekommen. Damals gab es vorn eine Wiese, ein paar Obstbäume und ein Haus, weiter hinten im Grunewald standen die verlassenen Baracken von der Organisation Todt.«

»Herr Polaschki, wir mussten neulich den Schuppen hinter unserer Laube abreißen lassen, damit wir den Pachtvertrag bekommen. Dabei haben wir den Eingang zu einem Keller entdeckt. Können Sie uns etwas über die Anfänge unserer Laube erzählen?«, fragte Constanze.

»Einen Keller hat eure Laube? Wirklich? Davon weiß ich nichts.«

»Der Eingang war versteckt. Wir wüssten so gern, wer unser Häuschen gebaut hat. Und was es mit dem Keller auf sich hat.«

Der alte Mann nahm die Brille ab und ließ sie nachdenklich zwischen zwei Fingern baumeln. »Euer Haus stand schon, als wir 1946 hierherkamen. Es war deutlich größer als eine Laube. Da wohnte eine junge Frau drin. Vielleicht hatte sie den Keller, um sich darin zu verstecken? Dass die Russen die Gegend unsicher gemacht haben, war ja nicht so lange her. Für eine junge Frau war das sehr gefährlich.« Er überlegte. »Sie hatte ein kleines Baby. Meine Mutter hat gelegentlich auf das Kleine aufgepasst. Ein Mädchen war's, glaube ich.« Er überlegte. »Ich war ja noch ein kleiner Piepel, aber selbst mir fiel damals auf, dass die junge Frau besonders hübsch war. Sie hatte lange blonde Haare, und im Sommer trug sie oft ein gelbes Kleid. Darin sah sie aus wie eine Butterblume.«

»Wissen Sie noch ihren Namen?« Vielleicht konnte man ja etwas im Internet über die allerersten Laubenbesitzer herausfinden.

»Edith? Oder Elise? Vielleicht Erika. Irgendwas mit

E, glaube ich. Keine Ahnung, wie sie mit Nachnamen hieß.« Er hob bedauernd die Schultern. »Jedenfalls, als wir herkamen, war vorn an der Harbigstraße noch eine Gärtnerei, die wurde später abgerissen. Das Gewächshaus stand bestimmt noch bis 1948, aber dann war es auch hin. Irgendwas hatte die junge Frau mit dieser Gärtnerei zu tun, aber ich weiß beim besten Willen nicht mehr, was genau.« Einen Moment lang schwieg er in Gedanken versunken, dann fuhr er fort: »Ihr glaubt nicht, was das für ein Segen für meine Eltern war, dass wir uns was anbauen konnten. Zwiebeln und Tomaten, Kartoffeln und Bohnen«, kam er auf sein Lieblingsgemüse zurück. »Und Tabak, mein Vater hat viel geraucht. Immer eine Kartoffelpflanze, eine Tabakpflanze. Die wurden hoch, die Biester, richtige Bäume. Die untersten Blätter waren die wertvollsten, die wurden zuerst gepflückt, dann aufgefädelt, getrocknet, quer durch die Bude, geschnitten – eine fürchterliche Arbeit. Aber dem Vater hat's gefallen.«

Sein Lachen ging in einen trockenen Husten über. Es klang, als ob er das Laster seines Vaters übernommen hätte.

»Die Eltern haben tatsächlich Tabak angebaut?«, fragte Marit.

»Na klar. Das haben viele nach dem Krieg gemacht. Es war eine Heidenarbeit, das Grundstück für den Anbau vorzubereiten. Was haben wir alles weggeschleppt, gerodet und umgegraben. Hier lag so viel Müll – alte Matratzen, verrostetes Blech, Steine, Glas, Geröll. Baumstümpfe mussten ausgegraben werden. Es hat eine ganze Weile gedauert, bis wir endlich unsere Laube bauen konnten. Mehr als vierundzwanzig Quadratmeter durften es sowieso nicht sein, das galt schon immer für Lauben. Ein Klo brauchten wir auch, obwohl das mit dem fließenden Wasser nicht so klappte. 1946 brachen Seuchen in Berlin aus, die Ruhr und Typhus. Wir mussten alles lange kochen, Abfälle tief vergraben. Als sie die Wehrtechnische Fakultät gesprengt haben, haben wir für den Bau der Laube und der Zäune von dort jede Menge Baumaterial geholt.«

»Was war denn die Wehrtechnische Fakultät?« Den Namen hatte Marit, obwohl echte Berlinerin, noch nie gehört.

»Im Grunewald sollte die nationalsozialistische Universität von Germania entstehen, nach den größenwahnsinnigen Entwürfen von Speer. Dabei darf im Grunewald gar nicht gebaut werden, das steht so im Dauerwaldvertrag von 1915! Das ist ja auch die Hoffnung für unsere Kolonie: Sie können sie nicht plattmachen, weil sie hier keine Häuser bauen dürfen, höchstens Sportplätze. Und die gibt's hier ja nun wirklich genug.« Constanze, Marit und Gitta mussten unwillkürlich an das unablässige Geräusch der Tennisbälle denken. »Den Nazis waren die alten Verträge natürlich egal. Die Fakultät fürs Militär wollten sie zuerst bauen, aber 1940 ist ihnen wegen des Krieges das Material ausgegangen. Die Kriegsuni konnte wegen des Krieges nicht fertiggebaut werden.« Er lachte hämisch. »Nach dem Krieg hat der Tommy überlegt, den Rohbau fertigzustellen und das Gebäude als Hauptquartier zu nutzen. Aber das war

dann doch zu groß. Also wurde der ganze Quatsch gesprengt. Diese Ruine haben sie später mit den Trümmern der Stadt zugeschüttet. Muss man sich mal vorstellen, wenn man auf dem Teufelsberg steht, was man da
alles unter den Sohlen hat. Leute wie wir, die sich eine
Laube bauen wollten, haben sich gefreut. Es gab jede
Menge Baumaterial. Wie oft haben wir die Handwagen
durch den Grunewald gerollt, um Steine von dem Nazi-
bau zu holen.«

»Unsere Laube nicht«, widersprach Gitta. »Die war
ja 1945 schon fertig.«

Polaschki sah sie an, wobei seine Brille auf seine Na-
senspitze rutschte. »Das stimmt. Dann ist eure Laube
wahrscheinlich aus anderem Schutt des zerbombten Berlins gebaut worden.« Er sah auf einmal erschöpft aus.
»Mehr weiß ich über eure Laube leider nicht.« Er gähnte.
»Ich könnte euch noch erzählen, wie wir das Regenwasser in ollen Badewannen aufgefangen haben, weil
es sonst kein Wasser für den Garten gab, wie wir auf
dem Schwarzmarkt Gemüsesamen gekauft haben, die
plötzlich zu Blumen wurden, obwohl wir alle nur ans
Essen gedacht haben, wie wir im Grunewald die Sand-
hügel runtergerutscht sind, bis der Hosenboden durch
war, wie wir vor Hunger unreife Äpfel gegessen haben,
wie wir in den Ruinen herumgeklettert sind, als wären
sie ein Abenteuerspielplatz, und wie ich '47 nachts mit
dem Knüppel Wache stand, weil immer wieder Leute
versucht haben, unsere Kartoffeln zu klauen – seht's mir
nach. Das ist nicht das, was ihr wissen wolltet, ich weiß.
Es sind Erinnerungen eines alten Mannes.«

Er sah sinnierend in die Krone der Birke hinter seiner Laube, die 1946 bestimmt noch nicht dort gestanden hatte.

»Das war interessant, Herr Polaschki. Vielen Dank, dass Sie Ihre Erinnerungen mit uns geteilt haben«, sagte Gitta und erhob sich. Auch Marit und Constanze standen auf.

Sie verabschiedeten sich und wollten schon gehen, als Marit noch etwas einfiel. »Was ist denn aus der jungen blonden Frau mit dem Baby geworden?«

Er überlegte kurz. »Eines Tages war sie weg. Hat das Haus zugeschlossen und ist nie wieder zurückgekehrt. Wir haben noch eine Weile auf sie gewartet, aber der Garten war so groß, das Haus auch, es war einfach zu verlockend. Irgendwann hat dann der Vorstand beschlossen, dass es reicht. Die Kolonie hat beides geschluckt, gewissermaßen.«

»Und jetzt haben wir es«, sagte Gitta.

»Der Tommy«, sagte Marit, als sie zurück zu ihrer Laube gingen. »Das hab ich lange nicht mehr gehört. Die Generation, die sich noch an den Krieg erinnert, stirbt aus.«

»Meine Mutter hat den Engländer schon nicht mehr Tommy genannt. Und den Russen nicht Ivan. Aber sie ist auch nach dem Krieg geboren. 1947. Bevor sie richtig mitdenken konnte, hatte sich der Sprachgebrauch wahrscheinlich gewandelt«, bemerkte Constanze und schaute, ob Hajo schon drüben war. War er aber noch nicht.

»Mir gefällt es, dass man sich hier mit so vielen unterschiedlichen Leuten unterhält«, fand Gitta. »Die Kolonie ist interessant, findet ihr nicht auch? So viele Geschichten, so viele Schicksale. Man müsste das mal aufschreiben.«

»Einen gemeinsamen Nenner haben wir alle«, sagte Marit. »Wir gärtnern gern.«

20. Kapitel

Berlin im Dezember 1945 und im Januar 1946

Zu Weihnachten strickte ich Albert heimlich Socken.

Seine Socken bestanden nur noch aus gestopften Stellen, in den Holzpantinen scheuerten sie immer so schnell durch. Milan hatte mir Wolle und Nadeln auf dem Schwarzmarkt besorgt, und immer, wenn Albert im Häuschen oder auf dem Grundstück arbeitete, strickte ich weiter. Es war gebrauchte Wolle, aber ordentlich zu zwei dicken dunkelblauen Knäueln aufgewickelt.

Das größte Problem war dabei, dass es im Dezember so schnell dunkel wurde. Es blieb nie viel Zeit für Handarbeit, wenn es eine Überraschung werden sollte und ich nicht bei Kerzenschein direkt vor seiner Nase stricken wollte. Noch immer gab es nur stundenweise Strom.

Es war die Friedensweihnacht, so hieß es, das erste Weihnachtsfest ohne Krieg seit sechs Jahren. Für die Berliner bedeutete das viel, keine Bomben, keinen Fliegeralarm, aber auch viel Mangel an allem. Unmittelbar nach dem Krieg war die Lage weniger angespannt gewesen als jetzt. Kleidung war knapp, Material zum Heizen war knapp, und am schlimmsten war, dass die Nahrung immer knapper wurde.

Wenigstens hatten die Alliierten auf unsere Lebensmittelkarten im Dezember eine kleine Sonderzuteilung von Mehl und Zucker genehmigt. Im Eichkamp hielt jemand Hühner, von ihm hatten wir einige Eier bekommen, und ich backte für uns Kekse, rollte den Teig mit einer Flasche aus. Als Plätzchenform nahm ich ein kleines Glas. Süß und hart schmeckten sie, und ich weinte beim Backen die ganze Zeit, weil ich daran denken musste, dass ich letztes Jahr noch mit Mutti gebacken hatte.

Zur ersten Friedensweihnacht hatten wir Milan und Lilo eingeladen. Die Alliierten hatten beschlossen, ab dem 24. Dezember die nächtliche Ausgangssperre aufzuheben, was wie ein Geschenk für uns Deutsche war. Wir konnten nun Lilo zu später Stunde zusammen nach Hause bringen.

In die Kirche dagegen wollten wir nicht.

»Wozu auch? Dort ist es kalt und dunkel«, sagte Albert. Aber dahinter stand wohl mehr, dass er den Glauben an Gott verloren hatte.

Von Hinz und Kunz sprachen wir nicht mehr. Der Käfig war aus dem kleinen Zimmer geräumt, nur noch ein schwacher Duft nach Heu erinnerte daran, dass hier die Kaninchen gelebt hatten. Ich hatte das Zimmer sauber gemacht, in einem Monat würde dort unser Kindchen schlafen.

Wir hatten sogar einen Weihnachtsbaum, der unsere Stube schmückte. Albert hatte in ein Brett Löcher gebohrt und in diese kleine Tannenzweige gesteckt. Einige Bienenwachskerzen hatten wir auch für Heiligabend aufgespart. Wir hatten nicht viel, aber wir wollten es uns so schön wie möglich machen.

Am 24. Dezember verheizten wir mehr Holz als sonst in einer ganzen Woche. Wir planten ein üppiges Essen mit Kartoffeln und Bohnen, drei Büchsen Wildschwein, Keksen und Honig, ich wusste, dass Albert sich danach auf den Rest Whisky freute, der noch immer in der Flasche von Ben war.

Als Milan und Lilo kamen, wurde es bereits dunkel. Es war ein kalter grauer Dezembertag, aber wir hatten es warm in der Stube und genug zu essen, wir konnten uns glücklich schätzen.

Milan kam mit dem Handwagen. Er zog etwas Schweres, das mit einem alten Lumpen zugedeckt war, und ließ es draußen vor der Tür stehen.

Wir sangen *Stille Nacht, heilige Nacht*, dann machten wir beim Schein von zwei Bienenwachskerzen Bescherung – der Strom war wieder abgeschaltet worden, aber zur Bescherung passte es.

Lilo schenkte mir die lila Strickjacke, die ich zu meinem Geburtstag angehabt hatte, sie bekam von mir ein großes Glas Brombeermarmelade. Milan hatte ich eine dunkelblaue Pudelmütze gestrickt, von der Wolle, die übrig geblieben war. Albert drückte mir einen Umschlag in die Hand. Darin fand ich eine Eigentumserklärung. Er hatte das Häuschen inklusive Grund und Boden auf meinen Namen überschrieben, es war unterzeichnet vom Kommandanten des britischen Sektors.

»Hat Ben das geregelt?«, fragte ich, und er nickte.

Dagegen waren meine Wollsocken etwas bescheiden, aber er freute sich trotzdem sehr.

»Euer Geschenk ist noch draußen«, sagte schließlich Milan. »Soll ich es reinholen, oder kommt ihr mit raus?«

»Hol's rein«, meinte Albert.

Wir saßen auf dem Sofa wie Verlobte, er hatte den Arm um meine Schultern gelegt, und wir waren satt und müde und wären am liebsten schlafen gegangen.

Milan zog den Handwagen in die Stube und zog das Lumpentuch weg.

»Fröhliche Weihnachten, liebe Lissa und lieber Albert. Das ist für euer neues Haus«, sagte er, und wir standen auf und gingen mit einer Kerze zum Wagen, um uns anzusehen, was er da enthüllt hatte.

Es war ein Ofen, den unser Freund, der Ofenbauer, für uns gemacht hatte. Er war viel zierlicher als die sonst üblichen Öfen, perfekt für einen kleinen, nicht zu hohen Raum wie in meinem Häuschen. Und er hatte wunderschöne Kacheln, die dunkelgrün glasiert waren und im Kerzenschein schimmerten. Aber das war nicht das Schönste an ihm. Das Schönste war, dass auf jeder Kachel ein gärtnerisches Motiv zu sehen war.

Wir beugten uns darüber, machten uns abwechselnd auf Spaten und Schubkarre, auf Bäume und Sonnenblumen aufmerksam, die Milan in den Lehm geformt hatte, bevor er die Kacheln gebrannt hatte. Wir konnten uns nicht sattsehen, es war, als ob der Ofen einen Teil unseres Lebens widerspiegelte. Wie lange er daran gearbeitet haben musste!

»Das ist ein wunderschönes Geschenk. Du bist ein Künstler«, sagte Albert und umarmte Milan. Ich umarmte ihn ebenfalls, und so standen wir da zu dritt. Drei Freunde, die genau wussten, was sie aneinander hatten, drei Freunde, die sich Wärme schenkten, mit Socken, Mützen, Jacken, Holz, Essen, Ofen und Liebe. Lilo saß am Tisch und schaute uns so liebevoll wie eine Mutter an.

»Ich kann es kaum erwarten, ihn einzubauen. Hoffentlich zieht er gut. Holz habt ihr ja, aber ein paar Kohlen wären auch nicht schlecht. Am besten Eierkohlen, die geben ordentlich Hitze ab. Mal sehen, ob wir das organisiert bekommen.« Milan rieb sich die Hände, um seine Rührung zu verbergen. »Vielleicht morgen?«

Milan ging in dieser Weihnachtsnacht nicht zurück in die Werkstatt, wo er inzwischen wohnte. Im Sommer hatte er häufig bei uns geschlafen, seit wir die Beete abgeerntet hatten, seltener. Wir brauchten nichts mehr zu bewachen.

Ich glaube, er wollte in der Nähe des Ofens bleiben. Einen Ofen für uns zu bauen, all seine Gedanken motivisch auszuformen – vermutlich konnte er den schöpferischen Prozess nicht einfach abstellen, nur weil seine Aufgabe beendet war. Er wollte auch sehen, wie das Werk tief Luft holte und mit seinem ersten Atemzug zum Leben erwachte.

Am nächsten Morgen saßen wir zu dritt am Tisch, tranken Tee und knabberten Kekse, als Oskar kurz bellte.

»Ben kommt«, sagte Albert, und ich stand auf, um unseren kanadischen Freund hereinzulassen.

»*Merry Christmas*, Lissa!«, rief er mir schon vom Zaun aus zu. »Ich habe etwas für euch!«

Er war immer so erschreckend gut gelaunt, als ob das ganze Leben ein großes Spiel wäre. Vielleicht war es das ja auch für ihn. Ich fühlte mich in seiner Nähe immer hin- und hergerissen, ob ich mit ihm lachen oder mit Albert nachdenklich sein sollte. Sie waren so unterschiedlich, und ich mochte beide sehr gern. Zum Glück musste ich mich nicht entscheiden, es war bereits entschieden.

Als wir drinnen den Korb auspackten und ich sah, was er für uns hatte, lachte ich mit ihm vor lauter Freude. Er hatte darin alles verstaut, was er aus der Kantine hatte entwenden können. Schokolade und Tee und eine kleine Flasche Whiskey und Short Bread und zwei Dosen Corned Beef und vier Büchsen Currysuppe. Currysuppe, wie exotisch!

Inmitten meiner Begeisterung und unseres englischen Wortaustausches stand Albert abrupt auf.

»Komm, lass uns den Ofen einbauen, Milan.«

»*Do you need help?*«, fragte Ben, der immer mehr Deutsch verstand.

Aber Albert schüttelte den Kopf. »*No, thank you.*«

Auch meine Hilfe lehnten Albert und Milan ab, was mir recht war. Alles, was mit Bücken und Heben zu tun hatte, war inzwischen sehr beschwerlich für mich.

Also machte ich für Ben einen Tee, und er erzählte, wie sie den Heiligabend im British Officers' Club gefeiert hatten und dass in seiner Familie erst heute, am 25. Dezember, Bescherung war. Er sprach von der Farm in Kanada, die sein Bruder mit den Eltern zusammen bewirtschaftete, von seinem Neffen und seinen beiden Nichten, und in mir wuchs die Sehnsucht, irgendwann mit dieser Selbstverständlichkeit über eine eigene Familie reden zu können.

Und dann stürzte Milan ins Haus, mit einem wilden, ängstlichen Blick, den ich nie zuvor bei ihm gesehen hatte.

»Albert hatte einen Unfall, komm schnell, Lissa«, rief er.

Der Schwung kalte Luft, der mit ihm ins Haus fuhr, ging mir durch und durch.

Er war schon wieder weg, bis ich mich behäbig erhoben hatte und ihm, zusammen mit Ben, hinterhereilte.

Albert lag auf dem kalten Boden, blass und die Augen geschlossen, daneben der umgestürzte Ofen. Milan hockte neben Albert, aber was passiert war, sah ich erst, als Milan aufstand. Es war das Bein, das kaputte, das viel zu dünne Bein, ohne Muskeln und ohne Fleisch, weggefetzt von einer Granate – seine schlimmste Kriegsverletzung. Das Hosenbein war hochgeschoben, der Unterschenkel blutete, durch die klaffende Wunde konnte man den Knochen sehen. Mir wurde übel. Oskar winselte.

»Der Ofen ist ihm umgefallen, genau aufs Bein. Er hat ihn mit den schwachen Händen nicht halten können«, erklärte Milan. »Hätte ich bloß nicht den Ofen gebaut!«

»Milan, das ist doch nicht deine Schuld«, sagte ich sofort. Der Gedanke war zu abwegig.

»Wir müssen Albert irgendwie zum Arzt schaffen. Ins Krankenhaus. Oder einen Arzt herbringen.«

»Am ersten Weihnachtstag«, sagte ich. »*O my God*, Ben, *please help us*.«

»Nein«, sagte Albert da und öffnete die Augen, die wie zwei schwarze Sterne in seinem bleichen Gesicht aussahen. »Hilfe will ich nicht. Bringt mich ins Haus.«

»Aber Albert, Ben hat den Wagen, er könnte dich …«

»Nein, Elisabeth. Ich will ihn hier nicht haben.«

Dass er mich mit meinem vollen Namen ansprach, erschreckte mich. Ich verstand nicht, was er gegen Bens Hilfe hatte. Überhaupt hatte er ihn auch nicht mehr so freudig begrüßt, seit wir gemeinsam im British Officers' Club gewesen waren, wurde mir jetzt bewusst.

Wir transportierten Albert im Handwagen in die Stube und trugen ihn auf das Sofa.

Ich heizte den Herd, um Wasser zu kochen und die Wunde zu reinigen. Verbandsmaterial hatten wir nicht, ich zerschnitt ein Laken, gab in meiner Hilflosigkeit Ringelblumensalbe auf die Haut, was bei so einer schweren Wunde geradezu albern war. Ich betete, dass wir Glück hätten, vielleicht half Ruhe, ich würde Albert umsorgen, vielleicht war er stärker als die Verletzung. Wir brauchten ihn doch.

Zuerst schien es so. Als sich herumsprach, was mit Albert geschehen war und dass es ihm schlecht ging, kamen Menschen aus der Nachbarschaft, die ich nie zuvor gesehen hatte, und setzten sich zu ihm. Albert bekam allmählich wieder mehr Farbe, das Bein lagerte er stets hoch. Die Wunde hatte sich so weit geschlossen, dass ich beim Verbinden nicht mehr den Knochen sah. Aber richtig zugeheilt war sie nicht.

Sie sprachen mit ihm, sie brachten ihm Zeitungen zu lesen. Einer von ihnen überreichte mir ein Stück Huhn wie ein wertvolles Geschenk. Ich kochte daraus eine Hühnersuppe, wie Mutti es schon getan hatte, wenn ich krank gewesen war.

Der Dezember ging vorbei, die Raunächte begannen, in der Silvesternacht gingen wir früh zu Bett. Bis zur Geburt waren es nur noch wenige Wochen, Lilo hatte versprochen, mir zu helfen, wenn es so weit war. Sie hatte einen Mann und einen Sohn gehabt, die beide im Krieg geblieben waren.

Ich konnte mir noch nicht vorstellen, bald ein Kind zu bekommen. Dann würden wir zu dritt sein. Im März begann ja das nächste Gartenjahr, wir würden vorziehen müssen. Bis dahin würde Albert zum Glück längst wieder auf den Beinen sein.

Aber das war er nicht. Die Wunde, die sich schon geschlossen hatte, brach wieder auf und entzündete sich.

Zuerst versuchte Albert, es vor mir zu verheimlichen. Er war seit Silvester etwas ruhiger, in sich gekehrter, aber ich führte das auf das neue Jahr zurück. Wir alle machten uns Gedanken, wie es mit uns, mit der Stadt, der Versorgung weitergehen würde, und bei Albert kam noch die Gartenplanung hinzu.

Doch als ich eines Morgens erwachte, bewegte er sich neben mir unruhig, murmelte etwas und seufzte. Ich streckte die Hand aus, Erinnerungen an den Krieg bescherten ihm Albträume. Da merkte ich, dass er ganz verschwitzt war. Dabei war es im Schlafzimmer immer kalt. Wir gingen mit Pullovern und Strickjacken über unseren Schlafanzügen ins Bett, mit Wollsocken.

»Albert, was hast du denn?«

»Mein Bein«, stöhnte er. »Es schmerzt so sehr.«

Ich zog die Decke weg und entfernte vorsichtig den Verband, den er sich inzwischen selbst anlegte.

Die Wunde sah furchtbar aus, entzündet, eitrig, offen. Ich musste etwas tun und wünschte, Ben wäre da. Aber seit dem ersten Weihnachtsfeiertag hatte er sich nicht mehr blicken lassen. Ich konnte es ihm nicht verübeln, Albert hatte ihm deutlich gezeigt, dass er nicht willkommen war.

Ich legte ihm ein feuchtes Handtuch gegen das Fieber auf die Stirn, dann zog ich mich schnell an, mein dicker Bauch passte gerade noch so in Alberts Jacke.

»Ich hole Hilfe«, flüsterte ich, ohne zu wissen, wo ich diese Hilfe hernehmen wollte.

Bevor ich das Haus verließ, griff ich noch schnell Vatis Uhr. Es war das einzig Wertvolle, was geblieben war. Zigaretten hatten wir nun nicht mehr.

Ich ging zu Lilo, die versprach, sich um Albert zu kümmern, während ich unterwegs war, um Hilfe zu holen. Dann lief ich zu Fuß zum British Officers' Club, weil ich nicht wusste, wie ich Ben sonst erreichen sollte. Nur er konnte uns helfen, glaubte ich.

Unschlüssig stand ich vor dem Gebäude, als eine junge Frau in Uniform herauskam. Meinen ganzen Mut nahm ich zusammen und fragte sie auf Englisch, wo die Mackenzie King Barracks waren, wo sie die Kanadier untergebracht hatten.

Ich musste mit der S-Bahn nach Schmargendorf fahren, dann den Hohenzollerndamm entlanglaufen und immer mit der entsetzlichen Angst im Herzen, Albert nicht retten zu können. In meinem Bauch zog es, manchmal musste ich stehen bleiben und mich mit dem Rücken gegen eine Laterne, eine Hauswand, einen Baum lehnen, abwarten, bis das Ziehen wieder nachließ. Der Hohenzollerndamm war breit, aber nur wenige Autos fuhren, fast ausschließlich Militärwagen. Der amerikanische Sektor war nicht mehr weit, die Schilder, die ankündigten, wann man einen Sektor verließ und den nächsten betrat, kannten wir inzwischen gut.

Endlich erreichte ich die Mackenzie King Barracks. Es war ein mittelgroßes, dunkelrotes Gebäude, abschnittsweise weiß gestrichen, mit klarer Architektur. Eine Wache stand davor.

Als ich den wachhabenden Soldaten hochschwanger und in nicht sehr flüssigem Englisch anflehte, Lieutenant Ben Fontaine zu holen, muss er wohl gedacht haben, dass Ben der Vater war, der ein deutsches Frollein in Schwierigkeiten gebracht hatte. Er grinste spöttisch, dann verschwand er tatsächlich im Gebäude. Natürlich war Fraternisieren, auch wenn es nicht verboten war, nicht gern gesehen, natürlich setzte ich Ben einer Gefahr aus. Aber ich wusste keinen anderen Ausweg.

Einige Minuten später erschien Ben. Vor Erleichterung, ihn zu sehen, fing ich an zu weinen.

»Ben ... Alberts Bein. Es ist ... Er hat solche Schmerzen«, sagte ich auf Englisch.

Bens Gesichtsausdruck war steinern, und einen schrecklichen Moment lang dachte ich, er würde mich abweisen, obwohl ich mir keiner Schuld bewusst war, außer dass ich Deutsche war. Ich krümmte mich zusammen, biss die Zähne zusammen und hielt mich an ihm fest, weil es wieder so sehr in meinem Bauch zog, und da sah er wieder wie der freundliche Kanadier aus, der ein halbes Jahr regelmäßig in die Gärtnerei gekommen war.

Trotzdem war er ernst, kein Lachen blitzte wie sonst immer in seinen Augen. »Lissa, ich bringe euch beide ins Krankenhaus. Warte.«

Er verschwand, und ich setzte mich auf eine niedrige Ziegelmauer vor den Barracks. Es war stark bewölkt, kalt, und einzelne Schneeflocken fielen. Ich fühlte mich unendlich erleichtert, dass ich Verantwortung abgeben konnte. Alles würde gut werden. Ben würde wissen, was zu tun war.

Kurz darauf bog er in einem Jeep um die Ecke und winkte mir zu. Ich sollte in den Wagen einsteigen. Doch als ich mich erhob, spürte ich plötzlich, dass meine Hose nass wurde. Warm lief es mir an den Innenseiten der Beine hinunter. Zuerst wusste ich nicht, was es war, ob ich mir in die Hose gemacht hatte. Es war mir sterbenspeinlich, so in den Wagen zu steigen. Aber als ich es tat, sah Ben sofort, was los war.

»Das Baby kommt«, sagte er. »Alles okay?«

Ich nickte, obwohl es wieder so stark im Bauch zog, dass ich stöhnte. »Bitte, lass uns Albert holen«, flehte ich, und Ben gab auf der vereisten Straße so heftig Gas, dass die Räder des Jeeps durchdrehten. Während der Fahrt nahm ich Vatis goldene Uhr aus der Jackentasche und gab sie ihm. »Albert braucht Medikamente. Penicillin. Kannst du es besorgen? Mehr habe ich nicht.«

Er warf mir einen Blick zu und nickte. »Ich versuche es.«

Eine Viertelstunde später hielten wir vor der Gärtnerei. »Ich hole ihn«, sagte Ben und stieg aus.

Kurz darauf kehrten er und Lilo mit Albert zurück. Sie stützten ihn, und ich sah auf den ersten Blick, dass es ihm noch schlechter ging. Sein Blick wanderte von mir zu Ben, zur Straße und wieder zurück, als ob er sich keinen Reim darauf machen konnte, was los war, als ob er uns gar nicht wirklich wahrnähme. Er schien zu halluzinieren.

Wir legten ihn auf den Rücksitz, ich bat Lilo, sich um Oskar zu kümmern, und Ben gab Gas.

Zehn Minuten später hielten wir an einem großen Gebäude. »Martin-Luther-Hospital, protestantisch, nicht katholisch«, sagte Ben, als ob mich das in diesem Augenblick interessierte. »Ich bin gleich wieder zurück.« Er stürmte hinein. Kurz darauf kamen Männer mit einer Trage hinaus.

»Er zuerst«, ordnete Ben auf Englisch an, »er kann nicht laufen.«

Sie zogen Albert aus dem Jeep und legten ihn auf die Trage, nahmen ihn mit fort.

»Und jetzt du«, sagte Ben zu mir und half mir auszusteigen. Da war es wieder, dieses Ziehen im Bauch, aber dieses Mal stärker. Ich stöhnte und stützte mich an der Wagentür ab. »Hilfe«, rief Ben auf Englisch. »Wir brauchen Hilfe. Sie bekommt ein Baby!«

Aber niemand hörte uns. Ben hielt mich fest, während ich mich die wenigen Schritte ins Krankenhaus schleppte. Flüchtig nahm ich wahr, dass das Gebäude sehr ordentlich aussah, viel war bereits repariert worden, während rings um das Krankenhaus fast alles in Trümmern lag.

Am Ende des Ganges, den wir nun auf der Suche nach Hilfe entlanggingen, war eine Kapelle. Und als ob irgendwer verstanden hätte, wie sehr ich Hilfe brauchte, kam in diesem Moment eine Ordensschwester heraus. Sie trug ein dunkles Gewand und ein weißes Käppchen, die grauen Haare waren zu einem Knoten gebunden. Am Kragenknopf steckte die Brosche der Diakonissinnen. Sie erfasste die Situation mit einem Blick.

»Ich bin Oberin Lingner. Unsere Entbindungsstation ist im dritten Stock. Folgen Sie mir.« Im Fahrstuhl schwiegen wir, aber die Oberin musterte Ben in seiner Uniform so kritisch, als ob sie ihm die Schuld gäbe. An meiner Situation, an der Situation des Krankenhauses, vielleicht an der Situation Deutschlands. »Sie haben Glück, dass Sie Ihr Kind jetzt bekommen«, sagte sie, während sie uns zur Station begleitete. »Bis zum

Kriegsende waren wir in den Kellerräumen untergebracht, weil die Gegend so schwer umkämpft war. Jede Granate hat unser Krankenhaus erzittern lassen. In den Gefechtspausen haben wir die Toten hinausgeschleppt und begraben. Können Sie sich das vorstellen? Ich denke nicht.« Wieder bedachte sie Ben mit einem ungehaltenen Blick. »So, hier wären wir. Väter haben keinen Zutritt im Kreißsaal.«

»Er ist nicht der Vater«, versuchte ich zu erklären, aber da öffnete sich schon eine weitere Tür.

»Sieh nach Albert«, rief ich noch, und Ben verschwand.

Zehn Stunden später hielt ich meine kleine Tochter im Arm. Sie hatte dunkle Augen wie Albert, den weichsten blonden Flaum auf dem Kopf und war einfach ein Wunder. Ich versuchte sie zu stillen, sie trank und schien mich groß anzusehen, bevor sie wieder einschlief. Einen Moment lang war ich mit der Welt im Reinen.

»Können Sie herausfinden, wie es Albert Grossart geht?«, fragte ich eine Schwester, und sie versprach, nach Dienstschluss auf der Männerstation vorbeizuschauen. Ich wollte ihm so gern sagen, dass er eine kleine Tochter hatte, er würde sich freuen, wir waren nun zu dritt, und alles war gut.

Aber dann kam Ben ins Zimmer, und ich sah sofort, dass nichts gut war. Er lächelte flüchtig, als er das Kind auf meinem Arm sah, und legte etwas aufs Bett: Vatis goldene Uhr.

»Lissa«, sagte er und griff nach meiner Hand, »es tut mir leid. Albert braucht keine Medizin mehr. Er ist gestorben.«

In diesem Moment begann meine kleine Tochter zu schreien, als hätte sie genau verstanden, was Ben gesagt hatte.

21. Kapitel

Berlin im September, Gegenwart

Gitta hatte hektische rote Flecken auf den Wangen, als sie die Gartenpforte mit viel zu viel Schwung aufstieß. Sie knallte gegen die Hecke, schnellte dann zurück und fiel ins Schloss. Der meterlange Zaun erzitterte. Gitta stürmte den Steinweg entlang.

Constanze, die am Tisch vor der Veranda saß und Biologietests zum Thema Bienen korrigierte, sah ihr entgegen.

»Was ist denn, Gitta?«, fragte sie, denn dass was war, sah sie auf den ersten Blick.

Über ein halbes Jahr war der schreckliche Tag jetzt her, an dem ihr Ralf erklärt hatte, dass er sich scheiden lassen wollte. Sie war auf einem guten Weg, selbst wenn ihre Seele noch nicht ganz geheilt war. Aber heute sah Gitta aus wie damals, als sie die Küche mit ihr ausgeräumt hatten, voller Verzweiflung, gepaart mit einer gehörigen Portion Wut.

»Ich habe vorhin mit *seiner* Putzfrau telefoniert, weil ich mir das Gerät zum Setzen von Blumenzwiebeln holen will. Und was sagt sie mir? *Er* ist gerade in Hamburg, weil die beiden ihren Umzug organisieren. Die

Ziege zieht zu *ihm* nach Berlin. Von wegen Fernbeziehung!«

»Na ja, so richtig wundert mich das nicht«, sagte Constanze und schrieb schwungvoll eine 1 unter den Test, den sie gerade vor sich liegen hatte. »Die Frage ist nur: Was macht das mit dir?«

Gitta kaute an einem Nietnagel und dachte über die Frage nach. »Für mich macht es das endgültig. Und es ist erneut ein Abschied von meinem Garten. Er gehört nun ganz und gar einer anderen Frau. Ach, es tut so weh. Ich hätte wenigstens die Funkien mitnehmen sollen.« Sie begann zu weinen, während Constanze nachdenklich mit dem Stift spielte.

»Weißt du, wie lange sie in Hamburg sind?«, fragte sie.

»Sie kommen morgen Nachmittag zusammen mit dem Umzugswagen. Deshalb plane ich, vormittags den Zwiebelsetzer abzuholen. Das fehlt noch, dass ich die beiden sehe!« Gitta kramte nach einem Taschentuch und putzte sich laut und vernehmlich die Nase.

»Du hast doch noch den Schlüssel zur Einfahrt, hast du neulich gesagt. Was wäre denn …«, Constanze schob den Stapel mit den Tests weg, »… wenn wir heute Nacht deine Lieblingsfunkie aus dem Garten entführen würden?«

Gitta starrte sie an. »Wie stellst du dir das vor?«

»Wir gehen aufs Grundstück und graben sie aus. Von der Einfahrt geht man doch direkt in den Garten, oder?«

Gitta nickte. »Man muss den Strom vom Zaun ausschalten, aber ich weiß, wie man das von außen macht.«

Constanze griff abenteuerlustig nach ihrem Smartphone. »Heute Nacht. Wir drei. Und vielleicht noch Hajo, der könnte uns fahren. Ich rufe Marit an. Wir holen deine Funkie da raus.«

»Es ist aber ein Riesenteil, das weißt du, oder?«, gab Gitta zu bedenken. »Die schaffen wir niemals zu tragen. Sie ist viel zu schwer. Und wir können ja schlecht mit einem Minibagger nachts übers Grundstück fahren.«

»Ich weiß. Aber wir könnten sie teilen, das geht schon.« Constanze stand auf.

»Wo gehst du hin?«

»Ich lege das Werkzeug raus. Zwei Spaten haben wir, eine Grabegabel wäre auch ganz gut, oder?«

Von der entfernten Kirche schlug es Mitternacht, als Hajo mit den Freundinnen zwei Häuser neben der Villa hielt, in der Gitta so lange mit Ralf gewohnt hatte. In einem Fenster des Erdgeschosses brannte eine Lampe.

»Ist er doch zu Hause?«, fragte Constanze bang.

Gitta schüttelte den Kopf. »Nein. Die Lampe lassen wir immer an, wenn wir nicht zu Hause sind.« Sie biss sich auf die Lippe. *Er* lässt sie an, korrigierte sie sich in Gedanken.

»Jetzt zählt's«, sagte Hajo.

Er saß am Steuer seines Kombis und trug aus Tarngründen einen schwarzen Rollkragenpullover. Neben ihm saß Gitta, die ihn durchs nächtliche Berlin gelotst hatte, auf der Rückbank Constanze und Marit. Jede hatte ein Gerät dabei, Gitta noch eine schwarze Umhängetasche.

»Ich fasse noch mal zusammen: Ihr habt eine Viertel-stunde Zeit, dann fahre ich langsam ohne Licht vor, mit geöffnetem Kofferraum, ihr werft alles, was ihr habt, rein und springt in den Wagen. Wenn ich irgendwo Polizei sehe, hupe ich einmal ganz kurz, dann müsst ihr euch im Garten verstecken, und ich fahre ein Stück-chen weiter. Hört ihr eine Sirene in der Ferne, kommt sofort raus. Passt auf euch auf!«

Sie nickten und schlüpften mit Spaten und Grabe-gabel bewaffnet aus dem Wagen. Dahlem lag im Dun-keln, alle Bewohner schienen zu schlafen, auch im Messelpark ging niemand mehr mit seinem Hund spa-zieren. Sie huschten die Straße entlang und verschwan-den in der Einfahrt. Constanze und Marit pressten sich gegen die Garagenwand, während Gitta über den Zaun griff, um den Strom abzuschalten. Ihr Schlüssel klim-perte leise, dann war das Tor offen.

»Mir nach«, flüsterte Gitta, und gebückt schlichen sie über die Rasenfläche zu Gittas Funkienbeet. Nur kurz waren sie zu sehen – als sie an dem Fenster vor-beikamen, in dem die Lampe brannte.

»Da ist sie.« Mit dem Handy leuchtete Gitta auf die Pflanze, die großen Blätter schimmerten in dem bläuli-chen Licht hellgrün.

»Mein Gott, ist sie schön«, sagte Marit seufzend.

»Deshalb ja.« Gitta hob die Blätter hoch und mar-kierte mit dem Spaten, wo sie graben sollten. Marit hatte sich von zu Hause eine Stirnlampe mitgebracht, die sie einschaltete.

»Los geht's«, sagte sie und stieß den Spaten tief in

die Erde. Sie gruben um die Funkie herum und versuchten dann, sie auszuhebeln.

Sie rührte sich nicht.

»Was für ein Mordsbiest«, stöhnte Gitta und schaufelte wie besessen weiter. Neben ihr schnaufte Constanze. Marit warf einen Blick auf die Uhr. »Noch sieben Minuten. Macht mal ein bisschen schneller!«

Endlich! Der Wurzelballen bewegte sich.

»Tiefer!« Gitta stöhnte, und sie gruben, gruben, gruben. »Jetzt haben wir den Wurzelstock! Wir müssen ihn teilen! Nehmt mal die Blätter hoch.« Constanze griff zu, und mit aller Kraft und aller Wut, die sie in sich spürte, trieb Gitta das scharfe Spatenblatt in das Wurzelgeflecht. Einmal, zweimal, dreimal, als ob sie jemanden töten wollte. Knirschend fuhr das messerscharfe Metall durch die massige Wurzel, bis sie in drei Teile geteilt war.

»Geschafft!«

Sie bückten sich, und jede nahm eines der schweren Wurzelstücke hoch. Ächzend schleppten sie sie über die Wiese zurück, den Blick behindert durch die dichten großen Blätter, dabei unbeholfen ihre Gartengeräte haltend.

Am Tor zur Einfahrt blieb Gitta plötzlich stehen. »Hey, hört ihr was?«

Zur Straße hin war ein Keuchen, ein Atmen zu hören – ein Grunzen?

»Schnell, wir müssen hier weg!«, zischte Gitta. »Die Schweinebande kommt!« Sie zog das Tor hinter sich zu.

Eilig gingen sie bis zur Straße, als auch schon der

Wagen ohne Licht vorfuhr. Sie legten die gestückelte Funkie in den geöffneten Kofferraum, Spaten und Gabel dazu und sprangen keuchend in das Auto.

»Warte noch, Hajo. Fahr nicht«, bat Gitta, und Hajo blieb mit laufendem Motor stehen.

Sie beobachteten, wie eine große Rotte Wildschweine aus dem Messelpark kam und über die Straße rannte. Sie galoppierte den Zaun entlang, dann begann eine große Bache direkt am Tor zu wühlen. Die anderen machten es ihr nach, und schließlich brach die Rotte durch den Zaun, so als ob sie genau wüssten, dass Gitta den Strom ausgeschaltet und nicht wieder eingeschaltet hatte.

»Ich hab's ja gesagt. Sie mochten dieses Grundstück immer besonders gern, weil hier die meisten Eicheln liegen. Wildschweine scheinen ein gutes Gedächtnis zu haben«, sagte Gitta leise.

»Ich hab eine Idee«, sagte Hajo.

Er stieg aus, öffnete den Kofferraum und nahm etwas heraus. Dann trat er zum Zaun und warf es mit Schwung weit in den Garten. Die Wildschweine galoppierten wie große, borstige Hunde hinter einem Bällchen her.

Und da sie schon mal im Garten waren, den sie seit Jahren gern öfter mal aufgesucht hätten, machten sie sich sogleich daran, Ralfs sorgfältig gestutzten Rasen zu durchwühlen. Eine Gruppe Frischlinge rannte in Richtung Staudenbeet, als vermuteten sie dort besonders leckere Engerlinge. Sie wühlten, schmatzten und fraßen. Das Weiß ihres gestreiften Fells leuchtete durch die Spätsommernacht. Ein animalischer Geruch breitete sich aus.

Immer wieder warf Hajo etwas, und innerhalb weniger Minuten sah der Teil des Rasens vor der geschwungenen Terrassentreppe aus, als ob jemand ihn gesprengt hatte.

Mit einer Bombe, nicht mit Wasser.

Auch das Staudenbeet war nicht länger das, was sein Name versprach, und die Wildschweine waren noch längst nicht fertig.

Hajo wischte sich die Hände an der Hose ab und kehrte zum Wagen zurück. »Die Äpfel von meinem Baum waren ein bisschen angeschlagen. Ich wollte Saft daraus machen. Aber den Wildschweinen haben sie auch gut geschmeckt. Sie suchen, ob sie noch mehr finden.« Er stieg ein und fuhr im Schritttempo los.

»Der Garten ist ruiniert. Und niemand wird sehen, dass ihr etwas ausgegraben habt. Ich habe mir übrigens etwas überlegt«, sagte er dann zu Gitta. »Wir müssen uns unbedingt um deinen Unterhalt kümmern. Es kann nicht sein, dass du mit einer kleinen Wohnung abgespeist wirst und dafür auch noch ordentlich Miete zahlst. Das hier ist ja ein richtiges Anwesen, da steckt doch Geld hinter!«

»Stimmt ja, du bist Jurist, Hajo«, sagte Gitta. »Das hatte ich ganz vergessen.«

Sie drehte sich ein letztes Mal zu ihrem untergegangenen Garten um. Wirklich freuen konnte sie sich über das Chaos nicht, aber zugleich war sie hochzufrieden, dass der Frau, die sich als Königin des Gartens bezeichnet hatte, die Krone gleich mal vom Kopf purzeln würde.

Manchmal musste man zerstören, was man liebte, um es an anderer Stelle wieder neu aufzubauen.

»Aber meinst du nicht, ich sollte lieber einen knallharten Scheidungsanwalt nehmen? Meiner taugt ja wirklich nichts.«

Hajo macht endlich die Autoscheinwerfer an, gleichzeitig warf er Gitta einen überraschten Blick zu. »Wisst ihr etwa nicht, dass ich Scheidungsanwalt bin? So ein richtig knallharter?«

Hinter ihnen lachten Constanze und Marit schallend, Gitta sah ihn verblüfft an.

»Nein, du hast immer gesagt, du regelst die rechtlichen Belange der Kolonie«, sagte Constanze und tätschelte ihm liebevoll die Schulter. »Hätte ich dich doch mal gegoogelt.«

»Hans-Joachim Müller? Das ist kein Name, das ist ein Sammelbegriff. Du hättest mich nicht mal gefunden.« Hajo lächelte sie im Rückspiegel an, dann bog er in die Clayallee stadteinwärts ein. »Stimmt, ich bin der Ansprechpartner für Rechtsfragen der Laubenpieper, aber das ist mehr ein Hobby. In der Kolonie sind wir eine Gemeinschaft, so ein bisschen wie ein Bienenvolk. Da macht jeder das, was er gut kann. Und ich kann nun mal Anwalt. Wenn ich dich vertrete, Gitta, dann ist das dagegen beides: Hobby und der Kampf um Gerechtigkeit. Was meinst du – soll ich deine Scheidung übernehmen? Ich mache dir auch einen guten Preis.«

Er grinste Gitta wölfisch an, was gemeingefährlich

aussah und, wie sie alle wussten, im krassen Gegensatz zu seinem großmütigen Charakter stand. Jedenfalls, wenn man nicht mit ihm verfeindet war.

Sicherlich würde Ralf, in dessen Garten sich gerade die Wildschweine schmatzend über die teuren Papageientulpenzwiebeln hermachten, es bald sein.

22. Kapitel

Berlin im Jahr 1946

Ich nannte unsere Tochter Alberta. Der Name gefiel mir, und Ben, der mich jeden Tag im Krankenhaus besuchte, erklärte, dass das auch der Name einer kanadischen Provinz sei.

Als ich vier Tage später aus dem Krankenhaus entlassen wurde, fuhr er mich mit Alberta in die Harbigstraße. Es war mir nicht recht, dass er die Krankenhausrechnung bezahlte, aber er meinte nur, das sei das Mindeste, was er für mich tun könne. Obwohl er grinste, wirkte er traurig. Albert war ein Deutscher, noch vor einem Jahr sein Feind, und nun ging sein Tod Ben nahe – ein Menschenleben war nicht immer gleich viel wert. Er setzte mich nur ab, musste ins Headquarter der British Army, das im Lancaster House untergebracht war.

Ich war zurück in der vertrauten Umgebung, und gleichzeitig wusste ich, dass nun alles anders werden würde.

Die Gärtnerei war ohne Gärtner, Alberta ohne Vater, ich ohne Mann. Ich fand es unbegreiflich, und die Tatsache, dass ich dieses Schicksal mit Millionen von Frauen teilte, tröstete mich kein bisschen.

Allein mit meinem Kind auf dem Arm das Haus zu betreten, wäre zu schmerzlich gewesen, zum Glück erwartete mich Milan. Er umarmte mich wie ein verletzter Bär und weinte lauter, als ich es in den vergangenen drei Tagen getan hatte. Er streichelte und küsste Alberta, die ihn mit ihren dunklen Augen verschlafen ansah. In Decken gehüllt und mit einem Kissen zugedeckt, legten wir das Kind in den Handwagen und stellten ihn nah an den Herd, in dem ein Feuer brannte.

Milan griff meine Hand. »Wir müssen ihn beerdigen.«

»Ich weiß. Das habe ich im Martin-Luther-Krankenhaus besprochen. Sie haben mich an die Schmargendorfer Gemeinde verwiesen.«

Ich nahm Vatis goldene Uhr und legte sie auf den Tisch. »Geld habe ich kaum noch. Bekommen wir dafür ein anständiges Begräbnis, Milan?« Die Uhr schien mir inzwischen nicht mehr für die laufende, sondern nur noch für die abgelaufene Zeit zu stehen. Für Alberts Medizin hatte ich sie nicht mehr nutzen können, dann eben für seine Beisetzung.

»Sicher.« Er nahm sie und steckte sie in seine Hosentasche. »Ich kümmere mich. Oskar ist bei Lilo. Soll ich ihn holen?«

»Nein. Ich fahre mit Alberta hin. Lilo soll sie kennenlernen.«

Zum ersten Mal lächelte Milan. »Alberta hast du eure Kleine genannt? Das ist ein schöner Name.«

Am 3. Februar, genau ein Jahr, nachdem ich von Oderberg weggegangen war, standen Milan, Lilo, der Pfarrer und ich an Alberts Grab. Ich hatte Alberta auf dem Arm. Es war klirrend kalt. Wie sie das Grab bei der gefrorenen Erde ausgehoben hatten, wusste ich nicht. Als der Sarg heruntergelassen wurde, brach es mir fast das Herz. Aber ich musste ja weiterleben.

Die ersten Wochen allein in der Gärtnerei waren schrecklich. Ich vermisste Albert, musste mich um das Wasser, das Waschen, das Heizen, das Essen kümmern, war unglücklich und kraftlos.

In manchen Nächten schrie Alberta unablässig, sodass ich sie in der kalten Stube hin- und hertragen musste, um sie zu beruhigen. Nachts heizte ich nicht, manchmal waren an den Fenstern Eisblumen. Wunderschön, doch eiskalt.

Seit ich aus dem Krankenhaus gekommen war, winselte Oskar viel und rannte ständig zur Tür, weil er nicht verstand, dass Albert nicht zurückkam. Aber irgendwie bekam ich alles hin. Wir hatten zum Glück genügend Vorräte und Holz. Lilo kam, Milan kam.

Und Ben kam oft zu Besuch. Etwas hatte sich zwischen uns geändert. Ich war nicht länger die Frau des Gärtners, der ihm manchmal Misstrauen entgegengebracht hatte. Wir unterhielten uns viel, und mein Englisch verbesserte sich. Er brachte mir ein deutschenglisches Wörterbuch und eine englische Zeitung mit, und an manchen Tagen übersetzte ich, wenn Alberta schlief, für mich Artikel und lernte Vokabeln. Er kam immer allein, und ich fragte mich, was er seinen Freunden, seinem Vorgesetzten in den Mackenzie King Barracks erzählte. Dachten nicht alle, er wäre mit einer Deutschen zusammen?

Und wenn ja, störte mich das?

Mitte März erhielt ich die Mitteilung, dass schon am nächsten Tag eine fünfköpfige Flüchtlingsfamilie in der Gärtnerei einquartiert würde.

Ich sah mich um. Wir hatten die Wohnküche, das Schlafzimmer und die Kammer, wo sollte denn dort eine Familie wohnen? Wie kamen sie überhaupt auf die Gärtnerei?

Aber dann verstand ich. Alberts Totenschein war weitergereicht worden, sicher war auch seine Heirats-urkunde bekannt. Was hieß, dass es nur eine Frage der Zeit war, bis sie die Erbin ermitteln würden.

Marijke, seine Witwe. Ich war sicher, sie würde auf-tauchen und die Gärtnerei übernehmen, sie verpachten oder verkaufen. Was nichts mit mir zu tun hatte, denn Albert und ich waren nur ein Paar ohne Trauschein gewesen.

Als Milan an diesem Tag kam, stand mein Entschluss fest. Ich würde schnellstmöglich in das kleine Haus ziehen. Dort wären Alberta und ich sicher. Ich konnte beweisen, dass es mir gehörte. Ich hatte die Besitzur-kunde, unterzeichnet vom britischen Kommandanten Eric Nares, außerdem war das Häuschen so klein, dass wohl niemand auf den Gedanken kommen würde, auch bei Alberta und mir jemanden einzuquartieren.

Aber vorher musste ich die Vorräte aus der Gärt-nerei herüberschaffen, alles, was uns die kommenden Wochen und Monate über Wasser halten würde.

Ich packte Alberta warm ein – ich hatte ihr aus Alberts Socken eine Mütze, Handschuhe und Schühchen gestrickt, aus Alberts altem Wehrmachtsmantel hatte ich einen warmen Schlafsack genäht – und brachte sie zu Lilo.

Dann zog ich in das Häuschen um.

Vorräte brachten Milan und ich in dem frostsicheren Keller unter, die Gläser mit den Marmeladen und die letzten drei Dosen mit Wild stellte ich ins Regal, die rote Dosenmaschine verstaute ich ebenfalls dort. Sämtliche Kartoffeln und Möhren häuften wir in der Ecke auf. Das Brennholz stapelten wir hinter dem Haus. Wir schleppten einen kleinen Schrank, eines der Betten, den Küchentisch, zwei Stühle, Geschirr und alle nötigen Haushaltsgeräte aus der Gärtnerei in das Häuschen. Alberts Kleidung nahm ich mit, um sie vielleicht auf dem Schwarzmarkt zu tauschen, ebenfalls das Gartenwerkzeug, aber das andere Bett, das Feldbett und ein weiterer Schrank blieben in der Gärtnerei.

An diesem Abend heizte ich zum ersten Mal Milans grünen Ofen, um die Kälte zu vertreiben, und wir schliefen in meinem kleinen Haus. Alles war genauso eingetroffen, wie Albert es geplant hatte.

Am nächsten Tag zog eine große Familie in die Gärtnerei. Ich gab jeden Gedanken an das Haus vorn auf dem Grundstück auf, dachte an Albert und unsere gemeinsame Zeit. Sie war vorbei und würde nicht wiederkommen. Es schmerzte, aber wieder griff das, was ich im Krieg gelernt hatte: den nächsten Tag zu überleben.

Mit den Leuten, die in der Gärtnerei wohnten, wollte ich keinen Kontakt haben, es war, als hätten sie mir etwas geraubt. Oskar spürte das – wenn einer von ihnen in den hinteren Teil des Grundstücks kam, knurrte er ungewöhnlich feindlich, und sie zogen sich erschrocken zurück.

Acht Wochen vergingen. Ich lebte von den letzten Vorräten, dem Tausch auf dem Schwarzmarkt – und von Ben. Zigaretten, Schokolade, Pfundnoten steckte er mir zu, und ich verstand immer noch nicht, warum.

»Trag dein Haar offen, wenn ich dich besuche«, schlug er mir eines Tages auf Englisch vor. »Zieh das gelbe Kleid an.« Er musterte mich wieder mit diesem seltsamen Glanz in den Augen. »Und, Lissa, wenn du einen Wunsch hast, sag ihn mir. Ich erfülle ihn dir.«

Das gelbe Kleid hatte ich mir inzwischen aus der Fallschirmseide genäht, die er mir im Sommer zuvor geschenkt hatte. Eigentlich wollte ich es aufheben, weil es das schönste war, das ich besaß. Aber ich wusste nicht, wofür, also trug ich es für Ben. Es schien mir wenig genug dafür, dass er mir half. Dass er ein echter Freund geworden war.

»Ich habe einen Wunsch.« Ich lächelte. »Zeig mir, wie man Swing tanzt.«

An diesem Abend brachte Ben mir auf der kleinen Wiese hinter dem Häuschen den Grundschritt des Swings bei. Wir tanzten barfuß im Gras, Ben hatte seine Uniformjacke in den Apfelbaum gehängt. Er trug ein kurzärmeliges Hemd und sah fast wie ein Zivilist aus.

Als Musik hatten wir nur den Gesang der Drossel im Baum. Wir tanzten lange, wir tanzten schnell, wir lachten und wirbelten herum. Wir tanzten, bis die Drossel schwieg und die Nachtigall zu singen begann.

Und als Ben mich hinterher erhitzt umarmte und zum ersten Mal küsste, verstand ich endlich. Das war es, was er von Anfang an gewollt hatte. Er sprach es nicht aus, aber ich wusste es.

Alberta, inzwischen vier Monate alt, lag auf einer Decke im Gras und schlief, bewacht von Oskar. Ich war froh, dass es keine anderen Zeugen für unseren Kuss gab.

Ab da lud Ben mich ein, wann immer er dienstfrei hatte. Wir fuhren mit dem Jeep durch die zerstörte Stadt, in der aber schon viele Restaurants geöffnet hatten. Unausgesprochen vermieden wir dabei den russischen Sektor. Ich entdeckte den Teil des Berliner Lebens, den Albert mir versprochen hatte, auch wenn er das Versprechen nicht hatte einhalten können. Gelegentlich gingen wir in die Schildkröte am Kurfürstendamm, wo sich zu später Stunde die Schauspieler aus den Boulevardtheatern trafen. Manche musterten Ben und mich kurz – ah, ein Brite und sein Liebchen, schien der Blick zu sagen. Aber das war mir egal. Es stimmte ja.

Ich fragte mich, ob ich inzwischen wohl so wirkte wie die Frauen, die ich an meinem Geburtstag im British Officers' Club beobachtet hatte.

Am liebsten ging ich mit Ben tanzen. Dann fühlte ich

mich so schwerelos, als wäre alles andere nutzloser Ballast. Das erste Mal seit Jahren fühlte ich mich jung. Ben schenkte mir den Teil meiner Jugend zurück, den mir der Krieg genommen hatte.

Und mein Englisch verbesserte sich ständig. Ben schlug mir vor, für die Briten zu arbeiten. Im Lancaster House sollte ein kleiner Kindergarten eröffnet werden, eigentlich nur ein Zimmer, wo die Kinder der Alliierten stundenweise betreut werden konnten. Auch Frauen arbeiteten in der Army, und wenn sie ein Kind bekamen, musste für deren Unterbringung gesorgt werden.

Es war perfekt. Ich würde entweder vormittags oder nachmittags arbeiten, konnte Alberta mitnehmen oder zu Lilo bringen. So wurde ich wieder Kindergärtnerin.

Als ich eines Mittags von der Arbeit zurückkam, sah ich mehrere Leute auf dem Gelände der Gärtnerei herumlaufen. Sie traten an den Zaun und schauten rüber in Richtung Grunewald. Zwischen Zaun und Wald war eine schmale Brache, dort sah es schrecklich aus. Müll und Schutt, Lumpen, verbogenes Blech und fleckige Matratzen lagen verstreut zwischen Baumstümpfen.

Ich beobachtete, wie inmitten der Gruppe ein Mann wichtigtuerisch gestikulierte und in alle Richtungen zeigte. Er war in Zivil, kein Alliierter in Uniform, und er schaute kurz in meine Richtung, bevor er weitersprach. Ich ging mit Alberta auf dem Arm ebenfalls zum Zaun.

»Kann ich Ihnen helfen?«, sprach mich schließlich der Mann an.

»Was machen Sie hier?«, fragte ich.

»Wir messen das Gelände ab. Die vorläufige Bezirks-
verordnetenversammlung von Charlottenburg hat beschlossen, hier eine Laubenkolonie anzusiedeln«, erwiderte er.

»Aber das geht doch nicht. Das Gelände gehört zu
der Gärtnerei«, widersprach ich.

»Das geht sehr wohl. Es gibt keinen Besitzer. Er ist
tot. Das Haus wird zwar zurzeit bewohnt, das Grundstück fällt jedoch an Berlin zurück.«

»Ich weiß, dass der Besitzer tot ist.« Es zerriss mich
fast bei diesen Worten. »Aber er war verheiratet. Der
Frau gehört jetzt das Grundstück.«

»Dem sind wir nachgegangen. Die Ehefrau lebte in
den Niederlanden«, erklärte der Mann. Ich merkte,
dass er ungeduldig wurde. »Sie ist ebenfalls verstor-
ben. Es gibt keine Nachkommen.«

»Wann ist sie gestorben?«, fragte ich leise.

Er blätterte in seinen Unterlagen. »Im November '45.«
»Und woran?«

»Das weiß ich doch nicht, Frollein! Mehr Auskünfte
kann ich Ihnen nicht geben.«

»Aber ich wohne hier! Das dahinten ist mein Haus!«
Ich zeigte auf mein Refugium am hinteren Ende des
Grundstücks.

»Können Sie das beweisen?«

Er klang spöttisch und musterte mich kritisch. Ich
wusste, was er dachte: eine junge Frau mit einem kleinen Kind auf dem Arm, die behauptet, Haus und Gar-
tenland zu besitzen. Da könnte ja jede kommen!

»Ja, das kann ich. Der Gärtner Albert Grossart hat es mir übertragen. Die Besitzurkunde ist von der britischen Kommandantur unterzeichnet. Von Generalmajor Eric Nares«, sagte ich.

Bei der Erwähnung des britischen Kommandanten sah mich der Mann missmutig an.

»Wir werden das überprüfen. Es muss im Grundbuch eingetragen sein, wenn nicht, verlieren Sie den Anspruch. Die Laubenkolonie entsteht auf jeden Fall. Und ich sage Ihnen, dass die Berliner, die hier eine Parzelle ergattern und sich etwas anbauen können, sich sehr, sehr glücklich schätzen können. Das Haus an der Straße hat jedenfalls keinen Besitzer mehr. Es wird abgerissen.«

Er wandte sich ab, und ich ging weg, fassungslos, verwirrt und mit dem Gefühl, erneut vom Schicksal betrogen worden zu sein.

Marijke war tot? Dann hätten Albert und ich heiraten können. Keine Nachkommen? Ich schaute auf das Kind in meinen Armen. Niemals würde ich beweisen können, dass Alberta seine Tochter war.

Aber ich würde mich nicht vertreiben lassen, nicht in weniger als zwei Jahren zum vierten Mal mein Zuhause verlieren.

»Wir können nichts daran ändern. Die Landverteilung ist das Hoheitsrecht der Berliner. Wir wollen, dass sie lernen, demokratische Beschlüsse zu fassen und sie einzuhalten. Und der Mann hat recht: Wenn sich viele Berliner etwas anbauen können, ist das besser, als wenn die Fläche brachläge. Die Leute haben zu wenig zu essen. Wir können nur noch tausend Kalorien am Tag auf Lebensmittelkarten garantieren. Das ist zu wenig. Hoffentlich wird es kein strenger Winter. Die Berliner werden leiden.«

Was Ben sagte, klang für mich auswendig gelernt. Wie bringen wir den Deutschen eine funktionierende Demokratie bei?

Ob Alberts Schenkungsurkunde, unterzeichnet vom britischen Kommandanten, rechtlichen Bestand hatte, hatten wir versucht herauszufinden, aber die Klärung würde sich hinziehen. Das Schwierigste war, dass Albert nicht die Größe des Grundstücks, auf dem sich mein Häuschen befand, festgelegt hatte. Wahrscheinlich war er immer davon ausgegangen, dass die Gärtnerei so erhalten blieb, wie sie war.

Der Krieg hatte mich gelehrt, immer nur zu versuchen, den nächsten Tag zu bewältigen. Aber hier waren wir nun und redeten von der Zukunft, die schon wieder gefährliche Fragen aufwarf. Ich presste Alberta an mich. Mein Kind war meine Zukunft.

Das Einzige, was mir gefiel, war der Gedanke, dass hier am Rande des Grunewalds Menschen neue Gärten anlegen würden.

Die ersten Parzellen wurden vergeben, Leute rodeten und gruben und trafen sich, bauten kleine Lauben aus den Baumaterialien der zerstörten Stadt. Noch stand das Gärtnerhaus mit den Flüchtlingen, aber es war nur eine Frage der Zeit, bis es abgerissen werden würde.

Genau wie wir vor einem Dreivierteljahr zogen die neuen Parzellenbesitzer ihre Handwagen bis zur Wehrtechnischen Fakultät, und ich fragte mich, ob sie den Raum mit den Mosaiksteinen schon entdeckt hatten, ob es in ihren Lauben bald goldene Leisten und rote Böden und weiße Wände aus Glas geben würde.

Ich freundete mich mit der jungen Familie Polaschki an. Sie waren überglücklich, dass sie eine Parzelle bekommen hatten. Ihr Sohn, ein magerer Bengel, turnte den ganzen Sommer mit einer Gruppe Jungen und Mädchen zwischen den Gärten umher, rutschte auf Sandhügeln herum, zerriss sich die Hosen, wenn er im Grunewald auf Bäume kletterte.

Für Gemüse war es eigentlich schon etwas spät, als sie die Parzelle bekamen, aber sie bauten trotzdem Kartoffeln, Bohnen und Tabak an.

Frau Polaschki war in meine kleine Alberta mit ihrem blonden Haar und den dunklen Augen ihres Vaters ganz vernarrt, und manchmal ließ ich sie bei ihr, wenn ich arbeiten ging. Sie wusste, dass ich häufig Besuch von Ben bekam, aber war diskret und sprach mich nie darauf an, wenn der Jeep über Nacht in der Harbigstraße geparkt hatte.

An einem Septemberabend war Ben ungewöhnlich still. Alberta konnte schon krabbeln, und als sie auf ihn zugekrabbelt kam, nahm er sie hoch und kitzelte sie, bis sie quiekte.

»*My little one*«, flüsterte er ihr ins Ohr, und sie hielt still.

»Was ist denn los, Ben?«, fragte ich, weil er mir ganz verändert vorkam.

»Am 20. Oktober endet mein Einsatz hier.«

»Was bedeutet das?«

Er nahm meine Hand, hielt sie fest, streichelte sie mit dem Daumen. »Ich gehe zurück nach Kanada. Nach Toronto. Meine Militärzeit ist vorbei.«

Und wieder verschwindet jemand aus meinem Leben, den ich liebe, dachte ich. »Seit wann weißt du das?«

»Ich wusste immer, dass ich nur zwei Jahre in Europa sein werde, so lange dauern unsere Einsätze.«

»Und warum sagst du es mir jetzt erst?«

»Ich dachte, es ist egal. Ich dachte, wir genießen die Zeit. Ich dachte, ich fliege zurück in mein altes Leben.«

Es war so bitter, das zu hören. Ich konnte es nicht ertragen. Ich sprang auf, ließ Alberta bei ihm und rannte aus der Laube. Am Apfelbaum blieb ich stehen. Den Tod meines Vaters hatte ich verkraftet, der Tod meiner Mutter war schlimm gewesen, Tanta Marthas Tod grausam, Alberts Tod hatte mir fast das Herz gebrochen.

Und Ben ging freiwillig. Verließ mich. Das war nicht sein Tod, doch ich hoffte, dass es auch nicht meiner war.

Ich stand unter dem Apfelbaum, der dieses Jahr schon einige Äpfel trug, und versuchte, mir ein Leben ohne Ben vorzustellen. Ohne sein Lachen, seinen Optimismus, seine Zärtlichkeit, seine Großzügigkeit. Er war mein Rettungsanker in dieser verlorenen Stadt geworden. Ich würde wieder allein sein.

Bis er zu mir trat, Alberta auf dem Arm. Er drängte sich an mich, bis ich mit dem Rücken gegen den Stamm gedrückt wurde.

»Aber ich habe mich getäuscht, Lissa«, flüsterte er. »Ich will nicht allein nach Kanada. Kommt ihr mit, du und Alberta?«

Hier enden Elisabeth Fontaines Aufzeichnungen.

23. Kapitel

Berlin am letzten Septembersamstag, Gegenwart

Constanze hatte den Apfelkuchen gebacken, Gitta trug einen Krug mit Sonnenblumen, und Marit schob eine Schubkarre, auf der sich Äpfel türmten.

Sie wollten sich auf den Weg zum Festplatz machen, wo die anderen Laubenpieper bereits Kuchen aßen, wo gegrillt und später getanzt werden würde. Wo als besonderes Event in einer fahrbaren Apfelpresse Saft gepresst wurde. Wo Udo Melcher wartete und Hajo, vielleicht der alte Polaschki und sicher noch der eine oder die andere, die sie inzwischen kennengelernt hatten. Wo heute das Erntedankfest gefeiert wurde. Wo sie nach diesem Sommer zugehörten, mehr oder weniger.

Gitta öffnete mit einer Hand die Gartenpforte, und sie traten alle drei auf den Weg.

Später konnten sie nicht sagen, was sie dazu gebracht hatte, stehen zu bleiben, anstatt zum Festplatz zu gehen. Aber genau das taten sie, als ob sie auf etwas warteten, das sie nicht benennen konnten.

Dann sahen sie sie. Eine ältere Dame kam ihnen langsam entgegen. Im Gehen musterte sie jede Parzelle sehr gründlich, manchmal hielt sie, um eine Laube genauer zu betrachten, und ging dann weiter.

Sie war sehr zierlich, ihr Haar war kurz und elegant geschnitten. Ihr Gesicht war schmal und leicht gebräunt, das Silberweiß ihrer Haare wurde von Perlenohrringen und einer Perlenkette wiederaufgenommen. Eine dunkelblaue Hose, eine weiße Bluse mit Stehkragen, ein hellblauer Jeansmantel, flache türkisfarbene Wildlederschuhe, eine große, ebenfalls türkisfarbene Ledertasche und eine auffällige Halskette mit türkisfarbenen Steinen: Die Fremde war zu elegant für das Erntedankfest der Laubenkolonie gekleidet.

Als sie Gittas, Marits und Constanzes Garten erblickte, wurden ihre Schritte langsamer, bis sie schließlich stehen blieb, direkt neben der fast verblühten Goldrute am Zaun. Die drei standen vor der geöffneten Pforte ihrer Parzelle wie ein Erntedankempfangskomitee, wortlos, aber erwartungsvoll.

Die Fremde wandte sich ihnen zu, und erstaunt sahen sie, dass ihre auffallend dunklen Augen, ein ausdrucksstarker Kontrast zu ihrem hellen Haar, vor Tränen schwammen.

»Hallo«, sagte sie. Eine Träne lief ihr über die Wange, ruhig wischte sie sie fort. »Entschuldigen Sie die Störung. Sie haben etwas vor. Ich komme ungelegen.«

Unüberhörbar hatte sie einen englischen Akzent. Oder einen amerikanischen? Aber sie sprach fließend Deutsch.

»Heute ist Erntedankfest in der Kolonie«, entgegnete Gitta und setzte den Krug mit den Sonnenblumen aufatmend ab. Sie hätte ihn wirklich erst am Festplatz mit Wasser füllen sollen. »Können wir Ihnen irgendwie helfen?«

Die Fremde antwortete nicht, betrachtete über ihre Schultern hinweg die Laube. »Ist das Ihr Gartenhäuschen?«

Die drei nickten.

»Haben Sie es schon lange?«

Sie schüttelten den Kopf.

»Seit diesem Sommer«, sagte Constanze.

»Es ist so«, begann die Dame zögernd. »Ich glaube, dieses Haus haben meine Mutter und mein Vater 1945 gebaut. Gibt es einen grünen Ofen darin? Ein Mosaik? Einen Keller?« Die Freundinnen nickten wieder, und nun lächelte die Fremde. »Ja, es ist das richtige Haus. Es besteht aus den Trümmern des zerbombten Berlin.« Sie machte eine vage Bewegung in Richtung Trümmerberg. Durch die Kronen der Kiefern konnte man einen bunten Drachenflieger gegen das dunkle Septemberhimmelblau sehen, der gerade vom Teufelsberg abhob. »Ich bin im Januar 1946 geboren. Die ersten Monate meines Lebens habe ich in diesem Haus gelebt.«

»Wirklich?«, fragte Marit erstaunt.

Die Fremde nickte. »Ich heiße Alberta Fontaine. Meine Mutter ist mit mir Ende 1946 nach Kanada gegangen. Da war ich noch nicht mal ein Jahr alt. Wir hatten Glück. Diese schweren Nachkriegsjahre, der Hungerwinter – das ist alles an uns vorbeigegangen.«

Die Freundinnen schauten sich an und hatten alle denselben Gedanken: Die Frau könnte ihnen etwas über ihren Garten erzählen, das niemand anderes wusste. Das war wichtiger als das Erntedankfest der Kolonie. Es würde ohne sie stattfinden.

»Möchten Sie hereinkommen? Das Haus sehen? Vielleicht mit uns im Garten ein Stück Apfelkuchen essen? Einen Kaffee trinken?«, fragte Gitta. »Die Äpfel sind aus unserer eigenen Ernte. Von unserem Apfelbaum.« Aus irgendeinem Grund war es wichtig, dass die Frau das wusste.

Alberta Fontaine legte ihre Hand auf ihr Herz. »Sie wissen nicht, wie viel mir das bedeutet.«

Gitta setzte Kaffee auf, Marit deckte den Tisch, und Constanze führte Alberta durch die Laube.

Im Bad berührte sie das kleine Fenster mit den dicken Glasblasen vorsichtig, jedes Gartenmotiv auf den dunkelgrünen Kacheln des Ofens fuhr sie mit dem Finger nach, schaute sich sinnend das Mosaik über der Spüle an. Selbst auf den Dachboden mit dem Giebelfenster kletterte sie. Draußen betrachtete sie lange den Eingang zum Keller.

Direkt daneben hatten die Funkienwurzelstöcke einen wunderbar halbschattigen Platz gefunden.

Schließlich ging Alberta zu dem Apfel- und dem Birnbaum und streichelte ihre Rinde, als wären es liebe, lange vermisste Menschen.

Constanze rückte für ihren Gast einen der Korbstühle zurecht, sodass man einen perfekten Blick auf das Gemüsebeet und auf die Sommerblumen hatte, die gar nicht aufhören wollten zu blühen.

»Unsere Laube hat uns Rätsel aufgegeben. Es gibt charmante Besonderheiten. Wir haben dazu Fragen, die uns niemand beantworten konnte. Nicht mal der alte Polaschki«, sagte Marit, nachdem sie Platz genommen hatten.

»Polaschki?« Alberta Fontaine setzte sich auf.

Die Freundinnen nickten.

»Er ist am längsten in dieser Kolonie. Bestimmt finden wir ihn beim Erntedankfest«, erklärte Gitta. »Möchten Sie ihn kennenlernen?« Hoffentlich nicht gleich, dachte sie.

Alberta winkte ab und griff nach den Lehnen des Stuhls, als müsste sie sich festhalten, rüsten für etwas, das nun kam. »Später sehr gern. Aber erst … Meine Mutter hat mir alles über ihr kleines Häuschen in Berlin erzählt, immer wieder. Ich habe es gern gehört, es war wie ein Märchen aus einer anderen Welt, verstehen Sie? Aus einer dunklen, gefährlichen, rauen Welt – ein Gebrüder-Grimm-Märchen der Neuzeit. Obwohl wir eine Farm in der Nähe von Toronto hatten, hat Mom wohl nie wieder ein Stück Land so geliebt wie das hier.«

»Sie ist … gestorben, oder?«, fragte Marit.

Alberta nickte. »2002. Sie war Jahrgang 1921. Ihr war wichtig, dass ich etwas über meine deutschen Wurzeln weiß. Sie hat stets Deutsch mit mir gesprochen. Mein Vater hat immer behauptet, es sei unsere Geheimsprache. Mein Adoptivvater. Meinen drei Halbbrüdern hat er das nicht mehr erlaubt, aber weil ich in Deutschland geboren wurde, fand er es wohl in Ordnung. Vielleicht auch, weil wir die Frauen der Familie waren. Da hat er sich nicht getraut zu intervenieren. Er hat es mit Humor gesehen.«

Sie kramte in ihrer großen türkisfarbenen Tasche und zog ein gebundenes Buch heraus. »Zukunft ist wichtig, wenn man jung ist, Vergangenheit ist wichtig, wenn man alt wird. *Right?*«

Sie lächelte in die Runde.

»Jetzt bin ich alt, aber noch nicht zu alt zum Reisen. Und ich bin nach Berlin gekommen, um auf den Spuren meiner eigenen Vergangenheit zu wandeln. Ich habe so gehofft, dass ich dieses Häuschen sehen würde. Dass es noch steht. Dass ich es erkenne.«

Sie hielt Gitta, die neben ihr saß, das Buch hin.

»Das hat meine Mutter selbst geschrieben, vor vielen Jahren, mit der Hand. Ich habe es abgetippt und binden lassen, es gibt mehrere Exemplare. Ich habe es schon so oft gelesen, aber es bewegt mich immer wieder. Meine Mutter war vorsichtig mit ihren Gefühlen, bis zum Ende war sie so, und gerade deshalb ist es für mich so berührend. Darf ich Ihnen ein Exemplar schenken?«

»Wie schön, sehr gern! Vielen Dank.«

Gitta nahm das Buch, das in hellbraunes Leder gebunden war, entgegen. Die Erinnerungen wogen schwer.

»Sie werden darin die Geschichte meiner Mutter finden, wie sie in den letzten Kriegsmonaten von Oderberg nach Berlin kam. Was sie während der Bombardierungen und nach dem Krieg erlitten hat und wie sie einen Mann kennenlernte, der mein Vater wurde. Er war Gärtner und … Ach, lesen Sie es doch, das würde mich freuen.«

Alberta trank einen Schluck Kaffee, dann stellte sie die Tasse wieder auf den Tisch und nahm sich ein Stück Apfelkuchen.

»Es ist Moms Geschichte, aber eigentlich ist es auch die Geschichte dieses kleinen Hauses am Rande des Grunewalds, des Apfel- und des Birnbaums, des Kellers, des Fensters, des Mosaiks und des Ofens. Es ist schön, wenn Sie erfahren, was es damit auf sich hat. Die Menschen leben, solange man sich an sie erinnert und ihre Geschichte kennt. Das scheint mir mit diesem Häuschen nicht anders. Drei Frauen – wie passend. Das hätte meiner Mutter bestimmt gefallen. Sie hat immer an die Kraft der Frauen geglaubt.«

Gitta schlug das Buch auf. Sie räusperte sich, dann las sie die ersten Sätze laut vor. Durch den lauen Septembernachmittag flogen die Worte zu den lauschenden Freundinnen, über das Dach ihrer Laube und weiter, hoch und immer höher, hinein in den Himmel über dem Teufelsberg.

»Elisabeth, die Russen sind nicht mehr weit entfernt. Die Frontlinie ist jetzt schon fast an der Neuen Oder«, flüsterte Frau Schmölln hinter mir angstvoll. »Es wird nicht mehr lange dauern, bis sie hier sind. Dann gnade uns Gott.«

Ich hatte sie nicht hereinkommen hören, weil ich eingedöst war …

Epilog

Menschen haben die Fähigkeit, sich zu erinnern. Ob sie wollen oder nicht, muss man hinzufügen, denn manches möchte man lieber vergessen und kann es nicht. Tiere erinnern sich ebenfalls. Zugvögel nehmen jedes Jahr die Route, die sie von ihren Eltern gezeigt bekommen haben. Alte Elefanten erinnern sich an Trockenzeiten, die Jahre zurückliegen, sie wissen, wo sie Wasserlöcher finden, an denen sie damals überlebt haben.

Auch Pflanzen haben ein Gedächtnis: ein biologisches, das ihnen sagt, wann es Zeit ist, das Wachstum einzustellen. Es heißt, dass sie sogar ein emotionales Gedächtnis haben, wissen, wer sich um sie kümmert.

Steine dagegen haben keine Erinnerungen. So glaubt man jedenfalls, selbst wenn hier die Messbarkeit versagt. Aber wer weiß das schon genau. Vielleicht kann sich auch ein Flusskiesel daran erinnern, wie es war, als ihn sacht die Flosse eines ziehenden Lachses berührte. Möglicherweise erinnert sich ein Felsen an den Druck eines Schuhs, den ein Kletterer auf ihm hinterlässt.

Nach dem Zweiten Weltkrieg war Berlin zerstört. Die Stadt bestand fast nur noch aus fensterlosen Mauern, aus Millionen Kubikmetern Schutt und Geröll. Steine, Balken, Glas, Kacheln, Fliesen und Fensterrahmen, die vorher in Häusern ihren festen Platz gehabt hatten, waren durch Bombeneinschläge, Granaten und Schüsse zerstört worden – durchlöchert, aus ihrem Mörtelbett gerissen, zersplittert, zerbrochen, zerfetzt. Die Steine wurden von den Trümmerfrauen jahrelang in unendlich mühevoller Arbeit abgeklopft und gestapelt, bevor sie neu verbaut werden konnten.

Hätten diese Baumaterialien sprechen können, hätten sie viel zu erzählen gehabt. Die Steine hätten geflüstert, aus welchem Tonvorkommen sie geformt und dann gebrannt worden waren, die Balken knarrend die Bäume aufgezählt, die ihretwegen in der Mark Brandenburg gefällt worden waren, das Glas geraunt, welcher Sand und welches Feuer ihre transparente Härte hervorgebracht hatten, die Kacheln dumpf verraten, welcher Ofenbauer sie modelliert hatte, die Eisenteile leise klirrend gesagt, welcher Schmied sie einst geformt hatte. Aber sie schwiegen.

Das ist die Geschichte von einigen der stummen Zeugen, die es immer noch in einem kleinen Gebäude in Berlin in der Nähe des Teufelsbergs gibt. Menschen haben die Materialien nach dem Krieg zusammengetragen, weil sie dort ein Häuschen bauen wollten, inmitten eines großen Gartens. Einige schauen heute noch durch das kleine Fenster mit den Glasblasen auf die Beete und denken sich ihren Teil.

Wenn also die Steine ihre Geschichte nicht erzählen können – wir Menschen können es zumindest versuchen.

Danksagung

Dieses Buch ist, was die darin erwähnten Personen angeht, fiktional, und zwar ausnahmslos. Niemand, den ich beschrieben habe, folgt der Existenz einer realen Person, ausgenommen Onkelchen. Nicht ganz so fiktional sind dagegen die Orte: die Königliche Gartenakademie gibt es in Berlin ebenso wie den Teufelsberg und eine gewisse Laubenkolonie. An dieser Stelle: Vielen Dank, lieber Ehrenvorsitzender, für alles, was du für uns machst!

Meiner Mutter danke ich, weil es entschieden anders ist, etwas Erlebtes wie Flucht, letzte Kriegstage und erste Friedenstage erzählt zu bekommen, als es zu recherchieren.

Herzlich bedanke ich mich auch bei meiner Literaturagentin Petra Hermanns, Lektorin Anna-Lisa Hollerbach, Textredakteurin Margit von Cossart und allen im Blanvalet-Team, die an diese Geschichte glauben.

Und ein dickes Dankeschön an meine Laubenverbündeten Christian und Henri, die mit Schlauch, Rasenmäher und Heckenschneider jederzeit zur Stelle sind.

Wo wilde Rosen ein altes Herrenhaus umranken, sucht eine Frau nach ihren Wurzeln ...

592 Seiten. ISBN 978-3-7341-0632-3

Frankreich 1958: Jeanne verzaubert in den Fünfzigerjahren ganz Paris mit ihren Chansons. Nun lebt sie mit ihrem Mann in einem Château im malerischen Loire-Tal und widmet sich leidenschaftlich ihrer großen Liebe, der Rosenzucht. Doch ein Schatten liegt über ihrem Glück, denn Jahre zuvor musste sie das, was sie am meisten liebte, zurücklassen, um zu überleben ...

Hamburg 2017: Die Journalistin Ella erbt ein verfallenes Anwesen in Frankreich. Sie ahnt nicht, dass das Vermächtnis ihr ganzes Leben auf den Kopf stellen wird. Und dass es ein Geheimnis birgt, das zu Ellas Wurzeln an der ostfriesischen Küste zurückreicht ...

Lesen Sie mehr unter: **www.blanvalet.de**

Der Duft von weißen Rosen, eine alte Gärtnerei und ein schicksalhaftes Erbe ...

336 Seiten. ISBN 978-3-7341-0242-4

Als Nora und ihre drei Freunde eine verlassene Gärtnerei in der Mark Brandenburg entdecken, beschließen sie: Sie werden die verkrauteten Beete beackern, die maroden Gewächshäuser bepflanzen und sich hier ihr eigenes Paradies schaffen. Doch die Verwaltung findet das nicht akzeptabel und sperrt die vier aus. Ist der Traum verblüht? Keineswegs: Kurzerhand besetzen Nora und die Novemberrosen die alte Gärtnerei. Plötzlich sprießen Schlagzeilen, die Zahl ihrer Unterstützer wuchert – auch wenn das verwunschene Grundstück das Geheimnis seiner Vergangenheit noch längst nicht preisgegeben hat ...